Bem vindo a Cabo Verde !

Carnaval de Ponta do Sol.

L'envoûtement du Cap-Vert commence par sa musique qui nous attire jusque dans l'archipel, dans le « petit pays » de Cesaria Evora. Non loin de la France, à seulement 5h30 en vol direct, le Cap-Vert est une destination magique. Sa particularité géographique – c'est un archipel – lui permet d'offrir une large palette d'activités touristiques, qui ravissent autant les amateurs de trekking que les amoureux des plages aux eaux turquoise. Les 10 îles sont toutes différentes et uniques. À Sal, on peut profiter de la plage et des sports. À Boa Vista, les plaisirs de la mer et la présence de dunes donnent à l'île un profil saharien. Santiago dont la ville principale, Praia, est la capitale de l'archipel, dispose d'attraits culturels aussi bien que naturels : villages d'artistes, randonnées magnifiques et plages. Fogo, île surmontée d'un volcan actif, fascine par la beauté du paysage lunaire de son cratère. São Vicente est propice à la fête, à la plage et à la balade. Enfin, Santo Antão peut être qualifiée « d'île du trek » grâce à ses vallées somptueuses. São Nicolau est idéale pour la randonnée.

Maio, elle, pour ses plages désertes et ses villages typiques. Quant à Brava, bien que difficile d'accès, elle envoûte tous les visiteurs. Bienvenue au Cap-Vert pour un voyage merveilleux.

Sommaire

Découverte

Visite

© BLAISE MENUET

Ponta do Sol.

Légumineuses du Cap-Vert.

Pense futé

© ANTOINE YVON / BENOÎT MOREL

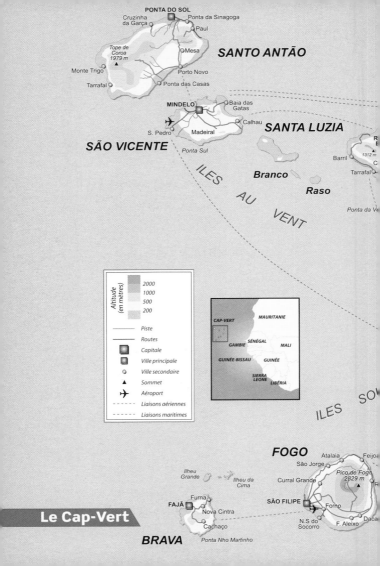

Le Cap-Vert

Bananiers dans la vallée de Paúl.
© BLAISE MENUET

Les plus du Cap-Vert

Des paysages ocre

D'une manière générale, le pays, sec et aride, présente un paysage de roches ou de sable, à la teinte ocre et brûlée. Certaines îles disposent d'un relief où l'écosystème est plus sophistiqué, mais toujours marqué par le manque d'eau et la sécheresse. La présence de nombreux volcans, actifs ou non, façonne la physionomie de ces îles de taille limitée, mais assez proches les unes des autres pour créer des ensembles communs. Les plages, de sable blanc ou noir, sont de bonne qualité, du fait d'une fréquentation encore limitée. De manière générale, l'état de développement assez faible de l'économie, et du tourisme en particulier, rend le pays idéal pour l'écotourisme.

De nombreuses activités sportives

Le Cap-Vert, de par la multiplicité et les particularités des îles qui le composent, offre divers attraits. La présence des alizés incite à la pratique de tous les sports de voile. Ceux de mer sont aussi très présents : plongée, pêche au gros... Les meilleurs endroits pour ces pratiques sont les îles de Sal, Boa Vista et São Vicente. Pour le trek, sans conteste, l'île la plus recommandée est Santo Antão qui dispose de nombreuses pistes, plus ou moins balisées, dont il existe un guide édité par le Bureau de la Coopération luxembourgeoise. Les randonnées de São Nicolau sont moins courues, mais satisferont amplement les amateurs.

Fogo offre aussi la possibilité de belles balades au sommet du volcan ou sur ses flancs. Enfin, Santiago développe l'écotourisme, même si les balades y sont plus méconnues qu'ailleurs.

Des attraits culturels

Le Cap-Vert insiste de plus en plus sur ses atouts culturels pour attirer vers lui les flux touristiques. L'architecture issue de la période coloniale portugaise constitue un premier attrait dans des villes telles Mindelo à São Vicente ou São Filipe à Fogo. Praia, dont l'urbanisation est plus déliée, présente néanmoins quelques musées témoins de l'histoire du pays. Portée par le succès de Cesaria Evora, la musique capverdienne se développe internationalement. Plusieurs styles caractérisent le pays, que l'industrie de la musique naissante tente de promouvoir.

Paysage de Ribeira da Torre.

© BLAISE MENIET

Cérémonie à Ponta do Sol.

À Praia, le village d'artistes de Porto Madeira et celui des Rabelados dévoilent une tout autre facette : le Cap-Vert contemporain de la peinture et de la sculpture sous l'égide de Misa. Enfin, le carnaval a lieu entre fin février et début mars : il prend une telle dimension à Mindelo, qu'on le compare volontiers à son frère brésilien. Bien que plus petit, celui de São Nicolau, le deuxième du Cap-Vert, reste le plus typique.

La douceur de vivre capverdienne

Le Cap-Vert sans les Capverdiens perdrait beaucoup de son charme. La population est extrêmement accueillante et chaleureuse, sans pour autant être débordante. Il est facile de nouer des contacts sur place : vous pourrez discuter de longues heures de ce petit pays avec ses habitants et découvrir leur vie, leurs joies et leurs peines. Ouverts et curieux, tout en étant fort joyeux, les Capverdiens offrent un voyage merveilleux à tous

ceux qui prennent le temps d'établir de vrais rapports amicaux, sans peur ni méfiance. Le Cap-Vert est un paradis au milieu de l'océan, où la douceur de vivre et la nonchalance ramènent tout un chacun au calme et au bien-être. C'est une destination sûre pour les femmes seules et les familles.

Un climat clément

Le Cap-Vert s'apparente par son climat sec au pays qui lui fait face sur la côte africaine, le Sénégal. Mais, selon l'île, vous serez plus ou moins exposé au vent et selon l'altitude, vous le serez plus ou moins à la chaleur. Il existe deux saisons.

L'une, sèche, va de fin octobre à début juillet, moins chaude mais avec des vents très forts entre décembre et février. L'autre humide, dite « saisons des pluies », s'étend de la mi-juillet à octobre avec les mois de septembre et d'octobre assez chauds. Le Cap-Vert connaît une forte sécheresse depuis plusieurs années et manque donc d'eau.

Fiche technique

Argent

La monnaie est l'escudo capverdien (CVE). La parité avec l'euro est fixe, 1 € = 110,265 CVE.

Vous pouvez apporter des euros que vous changerez à l'aéroport des îles de Sal, de Santiago ou de Boa Vista. Il y a un bureau de change sur place et une banque avec des guichets sur le côté pour le change automatique. Le taux de change du bureau de l'aéroport est moins avantageux que celui des banques, mais celui-ci est ouvert plus souvent !

Le Cap-Vert en bref

Le pays

▶ **Capitale :** Praia, île de Santiago.

▶ **Chef de l'État :** Pedro Pires (depuis le 22 mars 2001, réélu en 2006).

▶ **Premier ministre :** José Maria Neves (depuis le 14 janvier 2001, reconduit le 7 mars 2006).

▶ **Nature du régime :** démocratique (régime parlementaire).

▶ **Date d'indépendance :** 5 juillet 1975.

▶ **Superficie :** 4 033 km².

▶ **Climat :** tempéré et sec.

▶ **Altitude** la plus élevée : mont Fogo, 2 829 m.

La population

▶ **Population :** 513 000 hab. (2009), dont 35 % de moins de 15 ans.

▶ **Âge médian :** 20 ans.

▶ **Densité :** 12 hab./km².

Anciennes colonies portugaises, les îles du Cap-Vert se dotent de leur propre drapeau le jour de leur indépendance, le 5 juillet 1975. Au départ, les motifs représentés ressemblent à ceux du drapeau de Guinée-Bissau, car ses concepteurs, sous l'influence du PAIGC d'inspiration communiste (le Parti Africain pour l'Indépendance de la Guinée et du Cap-Vert), souhaitaient alors le rattachement des îles du Cap-Vert à ce pays. Le drapeau est donc composé, à gauche, d'une bande rouge verticale incrustée d'une étoile noire symbolisant le communisme, et à droite, de deux bandes horizontales jaune et verte.
Après les élections multipartites de 1990 qui voient la chute du régime, une nouvelle Constitution est adoptée en 1992 en même temps qu'un nouveau drapeau. Le bleu figure la profondeur de la mer et du ciel. Le blanc symbolise le pacifisme des Capverdiens tandis que le rouge représente leur ardeur au travail. Enfin, les dix étoiles expriment l'unité des dix îles de l'archipel.

Ponta do Sol.
© BLAISE MENUET

Forêt de Janela.
© BLAISE MENUET

▶ **Taux de croissance** de la population : 1,3 % (2010).

▶ **Taux de mortalité infantile :** 22 ‰ (2010).

▶ **Taux de fécondité :** 2,9 enfants par femme (2010).

▶ **Espérance de vie homme/femme :** 72,5 ans.

▶ **Taux d'alphabétisation :** 84,1 % (estimation 2010).

▶ **Langue officielle :** portugais.

▶ **Langue parlée :** créole.

L'économie

▶ **Monnaie :** escudos capverdiens (CVE).

▶ **PIB :** 1,24 milliard d'euros (2009).

▶ **PIB/hab :** 2 869 euros (2009).

▶ **Répartition du PIB par secteur :** tertiaire 74,3 %, secondaire 6,5 % et primaire 9,2 %.

▶ **Croissance annuelle :** 5,3 % (2009).

▶ **Taux de chômage :** 17 % (estimation 2009).

▶ **Population sous le seuil de pauvreté :** 37 % (estimation 2009) et 20 % très pauvres.

▶ **Importations :** 709 millions d'euros (2009).

▶ **Principaux partenaires à l'importation :** Portugal, Pays-Bas, Brésil.

▶ **Produits importés :** denrées alimentaires, produits industriels, équipement des transports, carburants.

▶ **Exportations :** 35 millions de dollars.

▶ **Principaux partenaires à l'exportation :** Portugal, France, Etats-Unis, Royaume-Uni.

▶ **Produits exportés :** carburants, chaussures, habillement, pêche, peaux.

▶ **Taux d'inflation :** 4 % (2009).

▶ **Indice de développement humain :** 118e sur 169 pays (PNUD 2007).

Climat et saisonnalité

Le Cap-Vert jouit d'un climat chaud et sec durant une grande partie de l'année.

→ Deux saisons s'y distinguent : l'une sèche va de fin octobre à fin juillet. Elle se caractérise par des vents forts, en particulier entre décembre et février. Les mois les plus chauds sont mars, avril et mai. L'autre humide, dite saison des pluies, qui s'étend d'août à octobre avec des mois de septembre et d'octobre assez chauds. Chaque île est plus ou moins exposée au vent et, selon l'altitude, à la chaleur.

→ La haute saison touristique s'étend de la mi-juin à la mi-septembre et tout le mois de décembre, lorsque les émigrants, la diaspora capverdienne, rentrent au pays.

→ Il est impératif de réserver logements et liaisons aériennes. Sinon, le Cap-Vert se visite toute l'année, avec une température moyenne de l'air de l'ordre de 25 °C, et celle de la mer de 24 °C.

Le Cap-Vert en 10 mots-clés

Baignades

Les plages du Cap-Vert peuvent être dangereuses, et la prudence est la règle dans certains endroits, comme à São Pedro ou Salamansa, sur l'île de São Vicente ou à São Nicolau. Prenez l'habitude de demander l'avis des hôteliers, des pêcheurs, des plongeurs ou, tout simplement, des baigneurs, surtout s'agissant de plages peu ou pas fréquentées, où il peut y avoir de forts courants. Les îles de Santo Antão et Fogo ne sont pas des îles de plages, car le courant y est particulièrement dangereux.

Danse

Elle fait partie intégrante de la vie quotidienne. Tout le monde danse tout le temps, même seul à la maison. Il existe plusieurs types de danses suivant les îles. La *morna*, l'équivalent du slow en plus noble, et les rythmes très entraînants et saccadés, comme la *coladeira*, la *mazurka* et la *cola San Jon,* très répandue au Nord, mais aussi le *funana*, le *batuku* dans les îles Sotavento. Mais les fêtes et bals traditionnels attirent moins les jeunes générations, qui leur préfèrent les discothèques et leurs musiques reines : le zouk et plus récemment le *kuduro* angolais.

Eau

Denrée vitale, économisée et très respectée, car elle ne coule pas en abondance dans les sous-sols

© BLAISE MENUET

Carnaval de Ponta do Sol.

Capverdienne de Maio.

capverdiens. C'est pourquoi vous devez éviter le gaspillage d'eau à tout moment de la journée, même en prenant des douches à l'hôtel. Seules les îles de Santo Antão et de Brava, grâce à leurs pluies plus régulières et plus abondantes, souffrent moins du manque. Chaque habitation au Cap-Vert possède une citerne sur son toit dans laquelle est stockée l'eau pour la semaine. Le ravitaillement hebdomadaire est régulier et ne ratez pas le rendez-vous, sinon vous aurez une semaine d'attente. Dans les villages, la régularité est moins précise. Pensez à prendre une gourde et à utiliser des pastilles de purification afin de ne pas gaspiller l'eau, ni de polluer avec les bouteilles en plastique qui ne sont pas recyclées.

Fêtes

Les Capverdiens aiment faire la fête et les endroits pour s'amuser ne manquent pas. À Mindelo, la ville de la fête, tous les soirs, une discothèque différente fait le plein, et le week-end vous aurez l'embarras du choix sur l'ensemble de l'archipel. Sachez quand même que l'ambiance ne démarre que vers 1h du matin dans les night-clubs. Vous trouverez des bars musicaux et dansants ouvrant vers 17h à Santa Maria, sur l'île de Sal et des after jusqu'à 12h. Cette ville devient un véritable temple de la fête, mais l'ambiance n'est pas aussi authentique qu'à Mindelo. Même dans les endroits les plus reculés, dans les petits villages, vous trouverez toujours un endroit pour danser ou écouter de la musique.

Îles

Le Cap-Vert est un archipel surprenant et envoûtant. Tous les curieux qui ont la chance de se déplacer sur quelques îles, font le même constat : chaque île est différente des autres. Chaque découverte est unique. Alors nous sommes tous pris par le même désir, pousser plus loin la visite, nous rendre sur une autre île, découvrir un autre paradis. La tentation est grande, le supplice insupportable… Si l'envie vous prend d'aller un peu plus loin, comptez deux bons mois pour découvrir l'ensemble de l'archipel, sinon il faut savoir attendre le prochain voyage et profiter des délices des îles choisies lors d'une première visite. Courage !

Langouste

Le Cap-Vert est le pays de la langouste, vous pourrez en manger sur la plupart des îles à un prix raisonnable. Elle est souvent très bonne et bien cuisinée. Boa Vista et Sal sont les meilleures îles pour la déguster. Malheureusement, avec l'arrivée massive de touristes, la demande est telle que les fonds se dépeuplent, et que les pêcheurs n'hésitent pas à pêcher les langoustes immatures ou les femelles remplies d'œufs, alors que la loi en interdit la capture et la consommation de juillet à octobre.

Il est donc judicieux de demander au restaurateur de voir la langouste avant de passer commande, et de la refuser si elle est trop petite ou pleine d'œufs, question de survie de l'écosystème.

Marchés

Certains sont de véritables centres commerciaux, comme ceux de Sucupira et Assomada à Santiago. Allez voir aussi les marchés aux poissons, il en existe sur chaque île. D'autres sont plus réduits car tributaires des bateaux de frets, c'est le cas à Maio.

Mer

La mer est l'une des plus belles ressources du pays. Ses eaux chaudes, entre 23 °C et 26 °C toute l'année, et translucides ravivent les baigneurs. Si l'archipel est peu peuplé par la faune, c'est dans l'eau que les espèces animales sont féeriques. Tous les plongeurs en ressortent émerveillés. Les glisseurs ne sont pas en reste et viennent défier les vagues et le vent ; une étape du championnat du monde de Windsurf se tient désormais tous les ans sur l'île de Sal, à Punta Preta. Enfin, la mer est nourricière et tous les gourmets se laisseront tenter par ses poissons et crustacés.

Musique

Elle est partout et reste avec la danse le meilleur moyen de s'amuser et de s'évader. Depuis l'origine de l'histoire du Cap-Vert, aucun Capverdien, du plus jeune au plus vieux, ne vit sans la musique locale, autrefois moyen de communication et soutien moral pour les esclaves. La musique et la danse ont subi plusieurs influences qui se perçoivent très nettement : de l'Afrique avant tout, dans le rythme, les percussions utilisées et le battement des mains du *batuku* ; mais aussi de l'Amérique latine pour le *funana*, qui viendrait du Brésil avec les rythmes chantés et dansés proches de la *samba* ; de l'Europe et plus précisément du Portugal, où la *morna* s'apparente au *fado* et d'où semblent aussi venir les danses de couple. La *morna* présente également beaucoup de similitudes avec certains chants marocains.

Plus récemment, le zouk martiniquais (devenu *cabo-love*) et le *kuduro* ont fait une entrée en force dans les discothèques et sur les ondes. La plus grande représentante de la musique du Cap-Vert, Cesaria Evora, a énormément contribué à faire connaître cette musique, riche et variée dans le monde entier.

Tortues

La tortue est l'emblème du Cap-Vert, car elles sont nombreuses à venir pondre de juin à septembre sur les plages de l'archipel. 5 espèces y sont recensées : la tortue olivâtre, la tortue verte, la tortue luth, la tortue imbriquée et la tortue caret, la plus présente. Elles sont, hélas, menacées, bien que la pêche y soit interdite. Les grands complexes hôteliers, avec leur lumière, dérèglent le sens de l'orientation des tortues qui retournent sur terre, au lieu de repartir vers la haute mer. De nombreuses associations voient le jour pour préserver les tortues marines.

Survol du Cap-Vert

Tels de petits cailloux jetés dans la mer entre trois continents et formant un fer à cheval ouvert vers l'Amérique du Sud, les îles du Cap-Vert, sèches et arides pour la plupart, figurent néanmoins parmi les rares endroits préservés de la planète.

Essentiellement d'origine volcanique, Les îles du Cap-Vert font partie de cet ensemble d'archipels de l'Atlantique qui forment la Macaronésie avec les îles Canaries, les Açores et Madère. Dix îles, dont neuf habitées, et huit îlots, totalisent 4 033 km² de superficie. Ils sont situés à 450 km au large des côtes du Sénégal et de la Mauritanie, à 1 750 km des îles Canaries et 3 000 km du Nord du Brésil, entre 13,50 ° et 17,15 ° de latitude nord, 22,45 ° et 25,25 ° de longitude ouest. Cet archipel est divisé en deux ensembles géographiques suivant leur exposition aux alizés du nord-est.

→ Les îles Barlavento au nord, plus exposées au vent et plus fraîches, regroupent Boa Vista, Sal, São Nicolau, Santa Luzia, São Vicente, Santo Antão et totalisent 2 230 km².

→ Les îles Sotavento, ou îles sous le vent, composées de Brava, Fogo, Santiago et Maio totalisent 1 803 km². Elles sont moins exposées au vent, donc plus chaudes.

L'île la plus grande et la plus peuplée est Santiago, avec 991 km², la plus petite île habitée est Brava avec 67 km², la plus verte, la plus agricole et la plus surprenante est Santo Antão. Le pic le plus haut, avec 2 829 m d'altitude, se trouve sur l'île de Fogo.

Géographie

Côtes

La diversité du relief maritime découpe de nombreuses criques désertes et isolées, qui s'échelonnent le long des côtes sur toutes les îles. Leur accès est assez facile et les plages qu'elles abritent sont très belles. Elles sont dépourvues d'aménagement et d'accueil, idéales pour les partisans de l'isolement total. Même sur certaines plages très fréquentées de Praia, des îles de Sal et Boa Vista, il suffit de vous éloigner un peu pour trouver des plages plus tranquilles.

© ANTOINE YVON / BENOÎT MOREL

Pêcheur de Maio recousant ses filets.

La côte est de Santiago est bordée par une route qui permet de belles balades en voiture ou à moto. Sur l'île de Santo Antão, tout le nord-est reste une merveille pour les passionnés des côtes maritimes. Suivez la direction de Janela au départ de Cruzinha, traversez Ponta do Sol, et Paúl et allez jusqu'à Porto Novo, vous serez séduit par cette beauté naturelle reposante.

Plages

Elles sont nombreuses et splendides. Trois îles se partagent les plus belles du territoire : Sal, Boa Vista et Maio. Les plages désertes s'étendent sur des dizaines de kilomètres et sont l'endroit idéal pour se ressourcer et se détendre, loin du tourisme de masse. A Boa Vista, leur beauté est soulignée par les dunes qui les bordent tout le long du littoral, et qui modifient leur aspect selon la force du vent. Cela étant, vous retrouvez de belles plages sur pratiquement toutes les îles. La couleur du sable varie : sur l'île de Fogo, il est noir à cause du volcan ;

sur l'île de Santiago, vous retrouvez du sable brun, surtout sur la célèbre plage bordée de cocotiers de Tarrafal, et du sable noir sur la côte est. Le sable noir est aussi très réputé pour ses qualités curatives sur l'île de São Nicolau, car il est riche en titane et en iode. C'est sur cette île que vous trouverez Baixo de Rocha, une des plus belles plages du pays, cernée de basalte.

Géologie

Deux théories tentent d'expliquer l'apparition des îles du Cap-Vert. Selon la première, entre 130 et 85 millions d'années av. J.-C., le processus de séparation de l'Amérique du Sud et de l'Afrique a provoqué des plissements qui ont laissé échapper des coulées de magma, lesquelles ont donné naissance aux volcans. La seconde théorie, avancée par Jason Morgan, évoque le phénomène des points chauds, ou Hots Spots, résultat des percées de l'écorce terrestre par du magma jaillissant du fond de l'océan.

© BLAISE MENIET

Cruzinha da Garça.

Cela explique la première phase sous-marine des volcans, et prouve que cet archipel est bien issu de l'océan. Aujourd'hui, on observe des traces fossiles sur certaines îles, comme Boa Vista et Maio.

Tout laisse croire que ces deux îles et celle de Sal, plus plates et désertiques, sont les plus anciennes de l'archipel. En revanche, au vu de leur relief de montagnes et de vallées, les îles orientées à l'ouest, comme Santo Antão, semblent être beaucoup plus récentes et moins attaquées par les différents agents de l'érosion.

Les îles les plus occidentales, comme Brava et Fogo, sont toujours soumises à une forte sismicité : le volcan Pico do Fogo est entré en éruption en 1951, et plus récemment en avril 1995.

Ces îles sont dans leur ensemble, beaucoup plus élevées que celles situées plus à l'est, et les pluies y sont plus importantes. Leurs hautes montagnes, qui font barrière aux alizés, sont les mieux arrosées et leurs vallées sont les plus belles et les plus profondes. Le Cap-Vert a connu de grandes saisons pluviales pendant la période du quaternaire, ce qui a accéléré l'érosion, révélant des montagnes très entaillées, du fait des roches inégalement tendres, et des *ribeiras* (rivières) très profondes mais aujourd'hui desséchées et dont certaines, notamment celles recouvertes d'alluvions, sont réservées à l'agriculture.

Climat

Le Cap-Vert est situé dans une zone où les vents alizés humides du nord-est et la mousson, porteuse d'air chaud et humide, se croisent. Ce front intertropical mobile empêche l'avancée de la mousson à travers le pays, et l'irrégularité de son déplacement contribue à une pluviométrie faible et très irrégulière.

L'archipel, situé dans la région du Sahel, subit une période de sécheresse répétée que l'on observe depuis des siècles avec des périodes très graves. Seules les zones exposées au vent des alizés sont moins atteintes par ce fléau. La plus grande partie du territoire reste néanmoins aride et sèche. Les pluies y sont plutôt rares et très irrégulières, voire quasiment inexistantes dans certaines régions, et le phénomène s'intensifie selon les statistiques et les experts. Sur certaines îles comme Sal, Boa Vista et Maio, elles sont extrêmement rares alors que sur d'autres comme Santo Antão et Brava, elles sont plus importantes.

La situation géographique, dans la zone soudano-sahélienne qui va de l'Atlantique à la mer Rouge, apporte au pays un climat chaud et sec durant une grande partie de l'année. On observe deux saisons : l'une sèche, va de fin octobre à début juillet, moins chaude, mais avec des vents très forts entre décembre et février ; l'autre humide, dite saison de pluie, s'étend de la mi-juillet à octobre avec des mois de septembre et octobre assez chauds.

Les vents dominants durant ces périodes sont l'alizé de fin novembre à février, la mousson en saison de pluie, et l'harmattan en décembre et janvier, un vent chaud et sec qui vient d'Afrique, chargé de poussière et de sable du Sahara, asséchant l'air. L'archipel reste sous cette influence climatologique avec une absence d'uniformité sur tout le territoire.

Les îles orientales, proches de l'Afrique, restent les plus chaudes, bien que tempérées par une brise marine. Et sur une même île, on peut observer une grande différence climatique suivant l'altitude et l'exposition au vent.

Le Cap-Vert reste pendant presque toute l'année sous la dépendance de l'anticyclone des Açores qui génère des vents, dont l'alizé du nord-est, et affecte les courants marins. On remarque alors que des courants d'eau froide viennent rafraîchir les côtes, notamment entre janvier et mai, où la température de l'eau est en moyenne de 23 °C. La température moyenne annuelle de la mer, entre 23 °C et 26 °C, reste la plus élevée de la zone macaronésienne, et même de la côte d'Afrique occidentale.

Environnement et parcs nationaux

Pays pauvre, le Cap-Vert trouve dans le tourisme naissant une nouvelle ressource depuis la fin des années 1990. Cependant, un de ses principaux attraits découle sans doute de son manque d'industrialisation, à la fois cause et conséquence de son sous-développement. Ainsi, les paysages sont restés à l'état quasi naturel, relativement peu modifiés par la main de l'homme. L'écotourisme est donc roi ici, uniquement concurrencé par un tourisme de masse en croissance, reposant sur la plage et l'hébergement en village, qui par chance est encore localisé sur certains sites. Dans tous les cas, l'environnement naturel se situe au cœur d'un voyage vers le Cap-Vert. L'atout nautique du pays (tous les sports de voile et de mer

sont pratiqués) s'enrichit en outre de la sérénité du décor naturel alentour. Face au développement de l'affluence touristique, le gouvernement cherche aujourd'hui à redéfinir et réorienter sa politique. Il existe quatre parcs nationaux : sur l'île de Fogo (Monte Velha), sur l'île de Santiago (Sierra Malagueta), sur l'île de São Vicente (Monte Verde) et sur l'île de São Nicolau (Monte Gordo), et deux autres devraient prochainement les rejoindre.

Faune et flore

Faune

→ **Faune terrestre.** Essentiellement composée d'animaux apportés par les Portugais, la faune du Cap-Vert ne comprend pas d'animaux féroces ni de reptiles dangereux, mais plutôt des animaux domestiques et d'élevage. Vous retrouvez des ânes, des chevaux, des chiens et des chats, dont la profusion gêne beaucoup les hôteliers, sur l'île de Sal particulièrement. Pour ce qui est des animaux d'élevage, vous verrez surtout des chèvres, des moutons, des poulets, des porcs, des lapins et des vaches. Beaucoup de ces animaux domestiques, notamment les ânes, sont retournés à l'état sauvage, principalement sur les îles de Fogo, Boa Vista et Santo Antão. Les chats sauvages sont disséminés un peu partout dans les régions rocheuses des îles. Les espèces d'oiseaux sont en revanche plus variées et plus nombreuses : on en dénombre environ 75 dont plus de 30 sont sédentaires. Parmi ces variétés, on remarque le *guincho* (balbuzard), un oiseau marin qui se nourrit de poissons *garoupas* (mérous) ; le *cagarra* (puffin du Cap-Vert) que l'on retrouve dans les îlots et dont les poussins sont massacrés une fois l'an par les pêcheurs pour la confection d'un plat traditionnel, le *corredeira*, mangeur d'insectes qui boit très peu d'eau et vit sur les îles de Maio, Boa Vista et Santiago ; le *tchota* de Cana, exclusivité du Cap-Vert qui vit dans les champs de canne à sucre, et la *calhandra do Ilhéu Raso* (alouette de Raso), exclusivité de l'îlot de Raso (à l'ouest de l'île de São Nicolau). Des singes importés d'Afrique vivent dans les montagnes de Santiago et Brava, des lézards géants peuplaient jadis les îlots de Raso et de Branco, alors que la pintade de Guinée semble être le seul gibier de tout l'archipel.

→ **Faune marine.** Elle est particulièrement riche et variée en raison des conditions très favorables des fonds marins : clarté, pureté et température de l'eau appropriée.

Les espèces sédentaires ou tropicales côtoient, à certaines périodes de l'année, les espèces migratoires, comme le thon, pêché entre mai et décembre et très apprécié par la population locale. Ainsi les poissons-perroquets, les carpes rouges, les badèches (*badejos*) ; les mérous (*garupas*), les daurades, les murènes, les carangues blanches ou noires, les cabots, les liches, les bonites, les marlins, les espadons, les dauphins, les cachalots, les orques, les baleines et quelques variétés de requins comme le dormeur, sont autant d'espèces qui peuplent les profondeurs à découvrir lors des plongées. En ce qui concerne les crustacés, la réputation des langoustes du Cap-Vert s'est exportée et la demande est aujourd'hui supérieure à l'offre, ce qui en fait un produit très recherché. Trois variétés de langoustes se partagent la vedette.

Plante à Santo Antão.

Il y a la langouste verte, plus nombreuse, surtout sur les îles de Boa Vista et Maio ; la langouste rose sédentaire, devenue plus rare et mieux protégée aujourd'hui ; enfin la langouste brune. Les plongeurs prennent également des cigales de mer (*carrasco*), des araignées de mer qui peuvent atteindre jusqu'à un mètre de diamètre, des crabes violonistes sur les plages ou des crabes gongon en profondeur), des calamars et de nombreux mollusques comme le savoureux *buzio*. Les coquillages sont nombreux sur l'île de Boa Vista, mais aussi sur celle de Sal, sur la plage de Santa Maria, un peu plus à l'est du village. On trouve beaucoup de cônes notamment. Les tortues de mer sont très importantes dans l'archipel et les espèces sont protégées, car le commerce de leur carapace et la consommation de leur viande risquent de les faire disparaître. Les coraux font également partie de l'univers sous-marin capverdien, car la pureté de l'eau, sa clarté, son taux de salinité adéquat et sa température, régulièrement supérieure à 21 °C, favorisent leur épanouissement.

Flore

Outre le fait d'être situé dans l'alignement de la presqu'île homonyme au Sénégal, l'histoire veut que le Cap-Vert tienne son nom de l'époque où végétation luxuriante et rivières abondaient sur certaines îles comme Santiago. Aujourd'hui, la flore de l'archipel est très pauvre, puisque l'on ne dénombre que 300 espèces environ. On y retrouve des plantes ligneuses comme dans tout pays sahélien, ainsi que le dragonnier commun aux îles de la Macaronésie. Près de 200 espèces de plantes jalonnent les îles, importées par les navigateurs portugais d'Europe et d'Afrique pour la plupart. On y trouve : manioc, maïs, patate douce, café, vigne, canne à sucre, banane, *pulgeira*, ricin, cocotier, papayer, manguier et sisal, plus communément appelé *carrapato*.

Dans les *ribeiras*, il y a des fromagers (*poilãos*), des baobabs (*calabaceiras*) et des dragonniers (*dragoeiros*), dont la sève rouge sert à la coloration du grogue vieux (rhum local). On trouve un peu partout le fameux tamarinier, qui donne des gousses protégeant une pulpe acide à consommer en jus ou en ponche.

© BLAISE MÉNUET

Fleurs et océan à Janela.

La découverte

L'histoire de la découverte des îles du Cap-Vert est très controversée de nos jours, et il est très difficile de dire exactement quels sont les premiers arrivants. Les Portugais revendiquent cette découverte, en affirmant que c'est Diogo Gomes et Antonio de Noli qui, en 1460, accostent dans les îles du Cap-Vert, alors inhabitées. Toutefois, les historiens s'accordent à dire que, au XIIe siècle, bien avant l'arrivée des Portugais, des navigateurs arabes ou grecs connaissent ces îles repérées par les géographes arabes. Le marin vénitien Alvise Ca'da Mosto, d'après ses écrits, est arrivé sur les lieux en 1456. Mais des historiens, dont Antonio Carreira, sont certains que des Africains des côtes situées en face de l'archipel, ont occupé les terres pendant quelque temps. Il s'agirait de pêcheurs wolofs, de Lébous et de Felups, venus du Sénégal. Officiellement, c'est la version portugaise qui a été retenue. Dans le premier temps de la colonisation, seules les îles de Santiago et de Fogo sont exploitées et peuplées.

Le commerce triangulaire

En 1462, Antonio de Noli débarque en compagnie de sa famille et de colons portugais originaires d'Algarve et d'Alentejo. Il crée la ville de Ribeira Grande, appelée aujourd'hui Cidade Velha, première capitale du Cap-Vert que le pays cherche aujourd'hui à faire inscrire au patrimoine mondial de l'Humanité auprès de l'Unesco.

Au cours du XVIe siècle, l'archipel devient un véritable entrepôt, spécialisé dans le commerce du bois d'ébène, des pagnes de coton et de la canne à sucre.

En 1466, une charte royale accorde aux Portugais de l'île de Santiago, le privilège à vie du commerce avec la côte occidentale africaine, du fleuve Sénégal à la Sierra Leone, pour accélérer la colonisation. Très rapidement, cela attire essentiellement des nobles, des artisans et quelques aventuriers portugais. D'autres Européens suivent le mouvement et, le besoin en main-d'œuvre se fait sentir. Des esclaves sont alors importés du Sénégal et de la Guinée, d'autant plus que les Européens sont incapables de travailler dans les plantations, sous le soleil brûlant des tropiques.

Pendant très longtemps, les îles de Fogo et de Santiago resteront les seules îles exploitées. Au XVIe siècle, l'exploitation du sel commence sur les îles de Maio et de Boa Vista, puis l'île de Brava accueille la population de Fogo, après l'éruption de son volcan. Au cours de ce siècle, commence le peuplement de Santo Antão avec l'arrivée de 19 personnes, très rapidement suivies de 44 familles, puis São Nicolau en 1653 et São Vicente en 820. En 1612, la création du port de Praia relègue Cidade Velha à la seconde place. Au XIXe siècle commence l'exploitation du sel dans l'île de Sal, plus précisément à Pedra de Lume, qui voit débarquer des habitants des îles de Boa Vista et de São Nicolau.

Le Cap-Vert, placé au carrefour des Amériques, de l'Afrique et de l'Europe, se révèle une position stratégique pour le commerce triangulaire : il devient une escale de ravitaillement en eau, en vivres et en esclaves, la marchandise la plus importante des exportations capverdiennes durant les deux premiers siècles de colonisation.

Le déclin, du XVIIe au XXe siècle

Le Cap-Vert subit un rapide déclin au XVIIe siècle, en perdant le monopole du commerce des esclaves. Le Portugal perd le contrôle des mers en 1644, et les négriers ne sont plus contraints de s'arrêter dans l'archipel. Les Anglais s'installent alors en Gambie, et l'île de Gorée devient le concurrent direct du Cap-Vert. Les Espagnols, pour éviter de payer les droits à la couronne portugaise, créent des liaisons directes avec l'Amérique. Santiago subit un grand préjudice. De plus, en 1687, le Portugal interdit la vente des pagnes aux étrangers pour un problème de concurrence, ce qui va entraîner la ruine et l'abandon de nombreuses plantations et une vague d'émigration vers le Brésil. D'anciens esclaves libérés prennent alors possession de ces terres.

Mais d'autres raisons expliquent ce déclin du Cap-Vert. Au milieu du XVIIIe siècle le roi concède le commerce du pays à des compagnies à charte qui ne cherchent que le profit, sans aucun projet de développement, comme au Brésil par exemple. De lourdes taxes pèsent sur les produits portugais, contrairement aux produits des autres colonies. C'est le cas du sel, dont on ne payait que la main-d'œuvre à l'origine, et qui soudainement se voit appliquer des taxes à la sortie du pays. Une concurrence redoutable avec les autres colonies s'installe et le Cap-Vert est écrasé : le bétail et le vin ne sont plus exportés et, à la fin du XIXe siècle, le vignoble de l'île Fogo est fermé après avoir vu ses ceps arrachés. La canne à sucre, auparavant produite localement, doit même être importée au XXe siècle à cause de l'appauvrissement des terres humides.

À cela, s'ajoutent les famines dues à la sécheresse, aux coupes incontrôlées du bois et à l'érosion, qui déciment une bonne partie de la main-d'œuvre et du bétail.

Le XXe siècle voit une détérioration progressive de l'économie. La révolution industrielle freine l'exportation de certains produits, comme l'orseille, et le « sang du dragon », autre pigment issu du dragonnier, remplacés par des produits synthétiques. Le rhum et le sel continuent d'être exportés, mais subissent une lourde taxe, ce qui est aussi le cas du tabac et du sucre. Le charbon est délaissé au profit du fuel et l'autonomie des navires marchands leur permet d'éviter l'escale de Mindelo, déjà bien concurrencée par Dakar et les Canaries. Le Portugal se désintéresse de cette colonie. Les mouvements de protestation persistent et le déclin économique s'accentue, entraînant la misère dans le peuple.

De la fin de la Première Guerre mondiale à l'Indépendance

À la fin de la Première Guerre mondiale, les îles du Cap-Vert sont tombées dans l'oubli. Après la Seconde Guerre mondiale, Lisbonne, sous la pression internationale, se décide à effectuer

Le long des champs de canne à sucre
dans la région de Santo Antão.

© BLAISE MENUET

Enfants de la Ribeira do Paul.
© ANTOINE YVON / BENOIT MOREL

quelques rénovations et crée des infrastructures. En 1951, le Cap-Vert devient un territoire d'outre-mer. C'est le temps des premiers mouvements indépendantistes en Afrique et cela donne des idées à certains Capverdiens. En 1956, un ingénieur agronome du nom d'Amilcar Cabral et cinq compagnons créent à Bissau le Parti africain pour l'indépendance de la Guinée-Bissau et des îles du Cap-Vert (PAIGC). Leur objectif est de libérer de la tutelle du Portugal ces deux entités unies par une même histoire et un même peuple. Le 3 août 1959, le mouvement décide de sortir de la clandestinité pour affronter l'oppresseur portugais. La PIDE, police secrète portugaise, lance une vaste campagne d'arrestations, de nombreux militants seront torturés et tués. La direction du PAIGC déménage et se réfugie en ex-Guinée française, indépendante depuis un an seulement.

En 1963, les combats vont débuter, d'abord au Sud du pays, puis bientôt au nord. En 1968, les troupes du PAIGC contrôlent les deux tiers du territoire. Le général portugais António de Spínola, ayant brillamment fait ses preuves en Angola, est alors nommé gouverneur de la Guinée par Lisbonne. Il y restera jusqu'en 1973 et sera l'artisan de la plus terrible répression que le pays ait connue.

En avril 1972, une mission spéciale des Nations-Unies se déplace dans les régions libérées du Sud, et reconnaît le PAIGC comme seul et unique représentant des peuples de Guinée et du Cap-Vert. Une résolution du Conseil de sécurité condamne le colonialisme portugais et demande le retrait pur et simple du Portugal des territoires occupés.

Le 20 janvier 1973, Amilcar Cabral, le fondateur du PAIGC, est assassiné par des membres guinéens de son propre parti, corrompus par les Portugais. Le 23 septembre de la même année, l'Assemblée nationale populaire proclame à Boé la République de Guinée-Bissau, reconnue par de nombreux pays.

Le 25 avril 1974, le Mouvement des Forces armées (MFA), renverse le très controversé général Spínola, représentant du gouvernement fasciste d'António Salazar. C'est la grande victoire du PAIGC et du Mouvement pour l'indépendance de l'Angola (MPLA) : le MFA, durant sept mois, reprend l'idéologie et la structure de ces mouvements de libération africaine, comme si Amilcar Cabral gouvernait.

Amilcar Cabral, une vie pour l'indépendance du pays

Fondateur du premier parti capverdien, le PAIGC, il engage le pays dans la lutte vers l'indépendance nationale. Il fait ses études d'agronomie à Lisbonne, travaille pour le gouvernement portugais en tant qu'ingénieur agronome en Angola, puis en Guinée-Bissau, avant de créer en 1956 le PAIGC. Assassiné le 20 janvier 1973, il ne verra pas la proclamation de l'Indépendance de la Guinée-Bissau et du Cap-Vert.

Après le coup d'Etat, le nouveau gouvernement portugais acceptera un cessez-le-feu et commencera à négocier avec le PAIGC. En octobre de la même année, la Guinée-Bissau accède à l'indépendance et nomme Luís Cabral comme président de la République. Le 5 juillet 1975, vient le tour des îles du Cap-Vert, dirigées par Aristide Pereira, dont le Premier ministre sera Pedro Pires.

De l'indépendance...

En arrivant au pouvoir, les nouveaux dirigeants héritent d'un pays dénué de ressources et sans aucune industrie. Même s'il refuse de se définir comme un parti marxiste-léniniste, le PAIGC applique bel et bien une politique d'inspiration socialiste. Son principal objectif, l'union politique avec la Guinée, échoue à la suite du coup d'Etat de 1980 qui voit João Bernardo Vieira, ancien commandant, renverser Luís Cabral et prendre le pouvoir. Malgré une histoire et une langue en partie communes, le projet d'abolir les frontières, de fusionner les armées et les compagnies maritimes, s'est heurté à des réglementations administratives souvent divergentes dans le domaine monétaire, culturel, et économique. Les rivalités au sein même du PAIGC et la crise économique, ne peuvent qu'accentuer les tensions. Les Capverdiens prennent leurs distances et créent le Parti africain pour l'Indépendance du Cap-Vert (PAICV). Celui-ci va rester au pouvoir sans partage et sans opposition, car elle était interdite par la Constitution, jusqu'en 1990.

L'aide internationale attendue arrive aussi bien des pays de l'Est que des pays capitalistes, car le Cap-Vert fait partie des pays non alignés, bien que sa politique montre son attachement à l'idéologie marxiste-léniniste. Le niveau de vie s'améliore, et une évolution se fait sentir dans les domaines de la santé, de la communication, de l'éducation et de la lutte contre la désertification. Pour surmonter les handicaps dus à l'insularité, aux aléas climatiques, à l'absence de ressources énergétiques et au taux d'accroissement de la population, de profondes réformes sont lancées dans les années 1980 : la réforme administrative se fixe pour objectif d'élever le niveau des cadres ; la réforme éducative affirme sa volonté de lutter contre l'analphabétisme ; la réforme agraire, la plus importante de toutes, vise le monde agricole, donc l'alimentation de la population.

Mais ces réformes ne sont pas toutes couronnées de succès. C'est le cas dans le secteur agraire, où le gouvernement jouait une carte importante : au début des années 1980, la répression d'une manifestation

Village de pêcheurs de Cruzinha da Garça.

de paysans de Santo Antão cause la mort d'un opposant à la réforme. L'absence de démocratie commence à peser et une ouverture s'impose. En février 1990, l'Assemblée nationale populaire autorise le multipartisme. En renonçant à son statut de parti unique, le PAICV fait le premier pas vers la démocratie.

... à la démocratie

En 1991, le MPD (Mouvement pour la démocratie), parti libéral de droite, nouvellement créé, en partie par d'anciens cadres du PAICV, gagne haut la main les élections législatives et les présidentielles. Carlos Veiga est nommé Premier ministre et Antonio Mascarenhas Monteiro est élu président de la République. La démocratie libérale s'installe et plusieurs partis, de l'extrême gauche à la droite conservatrice, se légalisent ou se créent.

Le MPD remporte de nouveau les élections de 1996, le Premier ministre Carlos Veiga et le président de la République, Antonio Mascarenhas Monteiro gardent leurs fonctions. La transition libérale a été assurée avec succès, permettant une ouverture sur le monde et l'initiative à l'entreprise privée. Le PAICV, rajeuni, se ressaisit. Le Parti s'affirme comme socialiste et revient sur le devant de la scène. Ses militants font massivement campagne et aux élections de 2000-2001, ils raflent tout sur leur passage : le 20 février 2000, le PAICV gagne les municipales, le 14 janvier 2001 les législatives et le 25 février 2001 les présidentielles avec l'élection sur le fil du commandant Pedro Pires, face à Carlos Veiga ex-Premier ministre, au 2e tour.

Le MPD est victime de sa politique axée essentiellement sur les privatisations et l'investissement. L'économie du pays a été bradée aux Portugais, les problèmes sociaux ont été négligés : chômage, pauvreté, faiblesse du département santé, développement de la prostitution…

Bien acceptés par les bailleurs de fonds internationaux, le PAICV et son leader devenu Premier Ministre, José Maria Neves, obtiennent d'importants succès sur le plan économique, en réduisant les déficits creusés par la politique libérale du précédent gouvernement. Les réformes économiques mises en place par le gouvernement, visent à développer le secteur privé et à attirer les investissements étrangers, afin de diversifier et de relancer l'économie. Les perspectives économiques dépendent grandement du montant des aides internationales et de la conjoncture internationale, métronome de l'activité touristique dans le pays.

Le 22 janvier 2006, le PAICV remporte les législatives avec 41 députés élus, contre 29 au MPD et deux au petit parti UCID. Le 12 février, avec 51,1 % des voix, le président sortant, Pedro Pires (soutenu par le PAICV) est réélu face à Carlos Viega (leader du MPD). A la surprise générale, le PAICV perd les élections municipales du 18 mai 2008 face au parti de l'opposition le Mouvement pour la Démocratie dans 12 des 22 municipalités, notamment Praia, la capitale. Le Cap-Vert, malgré un mieux-vivre évident, doit faire face à d'importants problèmes : 37 % de la population vit en-dessous du seuil de pauvreté et le trafic de drogue et la criminalité sont loin d'être maî-trisés. Pedro Pires est réélu à la présidence en février 2011.

Population
et mode de vie

Population

C'est vers la fin du XVe siècle, que le peuplement de l'archipel commence avec l'arrivée des premiers colons Portugais, suivis des esclaves amenés de force des côtes ouest africaines, du Sénégal à la Sierra Leone. Nombre d'entre eux sont originaires de Guinée-Bissau. Mais il est vrai que les Portugais n'ont jamais réellement cherché à peupler le Cap-Vert. On y fait venir donc des célibataires, quelques prostituées, et des condamnés politiques et de droit commun. Madère fournit une grande partie de la population blanche. Parmi les Noirs, on retrouve aussi des hommes libres, dont les Banhun, Cassanga et Brame parlant assez bien

le Portugais. La population noire est essentiellement originaire de Guinée : Mandingue, Pepel, Banhun, Bolola, Balante, Mandjaque, Bambara, Peul, Wolof… Au fil des siècles, la nouvelle population de métis, descendant des femmes esclaves et des colons portugais, devient plus importante quantitativement que les Blancs et les Noirs. Par la suite, avec l'arrivée des Anglais, de quelques Indiens de la colonie portugaise de Goa, des Français et même des Chinois le métissage se diversifie. On peut observer aujourd'hui au sein de la population capverdienne un mélange très étonnant de morphologie, donnant parfois un cocktail extraordinaire de beauté.

© ANTOINE YVON / BENOÎT MOREL

Marché au poisson de Mindelo, l'un des plus animés du Cap-Vert.

Vendeuse de Vila do Maio.

Chaque île a ses particularités suivant les types de populations qui ont foulé leur sol, et les mélanges qui s'y sont produits. Sur les îles de Brava et Fogo, par exemple, on remarque que les gens sont beaucoup plus clairs de peau qu'ailleurs, car il y eut moins d'esclaves, donc moins de mélange. À Santiago, la population noire domine, car bon nombre d'esclaves ayant fui dans la montagne et ceux travaillant dans les plantations, se marient entre eux, conservant ainsi le type africain.

À Santo Antão, la population est encore plus métissée, du fait de flux migratoires nombreux en provenance d'Europe et d'Inde. Au fil des siècles, les Capverdiens émigrent pour fuir les famines et trouver du travail afin d'aider leur famille restée au pays. Le peuple capverdien, en majorité, émigre en Amérique, en Hollande, en France, au Luxembourg, au Sénégal, au Portugal et en Italie. Aujourd'hui, la diaspora capverdienne avoisine le million de personnes.

Langue

L'arrivée des esclaves pose un problème majeur de communication : les Portugais ne parlent pas les dialectes africains ni les esclaves la langue portugaise. Mais, pire encore, les esclaves, qui viennent d'horizons différents en Afrique, n'arrivent pas à se comprendre entre eux. Dès lors, va naître lentement la langue *criolo*, savant mélange de portugais et de dialectes africains, notamment le mandingue. Le fonds portugais est largement dominant, mais les expressions et la phonétique vont se différencier suivant l'origine des esclaves. Sur l'île de Santiago, le créole se distingue nettement des autres îles, car, plus éloigné du portugais, c'est celui qui a le plus subi l'influence des dialectes africains. Mais cette langue va également subir des influences européennes, avec l'arrivée des Anglais et des Français dans l'archipel.

Les variations dialectales selon les îles suivent l'importance du nombre d'esclaves présents.

Le portugais n'est pas parvenu à s'imposer en tant que langue sur tout le territoire, et de nos jours, bien que langue officielle, il n'est parlé que par environ la moitié de la population.

Le criolo, qui est devenu ainsi le mode d'expression de tout un peuple, véhicule toute la pensée et la culture orale puis écrite, des îles du Cap-Vert. À sa formation, il y a cinq siècles environ, cette langue très récente utilise un vocabulaire relativement pauvre comme les esclaves ne retiennent que ce que les colons portugais veulent bien leur apprendre. C'est donc une langue se servant de mots portugais maladroitement prononcés, et donc déformés, et d'une grammaire plutôt originaire d'Afrique. La langue créole, raconte par sa structure toute l'histoire d'un peuple, qui a longtemps souffert de l'esclavage et de ses conditions de vie.

La troisième langue parlée au Cap-Vert est le français. Il y a quelques années encore, le français était la première langue étrangère obligatoire. D'ailleurs, de nombreux Capverdiens sont venus travailler en France, en Suisse, en Belgique, ou au Luxembourg.

Vie sociale

Avec trois enfants par femmes, le Cap-Vert est un pays jeune : 40 % de la population a moins de 15 ans. Les écoles sont petites face à l'accroissement des écoliers qui se rendent alternativement une demi-journée à l'école. Quand on croise des enfants le matin, c'est qu'ils vont à l'école l'après-midi, et vice versa. L'école est obligatoire jusqu'à 15 ans. L'alphabétisation du Cap-Vert est la plus élevée d'Afrique (environ 79 %). Longtemps l'université était synonyme d'émigration vers le Portugal et le Brésil.

Mais aujourd'hui, avec l'ouverture de la première université du pays, l'éducation des jeunes semble plus facile, bien que chère. Les hommes doivent consacrer 18 mois au service militaire obligatoire.

Au Cap-Vert, le mariage est la règle, bien que de nombreux enfants arrivent hors mariage. Souvent plusieurs générations vivent ensemble car la spéculation, surtout d'origine étrangère, a fait gonfler le prix de la terre, qui n'est guère accessible aux locaux. La vétusté de l'habitat et le manque de moyen sont légions. L'eau courante n'existe pas dans l'archipel : elle est rationnée et chère.

Si le Cap-Vert a aujourd'hui rejoint les pays moyennement avancé (PMA), il n'est donc plus considéré comme pauvre. Mais, la population vit de peu avec souvent moins de deux dollars par jour.

Mœurs et faits de société

Si le pays se développe progressivement, bon nombre de Capverdiens rêvent encore d'émigration, croyant à une vie meilleure surtout aux Etats-Unis. Une grande partie de la jeunesse est donc poussée à croire en un avenir meilleur, ailleurs. La diaspora capverdienne est importante, non seulement en nombre, mais également économiquement et politiquement. Les migrants, ainsi appelés, achètent des terrains et construisent des maisons gigantesques pour leur famille, un symbole fort de la réussite de celui qui est parti. Mais, même partis, les migrants ont toujours le rêve de revenir au Cap-Vert, le berceau de leur culture, leur pays. La vie quotidienne est ponctuée de chants, de danses et d'un sens certain

Procession à Ponta do Sol.

de la fête. Ce moment privilégié est un souffle de vie où les soucis quotidiens sont abolis le temps de la fête, qu'elle soit de fin de semaine, religieuse ou nationale.

Religion

Les Portugais ont introduit le christianisme dans les îles du Cap-Vert et ont fait des Capverdiens un peuple croyant et pratiquant. La religion dominante est le catholicisme, la première introduite dans l'archipel, et les édifices religieux sont présents partout. Le rôle de l'Église au sein de la société capverdienne est dominant. C'est elle qui a apporté dans l'archipel les valeurs de la civilisation occidentale chrétienne.

La deuxième religion présente dans l'archipel est le protestantisme et ses différentes branches : église adventiste, baptiste, pentecôtiste…

À la différence des catholiques, les protestants organisent des études bibliques permettant ainsi aux croyants de savoir lire et comprendre les Saintes Ecritures, et leur percée aujourd'hui est significative dans la société.

Malgré la proximité de pays à dominante islamique comme la Mauritanie et le Sénégal, l'islam est peu présent dans l'archipel. Il commence néanmoins à se développer avec l'arrivée des Africains du continent, Sénégalais principalement.

La religion judaïque est méconnue, bien que de nombreuses familles juives aient vécu à Boa Vista et à Santo Antão, comme le montre la présence de cimetières juifs, des noms de villes (comme Ponta da Sinagoga dans l'île de Santo Antão), et de certains patronymes comme Levy, Benchimol, Wanhon, Benros…

Il a même été créée à Praia une association israélienne dénommée Amicael, dont le but est de développer les relations entre les deux peuples et de préserver et perpétuer la culture judaïque dans l'archipel.

D'autres religions et sectes sont également présentes mais leur influence n'est pas très importante : c'est le cas notamment des Témoins de Jéhovah et des mormons.

Enfin, en raison des racines africaines des Capverdiens, le fétichisme, la superstition et les sciences occultes restent des pratiques courantes. La pratique du spiritisme est une tradition africaine qui permet d'invoquer les esprits pour chasser le mal et conjurer le mauvais sort.

Les Capverdiens, où qu'ils soient établis dans le monde, ont recours à ces rites qu'ils appellent le « centre » (prononcer céintre).

Arts et culture

Artisanat

Le pays est envahi par l'artisanat des pays voisins comme le Sénégal, la Guinée, la Guinée-Bissau, car les Capverdiens produisent beaucoup moins qu'auparavant, quand il y avait une vraie richesse artisanale. Néanmoins, on constate un sensible réveil des artisans. Vous trouverez de la vannerie, des poteries, des chapeaux, des objets en coquillages, en céramique, en bois, et des noix de coco sculptées. Plus récemment, l'artisanat à base de pierres provenant du volcan de l'île Fogo s'est développé. Les femmes produisent beaucoup de napperons et de dessus-de-lit brodés, mais aussi des sacs et des nappes. Du côté de Tarrafal, vous pourrez découvrir un luthier très connu, spécialisé dans la fabrication d'instruments de musique, et notamment de percussions. L'île de São Nicolau est spécialisée dans la confection de chapeaux. Sur l'île de São Vicente, vous pourrez faire vos achats, au centre artisanal de Mindelo situé à Praça (la place principale de la ville), à São Domingos sur la route d'Assomada sur l'île de Santiago, dans les magasins artisanaux de chaque île et sur les marchés (ne ratez pas ceux d'Assomada et de Sucupira à Santiago). Les peintres ne sont pas en reste, bien au contraire, et nous vous conseillons d'aller voir leurs œuvres à Mindelo, ville qui abrite de grands artistes comme les frères Tchalé, Manuel Figueira, Bela Duarte, etc.

Festivités

Festivals

Le plus populaire est celui de Baia das Gatas, qui se déroule tous les ans à São Vicente, sur la plage, et qui rassemble plus de 70 000 personnes pendant 3 jours et 3 nuits de fête. Sur l'île de Santiago, à Praia, il existe le festival de Gamboa. Enfin, d'autres se développent à Sal et à Boa Vista.

Carnaval

Il a lieu tous les ans à Mindelo au mois de février, et il est souvent décrit comme carnaval de Rio miniature. C'est devenu une des plus importantes manifestations culturelles du Cap-Vert, dont la réputation commence à dépasser le cadre de ses frontières. Il mobilise toute la population de l'île de São Vicente et beaucoup de gens viennent des autres îles. Les chars et les écoles de samba offrent un spectacle digne de celui du Brésil, coloré, original et populaire. Il engendre aujourd'hui des événements de tailles plus réduites dans les autres îles, en particulier sur l'île de São Nicolau.

Littérature

Développée au XIXe siècle, la littérature capverdienne s'est avant tout exprimée en langue portugaise. Elle reste en grande partie orale, comme chez ses ancêtres du continent africain, dont elle hérite les grandes traditions de contes, récits, légendes, chants et proverbes

© BLAISE MENIET

Carnaval de Ponta do Sol.

qui se transmettent de famille en famille et dans toutes les couches de la société capverdienne. La littérature capverdienne a surtout été marquée par le mouvement littéraire Claridade, né en 1936 à Mindelo, à la suite d'une prise de conscience culturelle. Ses précurseurs, Pedro Monteiro Cardoso et Eugenio Tavares fondent ce mouvement sur la recherche et l'affirmation d'une identité nationale. Ces intellectuels, appartenant à une élite, défendent les valeurs culturelles capverdiennes en référence à la civilisation occidentale, et non au continent africain, d'où elles puisent pourtant une grande partie de leurs racines. Des poètes et écrivains naissent peu à peu : Jorge Barbosa, Baltasar Lopes da Silva et son célèbre roman *Chiquinho*, et Manuel Lopes. Dans les années 1960, les géographes Orlando Ribeiro et Ilidio do Amaral, ainsi que l'auteur portugais Manuel Ferreira, mettent en évidence le cordon ombilical reliant l'archipel au continent africain, grâce à leurs études sur le comportement social des Capverdiens. Mais c'est finalement l'historien capverdien Antonio Carreira qui replace l'africanité de la société capverdienne dans son contexte, à travers ses nombreux travaux et écrits sur le fondement et la fin de la société esclavagiste dans l'archipel. D'autres auteurs encore soulignent ce lien indubitable avec l'Afrique, comme le leader de la libération Amilcar Cabral, qui analyse l'identité capverdienne comme faisant partie intégrante de l'identité africaine, l'ancien maire de Mindelo, Onesimo Silveira et Dulce Almada Duarte.

➜ **José Rodrigues Aleixo** (XIXe et XXe siècles). Originaire de Brava, qu'il ne quittera jamais, il vit en ermite retiré du monde dans une grotte. Il est l'auteur de poésies, publiées à titre posthume, dans lesquelles il exprime son mal de vivre. Ayant reçu le don de soigner certaines maladies, il devient un personnage légendaire, également connu sous le nom de Djedi Portrero.

→ **José Evaristo de Almeida** (XIXe et XXe siècles, né en Guinée portugaise). Fonctionnaire portugais et député du Cap-Vert, il est reconnu comme le premier romancier de l'archipel et publie *O Escravo* en 1856, roman majeur de la littérature nationale.

→ **Baltasar Lopes Da Silva.** Poète très célèbre, auteur du fameux roman *Chiquinho*. Il est l'un des inspirateurs du mouvement littéraire Claridade.

→ **Eugénio Tavares.** Un des premiers poètes à se lever pour défendre vigoureusement les valeurs culturelles du Cap-Vert. Modèle de nombreux poètes, il inspire la naissance du mouvement Claridade. C'est une grande figure du pays qui a écrit de très belles *mornas*. Il est mort en 1930.

Musique et danse

Ayant subi les influences africaines et européennes, elles servent, depuis toujours, à passer le temps et surtout à exprimer cette *saudade* (nostalgie) si bien interprétée par Cesaria Evora. Chanter et danser est essentiel pour les Capverdiens. Tout est prétexte à faire la fête, et n'importe quel objet peut servir d'instrument de musique, une assiette, un verre ou une tasse que l'on frappera avec une fourchette, un couteau ou une cuillère, une boîte ou une cannette métallique remplie de sable ou de cailloux, le couvercle d'une casserole ou d'une poubelle, un bidon vide, etc. Tout ce qui peut résonner suffit pour créer des rythmes endiablés, et vous entraîner dans la musique et la danse. Il est de coutume au Cap-Vert de se retrouver le soir ou le week-end sur les places principales des villes, dans les cafés, les restaurants, au coin d'une rue ou chez des amis. Avec quelques guitares, violons, accordéons, trompettes, *congas* ou autres instruments, un orchestre improvisé animera toute une partie de la nuit, au son de rythmes variés et frénétiques.

Un groupe de fêtards se formera au fur et à mesure, et achèvera sa soirée dans un night-club de la ville. C'est une façon d'oublier les peines et les difficultés de la vie quotidienne. La musique se chante en créole et reste toujours associée à une danse.

Peinture

La peinture, la photo et le tissage pour leur part apparaissent aujourd'hui dans des expositions en Europe. Des artistes comme Bela Duarte, les frères Figueira, Tchalé et Manuel, Luisa Queiros, Leao Lopes, Ron Barboza et bien d'autres, se distinguent à travers leurs œuvres que vous pouvez admirer dans les centres artisanaux de Mindelo et Praia. Leurs créations ont commencé à voyager et contribuent énormément à dévoiler la richesse et la beauté de l'art capverdien.

Si vous allez sur l'île de São Vicente, vous aurez l'occasion d'approcher la plupart de ces artistes. Les fameux frères Figueira peignent et exposent dans leur atelier à Mindelo, mais vous pourrez aussi facilement les rencontrer au café Lisboa, rue de Lisboa, qu'ils fréquentent régulièrement. C'est d'ailleurs l'endroit préféré des artistes de l'île.

Des expositions sont fréquemment organisées au Centre Culturel de Mindelo (et sur l'île de Santiago au Palacio da Cultura Ildo Lobo, à Praia).

Soirée musicale à Ponta do Sol.

Cultures en terrasse à Cruzinha da Garça.
© BLAISE MERLET

Cuisine capverdienne

Elle est riche et variée, influencée par l'Afrique et le Portugal. La base de l'alimentation traditionnelle reste le maïs, préparé de différentes façons, et les haricots, notamment dans la fameuse feijoada, identique à celle du Brésil. La viande, le poisson et les coquillages complètent un menu enrichi par des fruits tropicaux.

Plats et produits caractéristiques

→ Le plat national est la *cachupa*, préparée de plusieurs façons suivant les ingrédients que l'on a sous la main. Il existe la *cachupa* simple avec peu ou pas de légumes, des féculents et de la viande, la *cachupa rica* (riche) et la *cachupada*, encore plus riche. Généralement, ce plat est préparé avec du maïs, des haricots, des fèves, de la viande de porc, du chorizo, du manioc, des patates douces, des légumes et quelquefois du poulet. C'est un plat très apprécié que nous vous conseillons de goûter, afin de parfaire votre connaissance du pays. Le matin au petit déjeuner, les Capverdiens prennent avec leur café de la *cachupa guisado*. La *cachupa* de la veille est revenue dans une poêle avec des oignons découpés finement, des saucisses et des œufs aux plats.

→ Le plat le plus apprécié est le poisson, surtout le thon rouge, avec en accompagnement du riz le plus souvent, et parfois des pommes de terre bouillies ou frites. Le *xérem*, préparé avec du maïs concassé au mortier et cuit à l'eau, remplace le riz les jours de fête à Santiago.

→ Le *cuscuz* a été apporté d'Afrique par les esclaves. À base de maïs pilé ; il est cuit à la vapeur dans des bindes, pots en terre cuite, ou simplement dans une grande boîte de conserve ou de lait vide percée qui remplace le couscoussier. Il est coupé en tranches, puis dégusté chaud, tartiné de *mél* (mélasse de canne à sucre) et accompagné d'une tasse de thé, de café ou de lait chaud.

→ La bouillie de farine de maïs, *pàpa*, fait aussi partie des habitudes culinaires des bébés, qui ont ainsi leur premier repas à base de maïs.

→ Le *torezma*, ou *toucim*, est du gras de cochon découpé en cubes ou des oreilles de porc, frits. La *morea*, murène frite, se déguste en apéritif, de même que les *pastels*, beignets fourrés de poisson, et les *fixós*, beignets de banane non fourrés.

→ La soupe traditionnelle se nomme *kanja* et se prépare avec du poulet, du riz et des pommes de terre découpées en petits morceaux.

→ Autres plats traditionnels : le thon sous diverses formes, en steak, grillé ou en salade, la *caldeira de peixe*, poisson cuit à l'étouffée avec des féculents, de la banane cuite et du chou, la langouste que l'on trouve partout et qui se mange en salade, grillée, sautée ou en sauce.

Cuisine locale à Santiago.
© ANTOINE YVON / BENOÎT MOREL

La langouste est le plat le plus cher que l'on vous proposera. C'est à Boa Vista qu'elle serait la meilleure. Les autres poissons proposés sont la *garoupa* (famille de mérou), le *serra* (sorte de thon) et la daurade, mais certains restaurants vous offriront un peu plus de variété avec de la sole, du rouget, du marlin ou de l'espadon. On notera que les grillades de viandes, de poissons ou de crustacés, sont une spécialité du pays. Hormis la langouste, le pays propose des fruits de mer, surtout en entrée. Vous pourrez ainsi goûter aux *buzios*, espèce d'escargot de mer, aux *percebes*, pouces-pieds, aux *lulas* (calamars), *cracas*, poulpes, calamars, crevettes… C'est sur l'île de São Nicolau que les crustacés sont les plus nombreux et les meilleurs. Le plus souvent, si vous en faites la demande, on vous les servira en apéritif.

Fruits

La papaye, la banane et la mangue sont les fruits tropicaux les plus courants alors que les gâteaux et les thés sont, eux aussi, très variés. Goûtez aux fameux puddings de *queijo* (fromage, prononcez « quêje ») ou de coco (prononcez « coc » sans quoi on vous regardera curieusement, « coco » signifiant quelque chose de moins gastronomique).
Faites un tour au marché où vous découvrirez une variété de douceurs de lait et de coco notamment, et des confitures de papaye ou de coing et de la marmelade.

Fromage

Pour le fromage, vous aurez droit au *queijo* : fabriqué avec du lait de chèvre.

On le fait cailler avec de la présure naturelle, préparée avec du lait et du sel séché dans la panse d'un chevreau non sevré.
Vous pourrez l'acheter sur les marchés, et surtout à Santo Antão, sur la route de la Corda reliant Porto Novo à Ribeira Grande. En principe, ceux de Lagoa sont les plus réputés. Celui de Fogo est également excellent.

Café

L'île de Fogo produit, en quantité insuffisante, un café considéré comme le 3e meilleur café du monde. Il n'est donc pas exporté.
Il est très apprécié car il contient peu de caféine. Les cafés de Santiago et Santo Antão sont également d'excellente qualité. Vous les trouverez facilement dans les commerces de l'île.

Alcools

Pour les boissons, le fameux grogue, eau-de-vie à base de canne à sucre, est la boisson nationale. Il est brun ou blanc, très fort, entre 50 ° et 70 °, et le meilleur est produit à Santo Antão. Le Cap-Vert produit également du punch (ou *ponche*) à base de grogue et de mélasse de canne, diverses liqueurs, un vin qui vient de l'île de Fogo et qu'il est conseillé de boire frais. Comble du recyclage adlib, le *destemperod* (prononcez « stoumpirod ») est une savante combinaison de grogue et de ponche. Goûtez au Manecon de Ramiro Montrond que vous trouverez au village de Chã das Caldeiras sur l'île de Fogo.
Face aux bières portugaises (Sagres et Superbock), il existe une bière locale, la Strela, en bouteille ou à la pression « imperiale ».

Jeux, loisirs et sports

Jeux et passe-temps

→ Les jeux de cartes sont très populaires, l'un des plus pratiqué étant une sorte de belote plus communément appelée *biska*, qui se joue à deux ou à deux équipes de deux joueurs.

→ L'*awalé* ou *ouril*, probablement arrivé dans l'archipel avec les premiers esclaves importés du continent africain, est aussi répandu que le *biska*. Il se joue à deux et provoque de petits attroupements de spectateurs et de supporters des joueurs. Chaque joueur dispose de six rangées de trous contenant chacun trois graines, et tente à tour de rôle d'en remporter le plus possible. Ce jeu est connu en France et a fait l'objet de recherches à l'université Pierre et Marie Curie à Paris. Nombre de livres en français ont été écrits à ce sujet.

→ Le jeu de dames se pratique aussi beaucoup et fait l'objet de véritables tournois dans certaines îles.

→ Les échecs sont pratiqués par une minorité. A Praia, un groupe de joueurs se réunit tous les soirs sur la terrasse du restaurant de l'hôtel Praia Mar.

→ Le baby-foot fait, de nos jours, de nombreux adeptes dans les quartiers où les bars en sont pourvus, mais cela reste quand même rare.

→ La télévision et la vidéo permettent de suivre les *telenovelas*, feuilletons importés du Brésil dont raffolent les femmes. Les hommes, quant à eux, ont toujours l'oreille collée au poste de radio, les jours de matchs du football local ou du championnat portugais. Ils les suivent avec les supporters des équipes adverses, pour ensuite les commenter dans d'interminables débats très animés.

→ La promenade pour prendre le frais, comme ils disent, avant d'aller se coucher, est également un rituel. Les gens se dirigent en marchant jusqu'à la place principale de la ville, où ils se retrouvent et discutent durant des heures.

Sports

Le Cap-Vert est un véritable paradis pour les sports nautiques. La planche à voile, le surf, la plongée, la pêche sous-marine, au gros et à la ligne, trouvent toutes les conditions naturelles pour leur développement. Mais les sports terrestres comme l'équitation, le trekking, l'escalade, le vélo, le tennis, le cricket et le golf ne sont pas en reste. Bien entendu, le sport roi reste le football, pratiqué partout et notamment par de nombreuses équipes féminines.

Équitation

L'équitation constitue le sport préféré de beaucoup. C'est même l'activité principale d'une manifestation culturelle caractéristique du pays, la fête de la Saint-Philippe sur l'île de Fogo. On aperçoit régulièrement des personnes âgées de plus de 80 ans, trotter ou galoper à cheval, à travers les montagnes.

Escalade

Les passionnés d'escalade vont trouver au Cap-Vert des montagnes imposantes avec des pics de plus de 2 800 m d'une incroyable beauté. L'île de Santo Antão est l'île la plus propice à cette pratique, avec ses nombreuses montagnes et ses vallées profondes. Cependant, sur cette île, beaucoup de roches sont friables et peu disposées à l'escalade.

Pêche

L'archipel se prête bien à cette activité, car ses eaux sont très poissonneuses et il existe de nombreuses variétés d'espèces : marlins, thons, sérioles, rougets, requins, sars, *wahoos*, bonites, coryphènes, dentis, corbs, carangues noires… qui font le bonheur des pêcheurs. De plus, des poissons migrateurs traversent régulièrement les îles qui abritent également beaucoup de sédentaires. Vous y pratiquerez divers types de pêche : le surf casting, la palangrotte en sortie avec des bateaux adaptés ou avec les pêcheurs locaux,

la petite et moyenne traîne, la pêche au gros entre São Vicente et Santo Antão et surtout à Tarrafal, sur l'île de São Nicolau, et sur l'île de Sal où vous pourrez traquer d'énormes marlins et thons. La pêche au gros et la palangrotte peuvent être pratiquées toute l'année, mais si vous voulez chasser le marlin, sachez qu'il apparaît en été et que le record de prise est de 325 kg. Vous trouverez de nombreuses offres pour pratiquer la pêche sous-marine sur les îles de Brava, Fogo, Maio ou Boa Vista, car les fonds disposent d'un espace de chasse bien adapté. Les poissons les plus prisés sont les bonites, les liches, les mérous rouges (*garoupas*), le perroquet, la rascasse, le ruth, le bidiou, les carangues noires, le thazard (*serra*, *djéu* ou *wahoo*), le sar, le sar-tambour ou becofin, la carpe rouge, la badeja, le barracuda…

Surf et planche à voile

Sur certaines plages de l'île de Sal, les vagues sont impressionnantes et les vents puissants, de 14 à 22 nœuds.

Enfants barbouillés de sable après un match de beach volley à Maio.

C'est pourquoi le Cap-Vert accueille régulièrement une compétition internationale de planche à voile, réunissant les plus grands champions de cette discipline.

Si vous êtes amateurs de surf, windsurf ou de kitesurf, l'île de Sal est une destination idéale pour vous. La variété de ses spots en a fait une destination appréciée des windsurfers, toutes catégories confondues.

La période la plus propice pour la pratique de la planche à voile au Cap-Vert se situe entre novembre et juin, avec un alizé bien présent. Sur l'île de Boa Vista, les conditions sont également excellentes, mais le plan d'eau est parfois nettement moins agité que sur celle de Sal, ce qui convient mieux aux débutants.

Sur l'île de São Vicente, c'est sur le spot de São Pedro que les aficionados de vitesse se retrouvent pour tenter de battre le record du monde. La puissance de l'alizé est vraiment exceptionnelle à cet endroit précis,

grâce à un couloir de vent circulant entre deux montagnes. Les belles vagues de Calhau vous attendent aussi pour quelques jumps et slaloms. Sur l'île de Maio aussi, la pratique du Windsurf est agréable.

Plongée et chasse sous-marines

Les amateurs de plongée profiteront de la beauté de fonds marins infinis. Dans une eau à la température très agréable, vous évoluerez avec une grande variété de poissons exotiques, comme les raies mantas géantes, les requins dormeurs, tigres ou marteaux.

Vous apercevrez des centaines d'épaves vieilles de plusieurs siècles, dont l'exploration est strictement interdite. Des tombants et éboulis volcaniques abritant des grottes et des cavernes, des failles, des massifs et des récifs rocheux d'une beauté stupéfiante, finiront de vous émerveiller.

Tennis, golf et cricket

Ces activités sont introduites au Cap-Vert par les Anglais, lorsqu'ils débarquent en nombre à Mindelo en 1850. Le 1er juin 1893, ils créent un club sportif pour inciter les gens à pratiquer le cricket, la gymnastique et autres sports.

Les équipes de cricket de l'île gagnent en renommée, et de nombreux Capverdiens font partie de la sélection du « reste du monde », qui affronte l'équipe nationale britannique. Le tennis n'est pas un sport très pratiqué faute d'infrastructures. Seuls, les hôtels possèdent des terrains adéquats et de bonne qualité, mais ils sont le plus souvent réservés à leur clientèle. Sur l'île de São Vicente, vous avez accès aux 5 courts en ciment disponibles qui se trouvent derrière la Padaria Francesa, mieux vaut vous y prendre à l'avance, surtout le week-end.

Le golf se pratique sur terre, car le manque d'eau ne permet pas d'entretenir une belle pelouse. À Mindelo, il existe deux clubs d'environ 200 adhérents et un parcours de niveau international de 18-trous. De plus, il se construit un gros complexe à Praia, le Santiago Golf Resort, avec un green de 18-trous.

Le cricket, quant à lui, se pratique épisodiquement et, vraisemblablement, sera amené à disparaître d'ici quelques années, car les pratiquants ne sont plus très nombreux.

Trekking

Le trekking trouve ici un cadre idéal. La plupart des touristes, en visite sur les îles de Fogo, São Nicolau et Santo Antão, pratiquent les longues balades dans la montagne, ou à travers les champs de canne à sucre et de bananiers. Les excellentes conditions naturelles qu'offrent ces îles pour effectuer de longues marches, attirent les personnes cherchant à se ressourcer dans un cadre pur, naturel et vivifiant.

Dans tout l'archipel et depuis toujours, la marche est une activité pratiquée par toute la population, autrefois par nécessité, mais, même de nos jours, ses adeptes sont encore nombreux. Les îles comme Brava et Santiago offrent aussi des parcours très agréables.

Vélo

Grâce à leurs terrains accidentés, les îles de Santo Antão, de Fogo, de São Nicolau et de Brava constituent de véritables pistes pour les amateurs du vélo tout-terrain bien entraînés.

Entre les montagnes, s'ouvrent de profondes vallées qui favorisent la découverte des îles à vélo. Sur les îles plus plates, comme Sal, Boa Vista ou Maio, l'utilisation du vélo est très pratique. Soyez très prudents sur les routes pavées, terrain propice aux crevaisons.

Yachting

Les deux principaux ports sont situés à Mindelo, sur l'île de São Vicente, et à Praia, sur l'île de Santiago. Les marins du monde entier les connaissent comme l'ultime étape de l'Atlantique, avant de tenter de joindre le continent sud-américain ou les petites îles avoisinantes.

C'est dans ces ports que vous pourrez procéder à des réparations. Le port de Mindelo depuis toujours plus réputé que celui de Praia, possède aujourd'hui une marina.

Enfants du pays

Germano Almeida

Ecrivain contemporain, avocat, ex-député, chroniqueur impertinent à l'ironie cinglante, il a publié 11 romans dont le célèbre *Le testament de M. Napumoceno da Silva Araujo*.

Mayra Andrade

Vivant à Paris, Mayra est sans nul doute la révélation de ces dernières années et une future grande star internationale, couvée par Sony-BMG. Elle met sa voix envoûtante au service de très beaux textes sur des rythmes traditionnels, aux influences brésiliennes. Son premier album *Navega* est incontournable pour tout amateur de musique capverdienne.

Bana

C'est également une grande voix du Cap-Vert, célèbre chez tous les Capverdiens et très connu au Portugal. Une des plus grandes pointures de la *morna* et de la *coladeira*, le chanteur le plus connu, le plus apprécié et le plus respecté dans le milieu. Considéré comme un monument par les grands artistes comme Cesaria Evora ou Tito Paris, il a beaucoup aidé les siens en les invitant dans ses tournées internationales, leur permettant de se faire connaître et de tenter l'aventure ailleurs que dans leurs îles. Il vit actuellement à Lisbonne, où il s'est établi depuis plusieurs années, et où sa popularité est égale à celle de Cesaria Evora en France.

Cesaria Evora

On ne présente plus celle qui est aujourd'hui la meilleure ambassadrice du Cap-Vert à l'étranger : le gouvernement lui a d'ailleurs attribué un passeport diplomatique, pour faciliter ses déplacements. Elle est devenue une star à 50 ans, et sa renommée est aujourd'hui internationale, après avoir multiplié les duos avec de grands artistes comme Salif Keita, Compay Segundo, Bonga, etc. Inégalable pour chanter *mornas* et *coladeiras*, sa voix révèle au monde entier une partie de la culture capverdienne. Ses admirateurs la surnomment « la Diva aux pieds nus », et la comparent à Amalia Rodriguez et à Billie Holiday. Elle fait salle comble partout où

Enfants de la vallée de Paúl.

elle passe et collectionne les récompenses (Grammy Awards, disques d'or, Victoires de la musique, Légion d'Honneur, etc.). Fin 2008, alors que sort un nouveau CD, reprenant des enregistrements réalisés dans les années 1960, elle a déjà vendu plus de 5 millions d'albums, une très belle prouesse pour une chanteuse africaine.

Manuel Figueira

Avec son frère Tchalé et sa femme Luisa, ils forment une famille de peintres très connus et très appréciés dans l'archipel. Il vit à Mindelo et ses œuvres sont exposées au premier étage de la Casa Figueira (à proximité de la tour de Bélem), transformée en galerie.

Après plus de 30 ans d'activité picturale et culturelle, Manuel Figueira est devenu sans conteste, une des figures de proue des arts plastiques capverdiens. Il a étudié à l'école des Beaux-Arts de Lisbonne, mais vit depuis 1975 au Cap-Vert.

Tchalé Figueira

De son vrai nom Carlos Alberto Silva Figueira. Né à São Vicente en 1953, il est l'un des peintres capverdiens les plus réputés. Cet ancien marin a commencé sa carrière artistique à l'école des Beaux-Arts en Suisse il y a environ 20 ans. Tchalé vit entre Mindelo et Santo Antão, sources d'inspiration de sa peinture. Son style impressionniste et ses œuvres s'exportent de plus en plus vers l'Europe, les Etats-Unis et l'Afrique. Polyvalent, il développe en parallèle ses talents de poète. Il milite pour la création d'une galerie d'arts plastiques au Cap-Vert.

Isaura Gomes

En 2004, pour la toute première fois, une femme remporte des élections municipales. À Mindelo, cette petite femme bouillonnante pleine d'humour, ne passe pas inaperçue. Et, pour ne rien gâcher, elle parle un français très correct. Un personnage à suivre.

Marie-Isabel Kouassi, dite Misa

Elle naît au Cap-Vert avant de partir pour la Suisse, afin de rejoindre sa mère. Elle étudie à l'école des Beaux-Arts en Côte-d'Ivoire où elle reste 7 ans, puis retourne en Suisse, et rentre enfin au Cap-Vert. À la fois poète, sculpteur et même masseuse, elle s'engage aussi dans des actions caritatives, auprès d'enfants et de femmes en difficulté. Ses expositions en Suisse et au Cap-Vert traduisent sa pluridisciplinarité : dessins et peintures illustrent ses poèmes. On la connaît pour son travail avec la communauté religieuse des Rabelados.

Henrik Larsson

Né en Suède, de père capverdien, Henrik Larsson est un joueur racé et un attaquant de classe mondiale. En 2003, le FC Barcelone ne s'y est pas trompé en le débauchant du Celtic Glasgow, à qui il avait offert près de 250 buts en 7 saisons. Le Premier ministre suédois lui-même le convainc de ne pas quitter la sélection nationale à la veille de la coupe d'Europe de 2004. Il prend finalement sa retraite internationale après le Mondial 2006.

Manuel de Novas

Auteur-compositeur d'innombrables chansons qui ont fait le tour du monde, très réputé et recommandé par les plus grands artistes de la musique capverdienne, dont Cesaria Evora, Manuel de Novas, spécialiste de la *morna*, est membre du groupe Voz de Cabo Verde.

Il est l'auteur d'une cinquantaine de disques et a reçu la médaille du Mérite au Cap-Vert. Il ne chante que très rarement et a déclaré ne pluis vouloir enregistrer d'albums.

Luisa Queiros

L'épouse de Manuel Figueira partage avec son mari l'atelier de Mindelo. Avec quelques autres artistes, dont Isabel Duarte, ils ont créé en 1976 la Cooperativa Resistencia.

C'est le premier centre artisanal de la ville, destinée à revitaliser la culture populaire capverdienne et ses techniques traditionnelles. Fin 2008, la tour de Bélem rénovée a accueilli l'une de ses expositions, consacrée au thème des naufrages.

Stomy Bugsy

De son vrai nom Gilles Duarte, Gilou, pour les intimes, est né à Paris de parents capverdiens. Il est l'un des membres fondateurs du Minister Amer. S'il a su conquérir le cœur des jeunes Capverdiens au festival de Baia das Gatas, malgré tout, les amateurs de rap se tournent davantage vers le son provenant des Etats-Unis.

Dans le film *Gomez et Tavares,* il parvient à adresser un clin d'œil éminemment politique, en exhibant l'ancien drapeau du Cap-Vert, celui de l'indépendance.

Tcheka

Formidable bête de scène, Tcheka connaît, lui aussi, un grand succès dans l'archipel et à l'étranger depuis ces dernières années, il remporte par exemple le prix RFI Musiques du Monde en 2005. Ce jeune gaillard a développé son propre style et son jeu de guitare extrêmement nerveux. Ses arrangements quasi rock séduisent un nouveau public européen jusque-là indifférent à la fameuse *world music*.

Carlos Veiga

En 1991, il fonde le MPD (Mouvement pour la démocratie), premier Parti d'opposition autorisé après l'indépendance. Premier ministre du Cap-Vert entre 1991 et 2001. Il a appliqué une politique libérale caractérisée par de nombreuses privatisations mal perçues par la population. Il a perdu de peu les élections présidentielles de 2001 et de 2006.

Patrick Vieira

Né au Sénégal, mais de parents d'origine capverdienne, il est devenu capitaine de l'équipe de France (plus de 100 sélections) après avoir gagné la coupe du Monde et la coupe d'Europe. En 2006, ses exploits permettent de hisser son équipe jusqu'à la finale contre l'Italie, pendant laquelle il sera blessé. Après avoir largement contribué au succès d'Arsenal en Angleterre, il joue, depuis 2006, dans l'équipe de l'Inter de Milan. En janvier 2009, il évoque pour la première fois sa retraite internationale.

Paysage de montagne à Caibros.
© BLAISE MENUET

Boa Vista

Boa Vista est l'île aux dunes. C'est la plus proche du continent africain, distant de 500 km. Elle a une forme arrondie et s'étale sur 620 km² ; c'est la troisième île de l'archipel par sa superficie. Très proche de Sal, de 40 km à 50 km, elle présente les mêmes caractéristiques : de magnifiques et désertiques plages de sable fin cernent l'île et se jettent dans des eaux tranquilles, limpides et chaudes toute l'année. C'est aussi une île encore sauvage, sans véritable trace de pollution, exception faite du très mauvais recyclage des déchets qui ternissent la beauté des plages en face du petit village de Sal Rei ; ce qui vous oblige à vous éloigner un peu pour apprécier une plus belle plage. Son relief est plat et Pico Estância, le pic le plus haut culmine à 390 m. Séjourner à Boa Vista est un gage de repos que seuls le clapotis des vagues et le braiment des ânes peuvent troubler. En hiver, la violence des vents fatigue néanmoins. Les poissons et les coquillages fraîchement pêchés, base d'une alimentation saine, associés au soleil revigorant et à la musique berçante, compléteront votre cure revitalisante. En pénétrant dans l'île, on a l'impression de pénétrer dans le Sahara, avec des dunes, modelées à la force du vent et transformant constamment le paysage, qui se jetant dans la mer. C'est une île pratiquement nue et perdue dans l'immensité atlantique. Comme dans le reste de l'archipel, ses habitants vivent à leur rythme et avec leurs passions : le football, la musique et la fête.

Aujourd'hui les gens vivent de la pêche, d'un peu d'élevage et du tourisme qui se développe. Les Italiens ont créé deux grands hôtels et certains Capverdiens commencent à investir dans de petites et sympathiques *pousadas*. Il existe un énorme potentiel de développement dans ce domaine. Le vent constitue un atout considérable pour développer la pratique de la planche à voile. La pêche aussi est dans le même cas, avec des eaux très poissonneuses mais un manque total d'outils d'exploitation. Il existe une conserverie à Sal Rei qui ne produit que des conserves de thon. La langouste abonde particulièrement dans les eaux de l'île mais le manque de fermeté et peut-être aussi de moyens de l'Etat pour réglementer sa capture commence à mettre en danger sa reproduction.

Même désertique, l'île de Boa Vista est néanmoins attrayante et surtout attachante. Des dizaines de kilomètres de plages désertes, des oasis cernées de dattiers et de cocotiers, des dunes, des îlots occupés par des oiseaux… C'est un paysage fascinant.

Sal Rei

La ville abrite 2 000 habitants environ. Elle tient son nom du sel extrait de ses salines, dont on disait que la qualité était royale. L'exploitation a cessé depuis 1979. Sal Rei domine la baie de Porto. Elle est le témoin splendeur passée de l'île, avec ses bâtiments coloniaux, les ruines des salines du XVIIIe siècle, la chapelle et le cimetière juif, situé à 2 km en direction des salines. En 1872, une colonie juive se réfugie à Boa Vista pour fuir les persécutions qu'elle subit au Maroc. Une famille du nom de Benoliel construit un cimetière dont il reste encore des vestiges. Tous ces colons furent enterrés ici. La place du village n'est pas très animée. On y trouve quelques boutiques et surtout l'église. Elle fut dirigée jusqu'en mars 1998 par un prêtre français originaire de Haute-Savoie, Guy Balcet. Apprécié et respecté de tous, ce personnage, très actif et fort sympathique, tenait une petite librairie diocésaine où il vendait des fournitures scolaires, des livres, des cartes postales et géographiques du pays. Il a marqué tous les habitants

de l'île. L'église a été rénovée. En face de Sal Rei se dresse un îlot, ilheu de Sal Rei, qui sert de terrain de camping et d'aire de pique-nique le week-end pour les habitants de la ville. C'est aussi l'emplacement des ruines du fort de Bragança, construit pour faire face aux incessantes attaques des pirates qui, en 1818, pillent complètement la ville. Il est difficile aujourd'hui, vu le calme de la ville et de ses habitants de s'imaginer que cette ville par le passé, a vécu dans la terreur des pirates. L'activité économique de Sal Rei est très limitée : la conserverie, la pêche à la langouste, la chasse à la tortue et quelques activités et services liés au tourisme.

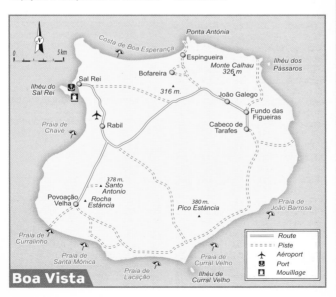

Aux environs de Sal Rei, à environ 6 km en suivant la plage de Chave, vous arrivez à une ancienne briqueterie, aujourd'hui abandonnée et en partie ensevelie sous le sable. C'est la *fabrica* de Tijolo, qui produisait autrefois la terre cuite et les briques. L'endroit est fort sympathique avec quelques *tamareiras* qui embellissent le site. À environ 2 km de là se dresse la plus vieille église de l'île, São Roque, construite en 1801, dans le village de Rabil, localité principale de Boa Vista au XIXe siècle. À l'autre bout du village, vous pourrez admirer l'atelier de poterie qui produit des cruches, des vases et du carrelage. Ce sont les femmes qui, les premières, introduisent cette activité dans l'île, en 1850. Le tourisme étant en pleine expansion,

Que ramener de Boa Vista ?

L'artisanat de Boa Vista a bonne réputation. En 1862, des tissages de coton ont été exposés à Londres. Vous trouverez des poupées en argile et des broderies chez Casa de Menina Alice et Ti Benta à Rabil, des objets en noix de coco ou en corne de vache, d'autres en écaille de tortue chez Nho Commandante, à Sal Rei, et surtout ces magnifiques et élégants chapeaux de paille tressés un peu partout dans l'île. La poterie de terre cuite, les lampes de cuivre et de laiton, les vêtements en fibre d'écorce de coco et les vanneries en sisal, une plante répandue dans toutes les îles à cause de sa résistance à la sécheresse, viennent enrichir la tradition artisanale de l'île. Un marché d'artisanat, surtout occupé par des Sénégalais, se trouve à deux pas de la place.

il est vraisemblale d'assister, sous peu, à la redynamisationr ce secteur, ô combien important, culturellement et économiquement.

Plages

En arrivant sur l'île de Boa Vista, le premier réflexe des touristes est souvent de chercher l'endroit le plus agréable pour piquer une tête. À Sal Rei, la plage la plus proche et la plus agréable se trouve au sud de la ville, en face du Tortuga Beach Resort. Si vous avez un peu de temps, vous pouvez continuer à marcher jusqu'à la magnifique plage Praia da Chave. Attention, au tournant après le Tortuga Beach Resort et vers la plage de Chave, c'est un endroit aux fonds rocailleux et remplis d'oursins. C'est pourtant par là que vous pourrez observer le soir les tortues qui viennent respirer à la surface (pendant la période de ponte bien sûr). Si votre logement se trouve plutôt au nord de Sal Rei, la plage la plus proche est Praia Cruz, près du Marine Club. Moins abritée, mais aussi belle. Un conseil : ne restez pas seul sur les plages isolées et surtout ne prenez pas trop d'argent avec vous car il y a, hélas, de plus en plus de vols et d'agressions sur les plages.

Randonnée

Il y a beaucoup de randonnées possibles sur l'île de Boa Vista. Des agences en France proposent même des treks de plusieurs jours avec nuits dans le désert. Nous vous recommandons ces deux balades de 4h environ, à effectuer dans les alentours de Boa Vista, en matinée de préférence. Emportez de l'eau et des crèmes solaires, car le soleil peut taper fort.

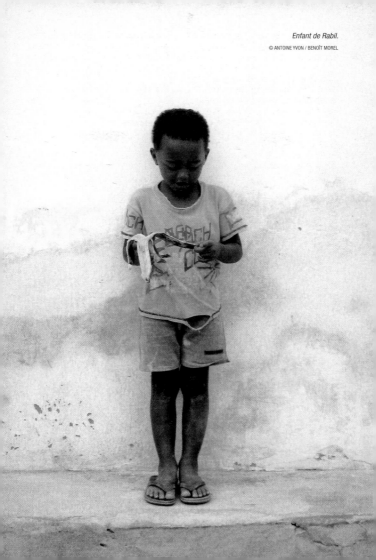

→ **Balade vers Rabilet retour par la côte.** Vous serez sûrement surpris par ce paysage vert de cocotiers et de dattiers sur une île aussi sèche, surtout si vous vous y baladez après la période des pluies. Traversez Estancia de Baixo, le premier village, puis redescendez dans la vallée avant de remonter vers Rabil. Après avoir contourné l'église, vous pouvez rejoindre l'aéroport et le contourner par le sud. Coupez à travers champs et dunes jusqu'à atteindre les ruines. Il ne s'agit pas d'un ancien phare mais en fait de l'ancienne cheminée de la briqueterie, située à côté. Il vous reste encore une bonne heure de marche vers le nord-ouest jusqu'à Sal Rei. Le long de ce parcours de retour, vous avez à gauche la mer, d'un bleu vert fascinant, et à droite les dunes de sable d'une blancheur incroyable, plongeant sur la plage. C'est magnifique.

→ **Balade vers l'épave de *Santa Maria*.** Partez vers le nord de Sal Rei en suivant la route qui part derrière l'église et longez la plage Praia Cabral. Contournez le Marine Club par l'est par la nouvelle route pavée. Longez la côte par des paysages désertiques en remarquant sur votre gauche une petite chapelle en ruine du début du XXᵉ siècle. Vous atteignez ensuite la grande plage de Boa Esperança et l'épave qui apparaît tout au bout, à l'est. Il vous reste encore une demi-heure de marche fatigante dans le sable pour l'approcher. Le retour se fait par une allée pavée souvent ensablée qui fait face à l'épave.

→ **Ilheu de Sal Rei.** En face de Sal Rei, cet îlot sert de camping et de lieu de pique-nique aux habitants de l'île. Dommage qu'il soit si sale. Les restes du fort de Bragança érigé pour résister aux attaques des pirates au XIXᵉ siècle, s'y trouvent encore. Vous pouvez vous y rendre en kayak de mer, c'est une promenade vraiment agréable et très facile lorsque la mer est calme.

→ **Cabo de Santa Maria.** C'est le bateau espagnol qui s'est échoué le 1ᵉʳ septembre 1968 sur la côte Nord de l'île. Le désert avançant vers l'océan, aujourd'hui il atteint quasiment la plage. Il se trouve à environ un quart d'heure au nord de Sal Rei, si vous disposez d'un véhicule tout terrain et à une heure et demie de marche. L'épave est repérable de loin et l'approche par la plage est superbe.

Le tour de l'île

Espingueira

Cet ancien village de pêcheurs déserté dans les années 1960, a été complètement reconstruit avec des matériaux locaux, en gardant la même architecture. Aujourd'hui, c'est un hôtel de luxe qui comporte 3 appartements avec cuisine, 3 chambres, 7 suites et 1 villa. L'ensemble, en pierre et en bois, est décoré de façon simple mais charmante, à 150 m de la plage déserte, Praia de Cama, avec à l'horizon l'épave d'un bateau. Moustiquaires sur les lits, grande salle de bains, photos du Cap-Vert sur les murs blancs, toits recouverts de paille… Les chambres sont délicieusement agencées et garantissent le repos. Car ici, dans cet hôtel luxueux, l'un des plus chers du Cap-Vert, tout appelle au calme et au bien-être. Faites-nous confiance, car, à 20 minutes de marche du premier village, l'hôtel est un endroit idéal pour le farniente et rien d'autre.

Si loin de tout, l'impression d'être au bout du monde vous saisit et vous oubliez même l'agitation de Sal Rei. L'ambiance est incroyable. Un restaurant, un bar, une bibliothèque sont les seules activités. Ce cadre naturel et simple est dédié exclusivement au repos.

Morro Negro

Le phare de Morro Negro est le point le plus proche des côtes ouest africaines. Pour y parvenir, autant prévoir un 4X4 ou un pick-up. Vous pouvez vous y rendre en scooter. Il est situé à l'est de l'île, que vous devez traverser d'un bout à l'autre. En arrivant à Cabeças das Tarafas, tournez à gauche. Les paysages sont assez incroyables jusqu'au phare, vous vous sentez seul au monde. Plusieurs chemins y mènent, empruntez le plus large.

Rabil

Village où se situe la plus vieille église de l'île, São Roque, construite en 1801. Jusqu'au XIXe siècle, Rabil est la principale localité de Boa Vista. Un atelier de poterie y est installé.

Estancia de Baixo

À 12 km au nord-est de Rabil, c'est une région assez verte, bordée de cocotiers et de dattiers.

Povoação Velha

Le plus ancien village de l'île, daté environ du XVIIe siècle. Il est construit ici car les habitants de l'île cherchent à fuir les pirates qui sévissent sur les côtes, mais aussi en raison des points d'eau situés à la proximité. Il se trouve à 24 km de Rabil sur la route des magnifiques plages du sud.

Ilheu de Curral Velho

C'est l'île aux oiseaux, que l'on peut rejoindre en Zodiac (30 minutes de traversée), ou en pirogue. Splendide, elle se trouve au sud de Boa Vista. Ne la manquez pas si vous aimez les oiseaux. Vous y apercevrez, entre autres, des albatros et des frégates, oiseaux noirs de 2,20 m d'envergure,

Église de Rabil.

Plage de Sal Rei.

appelés ici « rabils ». Plusieurs variétés d'oiseaux tropicaux fréquentent cet endroit.

Rocha Estancia

De là, vous pourrez observer, par temps clair, les îles de Santiago, Maio et São Nicolau. C'est un petit mont de 390 m d'altitude qui permet aussi d'admirer l'île de Boa Vista tout entière.

Les plages

Elles sont nombreuses, très étendues et d'une beauté peu courante. Apportez le nécessaire pour pique-niquer car elles sont nues, isolées et désertiques. Il n'y existe aucune infrastructure, ni point d'eau.

■ PRAIA DE CURRALINHO

Au Sud-Ouest de l'île, c'est la plage connue sous le nom de Santa Monica, car elle est aussi belle que son homonyme très connue des Etats-Unis. Ne la ratez surtout pas, elle mérite le déplacement. C'est sans doute la plus grande de l'archipel, peut-être la plus sauvage et sûrement la plus magnifique. Elle se trouve à plusieurs heures de marche environ de Povoçao Velha.

■ PRAIA DE LACAÇÃO

À l'est de Santa Monica, elle est tout aussi belle.

■ PRAIA DE CURRAL VELHO

Elle est située au Sud de l'île, à l'est de la pointe, après Lacação.

■ PRAIA DE VARANDINHA

Située à 30 km à l'ouest de Povoação Velha, vous pouvez y visiter des cavernes et y pique-niquer.

■ PRAIA DE HERVATÃO

Elle est située à côté de Cabeças de Tarafes, dans le nord.

■ PRAIA DAS GATAS

Vous la trouverez au nord de la praia de Hervatão, près de Fundo de Figueiras.

■ PRAIA DE CHAVE

Elle se trouve au sud de Sal Rei, à environ 2 km. Laissez-vous tomber dans la mer en roulant du haut des dunes, c'est sensationnel.

Île de Sal

Autrefois surnommée *Lhana* (plaine) à cause de son relief, c'est une île plate de 216 km² qui s'étend du nord au sud sur 30 km et d'est en ouest sur 12 km. Les points les plus élevés sont le Monte Grande avec 406 m et le Monte Leste, haut de 263 m. Le paysage est nu, aride et sec, bordé par une magnifique plage de sable fin et doré. Cette île, pourtant découverte en 1460, a été la dernière peuplée. Au XIXᵉ siècle, les premiers habitants, originaires de São Nicolau et de Boa Vista, s'y établissent avec le début de l'extraction du sel en 1830, dont l'île tient son nom d'ailleurs. Le sel est exporté jusque dans les années 1940, soit pendant plus d'un siècle. Vers 1940, les Italiens s'installent dans l'île en créant l'aéroport Amilcar Cabral qui est devenu aujourd'hui une escale internationale. Grâce à cet aéroport, Sal connaît un développement qui ralentit la vague d'émigration de ses habitants. La population totale est estimée à environ 15 000 habitants, dont le tiers est concentré dans la ville d'Espargos.

C'est la plus connue de toutes les îles grâce à son aéroport international, le seul capable de recevoir tous les vols en provenance d'Europe, jusqu'à l'ouverture de celui de Praia. C'est l'île qui se développe le plus vite au niveau touristique avec les plus beaux et les plus grands complexes hôteliers du pays. L'hébergement y est donc plus coûteux que dans le reste du pays. La ville s'étend depuis plusieurs années, de nombreux chantiers sont en cours… Les seules plages encore désertes situées au nord-ouest de Santa Maria seront progressivement envahies dans les années à venir par des complexes hôteliers, toujours plus grands. Conséquence néfaste de cette évolution, pourtant profitable à l'économie capverdienne : la disparition des espaces encore sauvages et l'apparition de déséquilibres écologiques (les tortues luths sont de plus en plus rares à pondre leurs œufs sur les plages de Santa Maria). Rassurez-vous, en vous éloignant un peu des plages de Santa Maria, il existe encore des kilomètres de plages désertes où les tortues sont encore présentes et où vous aurez comme seuls voisins quelques crabes. Le climat de l'île, chaud mais venté (l'harmattan y souffle souvent), est très apprécié pour ses vertus curatives sur les personnes souffrant de rhumatismes.

La population capverdienne est très accueillante et discrète. Vous y déplorerez peut-être l'absence de véritable vie culturelle, hormis les événements qui ponctuent les saisons : carnaval, festival de Sal (début septembre), fête de Santa Cruz (3 mai). Les principales ressources de l'île sont liées à l'exploitation de l'aéroport international et aux activités aéroportuaires qui en découlent, au tourisme balnéaire et sportif et à la pêche. Le récent développement touristique, en particulier au niveau des infrastructures hôtelières, permet à l'île d'avoir le taux de chômage le moins élevé de l'archipel.

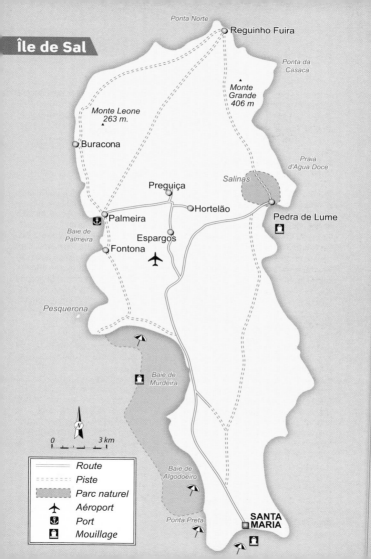

Île de Sal

Ponta Norte

Reguinho Fuira

Ponta da Casaca

Monte Grande 406 m

Monte Leone 263 m.

Buracona

Praia d'Agua Doce

Salinas

Preguiça

Hortelão

Pedra de Lume

Palmeira

Baie de Palmeira

Espargos

Fontona

Pesquerona

Baie de Murdeira

Baie de Algodoeiro

0   3 km

SANTA MARIA

Ponta Preta

	Route
	Piste
	Parc naturel
✈	Aéroport
	Port
	Mouillage

Santa Maria

Santa Maria est situé à la pointe sud de l'île, que vous rejoindrez en empruntant l'unique route bitumée qui traverse ce désert orné de quelques dunes et de quelques acacias et palmiers rabougris couchés par le vent. De chaque côté de la route, vous pouvez apercevoir la mer, principale attraction de l'île. Autour de la plage de Santa Maria existe aujourd'hui l'infrastructure touristique la plus importante du pays. La plage, longue de 8 km, est tout simplement sublime, baignée par les flots tièdes d'une mer turquoise et émeraude à la fois. Son climat est doux et l'air pur et sain. Avec Boa Vista et Maio, c'est l'endroit rêvé pour se prélasser et parfaire son bronzage. La vue lors de l'arrivée à Santa Maria peut décevoir : grues, hôtels en construction, l'entrée de la ville a des allures de chantier. Il faut s'aventurer dans les rues du village pour apprécier le charme réel de cet endroit.

Du fait du développement touristique, l'île est devenue une destination privilégiée des touristes en mal de soleil et des surfeurs, favorisant ainsi l'apparition de nombreux complexes hôteliers, de boutiques de souvenirs et de boutiques consacrées au surf.
Même si l'épreuve du championnat du monde de planche à voile n'y est plus organisée depuis 2003, la force du vent sur certaines plages bien orientées attire les mordus de planche à voile du monde entier et les amateurs de sports nautiques trouveront ici les conditions idéales pour s'adonner à leur passion.
Dans le village, les gens sont très sympathiques et les anciennes maisons de style colonial aux couleurs pastel se mélangent allégrement aux nouvelles villas qui font face à la mer. Se promener à Santa Maria, surtout en fin de journée, est vraiment très agréable et n'hésitez surtout pas à pousser la balade un peu plus loin vers les salines à environ 1,5 km au nord-est de Santa Maria.

© ANTOINE YVON / BENOÎT MOREL

Plage de Santa Maria.

Les plages dans cette zone sont belles, sauvages et peu visitées. L'île est idéale pour la pratique des activités nautiques comme la plongée sous-marine, le jet-ski ou encore les balades en bateau. L'île de Sal est également un endroit idéal pour les amateurs de pêche. Dans ses eaux, la densité et les variétés de poissons sont grandes. La plage de Ponta Preta est considérée par les magazines spécialisés comme l'une des 5 meilleures destinations au monde pour les amateurs de windsurf. En effet, le vent souffle parallèlement à la plage et la température de l'eau reste agréable toute l'année. En été, les conditions raviront les débutants qui pourront réaliser de jolies prouesses. En hiver, lorsque les vents sont plus forts, les professionnels trouveront là un excellent terrain pour s'entraîner. C'est néanmoins à Mindelo que vont les véliplanchistes avides de réaliser un record de vitesse.

Le tour de l'île

L'île est réputée pour ses plages et ses conditions idéales pour les sports nautiques. La plongée y est un must, mais Sal est aussi un spot de référence en ce qui concerne la planche à voile, le kitesurf et le surf. Les magazines spécialisés vantent souvent les conditions de Sal, au même titre que celles d'Hawaï. Grâce aux alizés qui soufflent de novembre à avril et à la forte houle qui en découle, de nombreux surfeurs viennent sur l'île de Sal en hiver.

Une autre activité possible est la pêche au large : de nombreux pêcheurs (le plus souvent, des Occidentaux passionnés de pêche, installés à Santa Maria) accepteront de vous embarquer et vous donneront l'occasion de pêcher à la traîne ou à la ligne. Les plus exotiques restent les pêches au thon, au marlin et au requin.

Pour les baigneurs, les plages de Santa Maria sont idéales pour la baignade et le farniente, même si d'autres plages à l'Ouest de l'île, accessibles à pied, sont plus désertes et donc plus sauvages. Faites attention en vous baignant, les rochers cachent de nombreux oursins. Le meilleur spot pour le surf se trouve sur la plage de Ponta Preta au sud de l'île, considérée comme l'une des plus belles droites du monde.

Voici les localités à ne surtout pas manquer :

Espargos

C'est la principale ville de l'île, située à dix minutes de l'aéroport international et à une demi-heure en voiture de Santa Maria. Espargos est un centre administratif avec sa mairie, ses hôtels et ses restaurants, les moins chers de l'île. Elle n'offre que peu d'intérêt, mais le week-end les bars et les night-clubs sont bondés, créant ainsi une animation surtout nocturne. Si vous souhaitez effectuer quelques achats, vous y trouverez également toutes sortes de commerces et les tarifs sont moins élevés qu'à Santa Maria.

Buracona

Située au nord-ouest d'Espargos, cette énorme et mystérieuse cavité s'ouvre sur le centre de la terre, d'où l'origine de son nom. Les vagues qui se brisent sur les récifs volcaniques offrent un superbe spectacle de la nature et pour peu que vous soyez amateur de plongée, vous ferez une fantastique découverte.

Sinon, une piscine naturelle située à proximité vous permettra de prendre un bain très agréable. Faites cependant très attention aux courants et aux vagues : la mer peut s'engouffrer brusquement dans la vasque et causer des dégâts. En 2003, un touriste est décédé pour avoir voulu prendre des photographies de trop près. Alors, il est plus raisonnable de se contenter d'un bain dans la plus petite des piscines et de sortir dès que les vagues commencent à grossir.

Palmeira

À 7 km au nord-ouest d'Espargos, c'est un petit port avec son village qui vit principalement de la pêche. C'est là que se fournissent les commerces des villes. Vous pouvez y acheter poissons et langoustes et visiter l'usine de dessalement d'eau de mer qu'il abrite.

Fontona

On y trouve une oasis surprenante de palmiers, cocotiers et acacias.

C'est dans ce village situé au sud de Palmeira que l'on célèbre la fête de Santa Anna. Sa petite plage de sable et de gravier blanc invite également au repos et à la méditation. Soyez prudents car certains lecteurs nous ont signalé des agressions.

Pedra Lume

C'est un paysage incroyablement beau et curieux à la fois, avec de multiples couleurs qui lui donnent un caractère plutôt étrange. Il est situé à l'est de la ville d'Espargos et à l'opposé du port de Palmeira.

Pour vous rendre aux Salines depuis Pedra Lume, empruntez le chemin situé derrière l'église et suivez les pylônes. L'accès se fait par un tunnel creusé en 1804 à l'intérieur du volcan et servant, à l'origine, de passage aux exploitants portugais des salines. En effet, c'est un capitaine, Manuel Martins, qui le premier s'installe à Pedra Lume et commence l'exploitation du sel. Par la suite, le site devient un territoire français, avec une monnaie

© KARINE VIROT

Salines de Pedra Lume.

Église sur l'île de Sal.

locale et une frontière. La société Les Salins du Midi en assure l'exploitation jusqu'à l'indépendance du Cap-Vert où la production, fortement ralentie, s'arrête. Aujourd'hui encore, rien ne semble avoir changé, le tunnel, les rails en fer où circulaient les chariots pleins de sel en direction de la mer, les poteaux avec leurs poulies et les baraques appelées Casa Farou, du nom de celui qui les a fait construire pour les travailleurs.

L'ancien administrateur, M. Bonnafous, vit aujourd'hui à Sarcelles en banlieue parisienne, mais ses descendants sont encore dans l'île. Il est possible de se baigner dans les salines, c'est même devenu une activité très en vogue.

C'est une expérience très amusante, que connaissent déjà les personnes qui se sont baignées dans la mer Morte. Surtout, prévoyez des chaussures pour aller dans l'eau où les cristaux de sel sont tranchants.

Les baigneurs locaux l'apprécient aussi pour ses qualités d'exfoliant : à la sortie du bain, la peau est complè-

tement nettoyée. Pensez à prendre de l'eau avec vous (au moins un litre) pour vous rincer ensuite.

Vous pouvez aussi prendre un bain de boue au soufre, dans le bassin situé sur le côté droit, mais vous devrez apporter le matériel pour prendre une douche complète nécessaire au rinçage.

Sinon, il suffit de vous enduire les bras et les jambes (et le reste du corps si vous êtes tentés) de cette boue pour en ressentir les bienfaits. Selon les habitants, elle serait efficace contre les arthroses et rhumatismes.

Fiura

Ce phare se trouve à la pointe Nord de l'île, derrière le Monte Grande.

Assez difficile à trouver, il n'y a ni route ni pancarte. Vous y apprécierez la beauté des vagues et vous pourrez vous adonner à la pêche.

Évitez néanmoins de vous y baigner, car la mer est dangereuse à cet endroit.

São Nicolau

C'est une île très montagneuse qui comprend deux groupes de reliefs orientés différemment : la partie ouest, dont la forme ressemble à celle de l'Afrique, va de la pointe Vermelharia au sud jusqu'à Ponta Espechim dans le nord ; la partie orientale, qui s'étale dans le sens est-ouest, va du Monte Matias au Monte Vermelho. La superficie totale de l'île est de 388 km². Elle s'étale d'est en ouest sur 51 km et du nord au sud sur 25 km. Du sommet du Monte Gordo, 1 312 m d'altitude, vous pouvez apercevoir, les jours de bonne visibilité, la plupart des îles de l'archipel. C'est ici que se croisent les deux massifs montagneux qui donnent ainsi sa forme à l'île.

Le littoral de l'île, très découpé, est généralement escarpé, alors que l'intérieur montagneux présente de multiples dépressions, irradiant des montagnes en forme d'étroites et profondes vallées. Le paysage de l'île est sauvage, rude et austère, avec plusieurs sommets, et des vallées plus ou moins verdoyantes, où vit la plus grande partie de la population. Le caractère très volcanique de l'île se remarque aux traces de lave et d'éboulis qui démontrent bien que ces volcans, aujourd'hui éteints, ont eu une activité très intense dans le passé. De nombreux canyons très profonds nous rappellent un peu ces paysages du Far-West vus dans de nombreux westerns. C'est fantastique.

Autre contraste saisissant : la côte ouest du côté de Tarrafal, zone plutôt aride et sèche avec ses montagnes et ses plages de sable noir, côtoie une région fertile, Ribeira Brava, Agua das Patas et la plaine de Fajã, recouverte d'arbres et de cultures.

L'île de São Nicolau fait partie des quatre îles agricoles du Cap-Vert, mais cela ne s'applique pas à l'ensemble de l'île. La région de Fajã est l'endroit le plus vert où sont concentrées les principales cultures, grâce à une nappe phréatique souterraine, dont l'eau est acheminée par une galerie de 2 km creusée dans la roche avec le soutien de la coopération française. Manioc, bananes, maïs, haricots, tomates et autres cultures maraîchères se développent bien dans cette zone.

Les attraits de l'île sont nombreux : d'abord sa nature pour les balades en montagne à travers les vallées verdoyantes ; puis, son calme, pour un repos total et complet ; sans oublier, la pêche, pour ses eaux très poissonneuses abritant des espèces très recherchées dans le monde entier comme le marlin bleu ; enfin, ses bienfaits, pour les vertus curatives des sables noirs de Tarrafal, chargés en iode et en titane, excellents pour soulager l'arthrite et les rhumatismes.

La plage de Tarrafal qui possède le sable le plus efficace se trouve au nord-ouest de la ville (il faut prendre un taxi). À Fajã da Cima, la médecine traditionnelle est très réputée, surtout pour soigner les maladies des os. Des footballeurs professionnels portugais consultaient régulièrement le spécialiste Antonio Julim, décédé en 2001.

Le peuplement de l'île de São Nicolau remonte au XVIIe siècle.

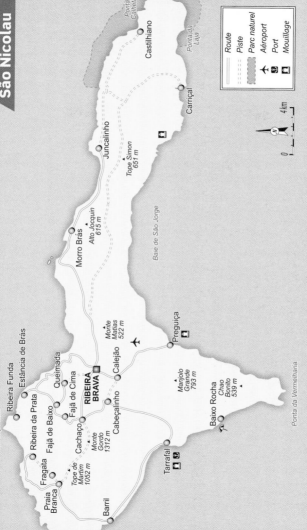

À l'époque, l'île est couverte de plantations, le bétail est nombreux, les terres sont arables et l'eau coule en abondance. São Nicolau produit même du vin, aussi bon que celui de Madère, et du café. C'est l'île la plus fertile du Nord de l'archipel, le grenier du Cap-Vert. Mais des vagues de sécheresse et des invasions de sauterelles mettent un terme à cette prospérité. Fuyant la famine et la misère, la population doit se déplacer massivement vers les îles de Santo Antão, São Vicente et Sal. L'île n'a pas été non plus ménagée par les pirates, qui l'attaquent régulièrement entre le XVIe et le XIXe siècle, pillant, tuant et volant la population, la forçant ainsi à s'installer à l'intérieur des terres, notamment à Ribeira Brava où les terres sont cultivables. Pour se protéger, elle construit une forteresse au port de Preguiça.

Aujourd'hui, la population compte 14 000 habitants avec un pourcentage élevé de 80 % de paysans, le restant se consacrant à la pêche et à d'autres activités. L'île de São Nicolau, qui n'a plus la même importance économique qu'avant, reste importante sur le plan agricole.

Elle dispose de trois ports : Tarrafal, le plus important, Preguiça et Carriçal. Les habitants sont sympathiques, ouverts et accueillants et considèrent qu'ils forment une grande famille, car tout le monde se connaît. Beaucoup de poètes et d'intellectuels sont issus de cette île.

Ribeira Brava

Le mot *Brava* signifie « sauvage, fougueuse », comme le devient la rivière qui longe cette ville, par temps de pluie.

C'est une très belle ville de 4 900 âmes avec ses montagnes à hauts pics et ses falaises profondes. Ribeira Brava est le chef-lieu de l'île. Elle présente un aspect très sympathique avec ses vieilles rues coloniales pavées, ses maisons anciennes en pierre, d'autres aux couleurs douces, ses nombreux jardins fleuris et ombragés. De nombreuses maisons possèdent un petit potager et, parfois, une basse-cour. Vous entendrez beaucoup de coqs en vous promenant dans les ruelles du village (il est même prudent de vous munir de boules Quiès si vous comptez rester plusieurs jours, car les coqs commencent à chanter dès 3h du matin). Comme toutes les autres villes de l'archipel, elle possède une place principale très fréquentée le soir. Vous avez l'impression d'être dans un petit village. Dans la journée, cette place est aussi le point de départ des *aluguers*. L'église principale a été reconstruite en 1891 et les travaux ont duré 7 ans. Elle devient ainsi la cathédrale du Cap-Vert et de la Guinée. À l'intérieur, deux tombes où reposent des évêques. Elle est aujourd'hui rénovée. Pour la visiter, prenez la porte à gauche.

Un peu plus loin, à côté d'un square, vous pouvez observer un monument qui représente le buste d'un médecin, Júlio José Dias, très apprécié par la population de l'époque. De l'autre côté de la rivière, vous pouvez remarquer l'ancien bâtiment du Séminaire. Ouvert en 1866, c'est le premier lycée de l'archipel, établissement fréquenté par nombre d'intellectuels capverdiens. Après les fêtes de fin d'année, se prépare le second, mais le plus fou, carnaval du Cap-Vert après celui de Mindelo.

© BLAISE MENNET

Les habitants de l'île se livrent à des manifestations très païennes à travers certains jeux équestres et des rituels où l'on coupe la tête d'un coq.

Les habitants de cette région sont spontanés et très ouverts envers les étrangers. C'est le Cap-Vert authentique et chaleureux.

Cachaço

Prononcez « cachasse ». De cet endroit, le plus élevé de la vallée de Fajã, vous avez une vue splendide. C'est une balade magnifique qui prend 2h à 3 h à l'aller et 1h à 2h au retour.

Ascension du Monte Gordo

C'est une très belle balade dans une nature pure avec des vues impressionnantes. Le départ se fait sur la route à Cachaço. Vous pourrez admirer une vue magnifique sur les montagnes de São Nicolau.

À gauche, il y a une dépression dans le terrain, c'est Caldeirinha (le petit cratère), une zone de culture avec une petite maison. Après avoir longé ces champs, vous verrez des arbres à gauche, des Eucalyptus. Rentrez dans ces eucalyptus, et laissez la piste sur laquelle vous marchiez descendre à droite.

C'est là, le départ du sentier qui monte au Monte Gordo, en suivant l'arrête Est du sommet.

Après être redescendu, si vous prenez par la suite la direction de Tarrafal, n'hésitez pas à marcher quelques kilomètres sur la route jusqu'à la croix surplombant la vallée. La vue y est splendide. Lors de l'ascension du Monte Gordo, vous pouvez redescendre à pied jusqu'à Vila de Ribeira Brava, en prenant le petit chemin pavé qui descend de Cabeçalinho.

Fajã

Située au nord-ouest de Ribeira Brava, après Lameirão et Carvoeiros, cette ville se trouve dans une région verte de cultures vivrières et maraîchères telles que haricots, maïs, bananes, tomates, patates douces, pommes de terre… C'est là que pousse le fameux dragonnier à la forme arrondie (*dragoneiro* en portugais), arbre millénaire très rare dans le monde. Sa sève rouge est utilisée comme colorant dans la fabrication du grogue. Jadis symbole de l'île, cet arbre est en voie d'extinction. Il est implanté aussi sur les versants montagneux des îles de Fogo et Santo Antão, mais c'est à São Nicolau que vous en croiserez le plus. Fajã est cernée de montagnes dont la plus haute, le Monte Gordo, atteint les 1 312 m. C'est ici qu'a été creusée la galerie d'eau, longue de 2 180 m, avec le soutien de la France, entre 1980 et 1986.

Une balade très agréable consiste à se faire déposer en *aluguer* à Faja et de s'attaquer à la montée de l'Assomada de Covoada. La descente sur Ribeira Funda, petit village de pêcheurs endormi, est magnifique. L'autre belle balade, au départ d'Estância Bras, longe le bord de mer jusqu'à Ribeira Furna, remonte jusqu'au petit village perdu dans les montagnes de Covoada, accessible seulement à pied, puis passe un col pour terminer à Faja de Baixo où vous rejoignez la route principale de l'île. Comptez environ 5h de marche pour cette balade entre mer et montagne.

Ribeira da Prata

C'est une belle vallée bien verte et cultivée accessible en prenant la direction de Barril, à partir de Tarrafal. Elle est proche de Praia Branca, protégée par des montagnes. Vous pourrez aussi admirer la Rocha Scribida, le rocher gravé, qui suscite bien des interrogations. Il semblerait que des pirates y aient inscrit quelques-uns des signes, d'autres thèses affirment que ces inscriptions sont la preuve que les Portugais ne sont pas les premiers arrivés dans l'île et, d'autres plus récentes, que ce serait un phénomène géologique : sous pression, les couches de tuf qui se seraient fendues, laissant pénétrer des éléments extérieurs, qui, en s'incrustant, font penser à des signes. En tout cas, c'est une véritable curiosité.

Calajão

Cette ville se trouve à environ 3 km de Ribeira Brava. Vous pouvez y visiter le premier lycée séminaire construit par les colons portugais en 1869, le premier de l'Afrique de l'ouest. Il a fermé ses portes en 1968 après avoir accueilli les plus grands intellectuels capverdiens. Baltasar Lopes, célèbre écrivain auteur du fameux roman *Chiquinho*, né à Calejão, y a fait ses études.

Tarrafal

Tarrafal est située à 24 km au sud-ouest de Ribeira Brava, par la route de Cachaço et de Fajã.
Cette ville est célèbre internationalement pour le sable de ses plages, riche en iode et en titane dont les qualités médicinales sont réputées

pour soigner divers maux liés aux os (rhumatisme et arthrite). La meilleure manière pour profiter de ces effets bénéfiques est de s'allonger nu dans le sable et de s'en recouvrir en massant les parties douloureuses. La plage ayant le meilleur sable, Praia D'Francês, se trouve à 5 ou 6 km au nord-ouest de Tarrafal. La meilleure période pour les cures est au mois de mai. Il faut rester au moins 3 à 4h dans le sable pour que cela soit efficace, mais une plus longue durée peut s'avérer néfaste. Le port de pêche de Tarrafal est équipé d'une conserverie de thon et de maquereaux principalement, et de réfrigérateurs, car les poissons et les produits sont en grande partie exportés vers l'Europe. L'odeur, assez nauséabonde, du poisson fumé se répand quelque peu aux alentours de l'usine.

Les amateurs de pêche sportive se régaleront à Tarrafal. C'est ici que vous ferez les meilleures prises : espadon, marlin bleu… La population de Tarrafal est supérieure à celle de Ribeira Brava. C'est un centre commercial bien plus actif et le port suit son développement. Des travaux y ont été réalisés, permettant aujourd'hui à des bateaux, de plus grande dimension, d'y accoster.

Praia de Baixo de Rocha

C'est une magnifique plage de sable brun à une heure et demie de marche de Tarrafal. Pour y aller, empruntez le chemin qui longe la mer, sur votre gauche lorsque vous faites face à la mer. Le parcours est complètement désertique et les paysages sont quasi lunaires.

Pensez à vous munir de bonnes chaussures de marche car le terrain est rocheux. Seule la présence de l'océan vous ramène sur terre.

On traverse quelques anciennes coulées de lave, avant d'arriver à la plage. De très belles couleurs s'y mélangent alors, le basalte assez sombre et le sable clair offrent un beau cliché.

C'est une plage superbe, peu fréquentée, sauf le dimanche.

Emportez à boire et à manger car le site est désertique, il n'existe aucun commerce dans les environs.

Preguiça

Au sud de Calejão, à 16 km de Ribeira Brava suivez la route de l'aéroport, qui vous fera découvrir des sites merveilleux et de splendides vues sur la vallée de Ribeira Brava.

Vous découvrirez la vallée de Ribeira Seca, où pointe un volcan inactif bien conservé, Caldeira, avec son énorme cratère.

En le contournant, vous pourrez admirer le Monte Bissau et avoir une vue sur le port de Preguiça situé juste en dessous. Les vestiges de son fort construit au début du XIXᵉ siècle – principalement pour se protéger des pirates – nous rappellent que l'île a connu une période de prospérité importante à cette époque. L'activité principale du village est la pêche avec une trentaine de barques qui sortent régulièrement. Il existe également une belle plage de galets où vous pouvez vous baigner. Si vous avez faim, demandez un petit plat à la buvette du coin, les propriétaires sont très sympathiques. Sans surprise, les spécialités du village sont le poisson et la langouste.

Carriçal

C'est un village de pêcheurs doté d'une conserverie qui démontre, s'il en était encore besoin, que nous sommes dans une zone où la mer est très poissonneuse. On peut se baigner et visiter cette charmante région de plantations et de sources.

Les paysages sont tout simplement magnifiques. Pour rejoindre Carriçal vous partirez de Ribeira Brava, passerez les localités de Belem, Figueira dos Coches, Morro Bras puis Juncalinho. De là, vous prolongez jusqu'à Carriçal situé à l'extrême sud-est.

Juncalinho

Pensez à prendre votre maillot de bain pour profiter du « Lagoa », une piscine naturelle creusée dans les roches de basalte noir, praticable les jours de mer calme.

Depuis Juncalinho, vous trouverez de belles idées de randonnées dans l'est de l'île.

VISITE

São Nicolau

71

Santa Luzia

C'est une toute petite île de 35 km² qui ressemble à une botte. Elle est logée entre São Nicolau à l'est et São Vicente au nord. La distance qui la sépare de ces deux îles est d'environ 10 km. Son sommet le plus haut est le Monte Topona, situé au centre de l'île et qui culmine à 395 m. Le Sud est assez plat avec des dunes et des plages, alors que le Nord reste plus relevé avec des falaises qui plongent dans la mer. Cette île est inhabitée aujourd'hui après avoir accueilli une famille d'une vingtaine de personnes il y a une trentaine d'années. Francisco da Cruz, que l'on surnomme aussi « le gouverneur de Santa Luzia », a vécu là avec femme et enfants. Il n'y a pratiquement pas d'eau, sauf dans le puits de Ponta da Cruz, mais elle a un goût plutôt salé.

Aujourd'hui des pêcheurs ou des campeurs y viennent de temps en temps. C'est vraiment ce que l'on appelle une île déserte comme on en trouve très peu dans le monde. Pour visiter cette île, renseignez-vous au port de Mindelo. Vous pouvez aussi en profiter pour admirer les deux îlots situés à proximité, Branco et Razo, où se réfugient de nombreuses espèces d'oiseaux dont la fameuse alouette razo, que l'on ne trouve que sur l'îlot du même nom.

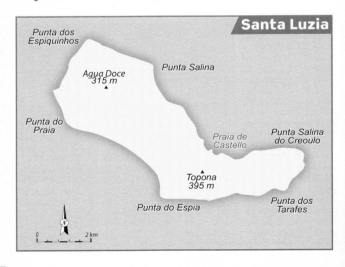

Santa Luzia

Punta dos Espiquinhos

Punta Salina

Agua Doce
315 m ▲

Punta do Praia

Praia de Castello

Punta Salina do Creoulo

Topona
395 m ▲

Punta do Espia

Punta dos Tarafes

0   2 km

São Vicente

Culturelle et cosmopolite, elle s'étale sur 227 km² avec une longueur d'est en ouest de 25 km, et une largeur du nord au sud de 17 km. Environ 70 000 personnes y vivent et presque 50 000 concentrées à Mindelo, la capitale, ce qui en fait la deuxième île de l'archipel par sa population. Cette île, une des plus arides du Cap-Vert et dont seules 2 % des terres sont cultivables, est dominée par un relief montagneux avec trois massifs principaux : le Monte Verde, le plus haut, avec un pic haut de 750 m, le Monte Vigia au nord qui culmine à 302 m et le Monte Madeiral au sud-est avec un sommet à 675 m. Elle possède quelques volcans éteints, signe d'un passé volcanique très intense. Mais, dans l'ensemble, le terrain de l'île est très plat.

Le climat extrêmement sec pose un problème d'approvisionnement en eau, partiellement résolu par l'installation d'une usine de dessalement de l'eau de mer. Elle n'est peuplée que tardivement, vers le milieu du XIXe siècle. Elle se développe quand les Anglais construisent un dépôt de charbon en 1838. Le port de Porto Grande s'étend, car il est le seul de l'archipel à offrir un bon mouillage permettant aux gros bateaux d'accoster. Les gens affluent des îles avoisinantes et de l'étranger et Mindelo devient une ville en 1858.

À la fin du XIXe siècle, on dénombre 160 sociétés commerciales dans l'île. Néanmoins, le problème du manque d'eau persiste et l'approvisionnement se fait à Santo Antão avec l'aide de tankers. Mindelo est devenue une île réputée pour son effervescence et surtout pour ses femmes. À l'époque, les prostituées sont légion et les bordels fleurissent. Les marins du monde entier passent, laissant souvent en cadeau une descendance dont la plupart ignorent l'existence. Cela crée un fantastique métissage de la population, que l'on peut encore observer aujourd'hui.

En 1893, les Anglais et les Ecossais créent la Recreational Society of Mindelo, un club qui importe le golf et le cricket, sports auxquels de nombreux Capverdiens sont initiés. Le premier terrain de golf de l'archipel voit ainsi le jour, et la tradition s'est perpétuée jusqu'à nos jours. Vous viendrez à São Vicente pour faire la fête et vous amuser. Vous trouverez des bars, des restaurants et des dancings un peu partout. Les artistes, peintres, chanteurs, musiciens, danseurs, artisans et poètes, abondent dans le coin, ce qui donne à l'île cette saveur et cette chaleur si particulières et uniques. Vous pourrez visiter plusieurs galeries d'exposition sur l'avenida Marginal de Mindelo, cette avenue qui longe la mer. Il fait bon flâner à São Vicente si vous aimez bouger. Sportifs, vous ne serez pas en reste, vous pourrez pratiquer l'équitation, le golf, le cricket, le tennis, la pêche et le trekking. Et si vous pensez à apporter votre planche à voile, vous trouverez d'excellentes conditions pour vous prendre du plaisir et, pourquoi pas, essayer de réaliser un record de vitesse dans ces couloirs de vent.

L'île, aujourd'hui

São Vicente, de nos jours, est toujours aussi active et marchande. Les sociétés commerciales se sont multipliées, mais les difficultés économiques demeurent. Porto Grande n'est plus le seul port marchand de l'archipel, son concurrent à Praia lui vole la vedette peu à peu. Avec l'augmentation du prix du charbon et avec la concurrence des ports des villes étrangères voisines comme Dakar et Las Palmas, l'activité commerciale a ralentit considérablement.

L'activité portuaire, gérant les transferts de marchandises et de population entre les îles, est devenue très nationale. Santiago, qui abrite la capitale, se développe beaucoup plus vite, attirant ainsi les investisseurs et les hommes d'affaires.

L'activité navale n'est pas à la hauteur des espérances qu'elle a suscitées et le tourisme progresse moins vite que dans les îles de Sal et Santiago. Toutefois, certaines entreprises à capitaux étrangers, surtout portugais, commencent à y établir leurs bases, c'est le cas dans les domaines de la confection et de la chaussure. Les habitants sont d'un naturel ouvert et curieux.

Ayant toujours été en contact avec les étrangers, ils ont l'expérience et l'habitude des cultures occidentales dont ils ont subi de fortes influences. Cela se ressent dans le langage courant, où l'usage de mots étrangers, notamment anglais, a envahi le vocabulaire : *tudo cool* ou *tudo nice*, par exemple.

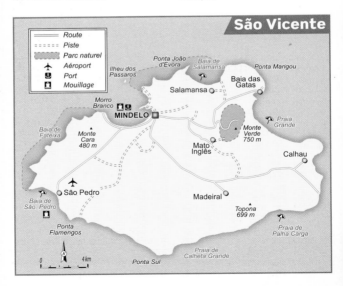

Rue de Mindelo.

D'autres habitudes, comme le fait de boire du whisky, gin and tonic et de prendre le *five o'clock tea*, se sont aussi répandues.

Mindelo

C'est une ville fascinante par son universalité, l'amabilité de ses habitants nés de la rencontre de plusieurs peuples et sa vie nocturne rythmée. Ici est née et vit toujours Cesaria Evora, « la diva aux pieds nus », qui enchante le monde avec sa voix interprétant si admirablement *mornas* et *coladeras*. Ses maisons coloniales avec leurs façades bariolées sont authentiques et, devant l'architecture du palais du gouverneur, vous ne pouvez que vous émerveiller des tons pastel roses et blancs.
En montant vers le Fortim, l'ancienne prison construite en 1852 et située sur les hauteurs du port, vous contemplerez une des plus belles vues existantes. De là, vous dominerez toute la ville, de la baie de Porto Grande au Monte Cara et juste en face, l'île de

Santo Antão. En redescendant, vous rejoignez la fameuse avenida Marginal qui longe la mer. À quelques mètres de là, vous trouverez un monument qui n'est autre que la réplique de la tour de Belem de Lisbonne. Un peu plus loin, le marché aux poissons étale des centaines de poissons frais de toutes sortes devant vous. Cette halle offre un spectacle mémorable et vous constaterez que les poissons sont bon marché. Tout le long de cette avenue, les petits bâtiments ont conservé leur aspect colonial et une rénovation générale avec l'aménagement d'une petite place publique donnerait plus de charme encore à ce lieu qui mérite d'être aussi animé la nuit. Aménagée avec des pianos-bars, des restaurants, des glaciers, des salles de jeux, des voies piétonnes arborées et des bancs face à la mer, cette avenue qui s'étend jusqu'à la plage de Laginha est un parcours idéal pour une belle balade.
L'architecture coloniale donne un style très britannique de la ville.

En remontant vers la gauche, vous arrivez à la Pracinha de Igreja. C'est le centre historique autour duquel sont apparues les premières maisons et rues. Non loin de là, se trouve la Praça Estrela avec la statue de Diogo Afonso, le navigateur qui a découvert São Vicente en 1462. C'est un grand bazar. C'est assez folklorique et surtout très vivant. Au bout de quelques minutes de marche, vous atteignez la Rua de Lisboa, célèbre avenue chantée maintes fois par les artistes capverdiens. Cette rue, très animée toute la journée, abrite plusieurs bars et restaurants, repaires des artistes et de la classe aisée et branchée de Mindelo. Mindelo est le centre de la fête, il est donc normal qu'elle regorge de bars et de restaurants. La plupart d'entre eux proposent une animation musicale en fin de semaine. La place Amilcar Cabral est le lieu de rencontre de toute la population. Tous les soirs, vous trouverez une boîte de nuit qui tourne très bien avec une superbe ambiance.

■ MUSÉE D'ART TRADITIONNEL

L'ancien centre artisanal de Mindelo a été créé en avril 1976 par un groupe d'artistes composé de Manuel et Lisa Quieros et de Bela Duarte. En 2008, et après des années de rénovation, le centre s'est transformé en musée. L'endroit est magnifique et mérite le coup d'œil.

■ TOUR DE BÉLEM

La réplique, plus petite, de celle de Lisbonne vient tout juste d'être rénovée et accueille des expositions souvent gratuites. Aller faire un tour.

■ AUDITORIUM

Il appartient à la ville qui l'a divisé en trois parties, capverdienne, française et portugaise. Il abrite une librairie, un patio avec un bar, une salle d'expositions où sont organisés des vernissages et des représentations théâtrales. Projection sur grand écran.

■ CENTRE CULTUREL PORTUGAIS

Avenida 5 de Julho

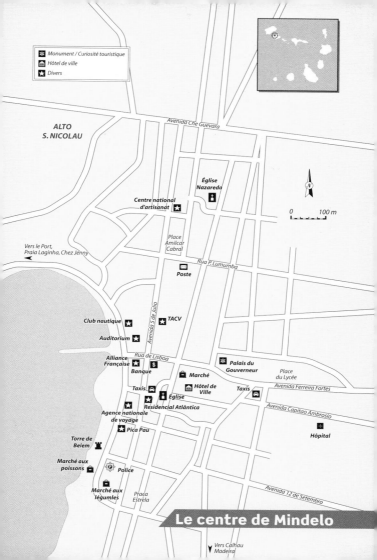

Le centre de Mindelo

Monument / Curiosité touristique
Hôtel de ville
Divers

ALTO
S. NICOLAU

Avenida Che Guevara

Église
Nazareda

Centre national
d'artisanat

Place
Amilcar
Cabral

Vers le Port,
Praia Laginha, Chez Jènny

Rua P. Lumumba

Poste

TACV

Club nautique

Auditorium

Rua de Lisboa

Alliance
Française

Palais du
Gouverneur

Place
du Lycée

Banque

Marché

Taxis

Hôtel de
Ville

Taxis

Avenida Ferreira Fortes

Église

Avenida Capitão Ambrosio

Residencial Atlântica

Agence nationale
de voyage

Pica Pau

Torre de
Belem

Hôpital

Marché aux
poissons

Police

Avenida 12 de Setembro

Marché aux
légumes

Praça
Estrèla

Vers Calhau
Madeira

0   100 m

N

LAGINHA

C'est l'une des plages les plus proches et accessibles pour les habitants de Mindelo puisqu'elle est en plein cœur de la ville. Elle est très fréquentée le week-end et pendant l'été.

Dans les environs

Pour rejoindre les environs, les *aluguers* partent de la place Estrela, près du marché aux poissons.

PONTA DE JOÃO RIBEIRO

Tout au nord, après la plage de Laginha et les chantiers navals, à 4 km de la ville, il reste quelques vieux canons, mais surtout vous pouvez y admirer l'ilheu dos Passaros et l'île de Santo Antão.

SÃO PEDRO

Au sud-ouest de la ville, après l'aéroport, vous tombez droit sur une immense et superbe plage de sable blanc mais avec une mer plutôt dangereuse à cause des courants et des tourbillons.

En planche à voile, c'est l'un des endroits du monde le plus propice aux épreuves de vitesse car le vent, canalisé entre deux montagnes, y est très fort. Sur cette plage se trouve un village de pêcheurs, construit au pied de la montagne. Vous pouvez y flâner et admirer les prises tout en dégustant quelques poissons grillés accompagnés d'une bière bien fraîche ou d'un punch. Les gens sont sympathiques et accueillants si vous allez vers eux.

Au-dessus de cette plage se trouve une belle promenade, à flanc de montagne en surplombant la mer. Par un chemin pavé, vous rejoignez un phare, visible depuis l'avion, à l'arrivée sur l'île de São Vicente.

Monte Verde

Prévoyez une petite laine avant d'y faire un tour, car il culmine quand même à plus de 700 m. Sur ses flancs poussent d'innombrables sisals qui servent à fabriquer des paniers vendus dans les boutiques d'artisanat et sur les marchés. Une fois au sommet, à pied ou en voiture, et pour peu que le ciel soit dégagé, vous aurez droit à une superbe vue sur la baie de Porto Grande et sur les îles de Santa Luzia et de São Nicolau.

Baia das Gatas (la baie des chats)

À 12 km de Mindelo, c'est la plage préférée des Mindelenses et certains y ont même fait construire leur résidence secondaire. Elle est située à une quinzaine de kilomètres de la ville et vous y accédez par une route tortueuse qui demande beaucoup de prudence. C'est une sorte de piscine naturelle avec une chaîne de rochers sur lesquels apparaissent d'énormes madrépores, sorte de coraux, qui forment un barrage contre les vagues et les courants. Les parents peuvent donc laisser leurs enfants y barboter en toute quiétude. La municipalité a procédé à d'importants travaux d'aménagement, notamment le ré-ensablement de la plage, la création de jeux pour enfants et la pose de poubelles, de sanitaires et d'un podium pour le festival annuel de musique qui, pourtant, pollue fortement la mer et la plage.

Salamansa

C'est un village de pêcheurs situé lui aussi sur cette route qui mène à Baia.

Si vous voulez côtoyer quelques pêcheurs et connaître leur mode de vie, vous pourrez peut-être faire une sortie en mer avec eux et terminer la soirée par quelques bonnes grillades de poissons.

Morro Branco

À l'ouest de la baie de Porto Grande, en prenant la route de São Pedro, bifurquez à droite en direction du camp militaire. C'est également une des plages fréquentées par les îliens. Quelques maisons font leur apparition, c'est bon signe. La plage est belle.

Topona

C'est au sud-est de Mindelo, à environ 20 km en suivant la route qui mène à Calhau. Vous trouverez une belle plage de sable, idéale pour le surf casting.

Topim

Sur cette même route qui mène à Calhau, à la hauteur du kilomètre 21, bifurquez à droite. C'est une petite plage de sable fréquentée par les surfeurs à cause des vagues. Il y a aussi de belles grottes où vous pouvez vous abriter et voir de nombreux coquillages fossilisés.

Calhau

À 20 minutes de Mindelo. Pendant le trajet, vous pouvez apercevoir diverses oasis où se dressent des moulins à vent utilisés pour l'extraction de l'eau des sous-sols. C'est devenu une zone résidentielle avec plein de petites maisons remplies le week-end, en particulier le dimanche. Concurrent

© ANTOINE YVON / BENOÎT MOREL

direct de Baia das Gatas, ce site attire de nombreux Mindelenses qui y établissent leur résidence de vacances. C'est une zone de rochers qui abrite pourtant une belle plage de sable, Praia Grande, très prisée pour les pique-niques. C'est aussi un lieu idéal pour la plongée avec palmes et tuba. Cette plage ressemblait de plus en plus à une décharge, mais des initiatives pour protéger le site ont été prises récemment. En suivant cette plage vers le nord, vous arrivez directement sur celle de Baia.

Monta Cara

C'est une des attractions de São Vicente. Ce n'est rien d'autre qu'une montagne dont le relief, vu de profil et de loin, a la forme d'un visage. De nombreuses cartes postales en ont été tirées.

Santo Antão

C'est une île fantastique, d'une incroyable beauté, avec des montagnes imposantes et des vallées profondes, le plus souvent verdoyantes. Le reboisement y a été important, facilité par un climat favorable et des pluies régulières.

Avec ses 779 km² de superficie, elle arrive en seconde position par sa taille derrière Santiago. Sa longueur maximale est de 43 km contre 24 km de large. C'est une île très montagneuse avec ses trois pics qui culminent à plus de 1 800 m, alignés du sud-est au nord-ouest, formant ainsi une chaîne qui sépare l'île en deux versants, l'un au sud et l'autre au nord. Ce dernier est le plus découpé, présentant des pics escarpés alternés de vallées profondes. Le tope Coroa, du haut de ses 1 979 m, est le plus élevé, suivi du Gudo de Cavaleiros, 1 811 m. Cette île surprend par son contraste, mélange de végétation et de terres arides. Le nord, humide, est pourvu de plantations et de cultures, c'est la zone verte, alors que le sud reste très sec. Le centre est très frais car il se trouve sur les hauteurs. Son sous-sol est riche en pouzzolane, matière première qui sert à fabriquer du ciment. C'est l'île la plus arrosée de l'archipel et elle possède de nombreuses variétés d'espèces florales et végétales ainsi que des sources, que le gouvernement envisage d'exploiter afin de modérer l'importation d'eau de l'étranger. Ici, et surtout dans la partie orientale de l'île, on trouve des cours d'eau actifs toute l'année, ce qui est rare dans l'archipel du Cap-Vert. Vous apprécierez de vous promener au milieu des fougères géantes et des plantations de canne à sucre et de bananiers ; ou encore de sillonner les sentiers tortueux à bord des fameuses *juvitas*, ces charrettes de bois recouvertes de tissu.

© BLAISE MENJUET

Habitation de Porto Novo.

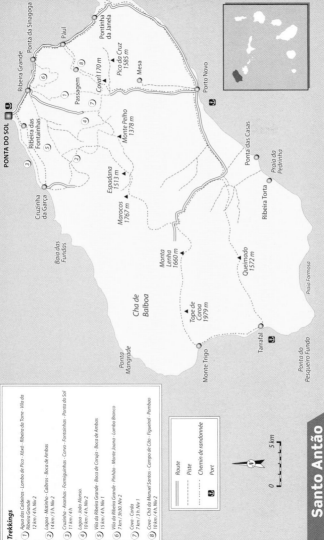

Santo Antão

Trekkings

1. Agua das Caldeiras - Lombo de Pico - Xôxô - Ribeira da Torre - Vila da
   Ribeira Grande
   12 km / 4 h. Niv 2

2. Lagoa - Matinho - Caibros - Boca de Ambos
   14 km / 5 h. Niv 2

3. Cruzinha - Aranhas - Formiguinhas - Corvo - Fontainhas - Ponta do Sol
   11 km / 4 h

4. Lagoa - João Afonso.
   10 km / 4 h. Niv 2

5. Vila da Ribeira Grande - Boca de Corujo - Boca de Ambos
   15 km / 4 h. Niv 1

6. Vila da Ribeira Grande - Pinhão - Monte Joana - Lombo Branco
   7 km / 3h30. Niv 2

7. Cova - Corda
   7 km / 3 h. Niv 1

8. Cova - Chã da Manuel Santos - Campo de Cão - Figueiral - Pombao
   10 km / 4 h. Niv 2

Route

— — — Piste

· · · · · Chemin de randonnée

⚓ Port

0   5 km

PONTA DO SOL

Ponta da Sinagoga
Paul
Ponta Grande
Ribeira Grande
Pontinha da Janela
Pico da Cruz 1585 m
Mesa
Covã 1170 m
Passagem
Ribeira das Fontainhas
Cruzinha da Garça
Baia das Fundas
Monte Pelho 1378 m
Espadana 1513 m
Marocos 1767 m
Porto Novo
Ponta das Casas
Praia da Pedrinha
Ribeira Torta
Monta Lenha 1660 m
Queimado 1572 m
Chã de Balboa
Ponta Mangrade
Tope de Coroa 1979 m
Monte Trigo
Tarrafal
Ponta do Pesqueiro Fundo
Praia Formosa

L'activité est essentiellement rurale et les moindres parcelles arables sont exploitées.

Histoire

La découverte de Santo Antão remonte au XIIIᵉ siècle, en 1462, lorsque Diogo Gomes y accoste, mais le peuplement ne débute qu'au XVIᵉ siècle. L'île, bien que disposant d'eau et d'un excellent climat, ne permet pas un développement rapide car les réseaux de communication sont difficiles à établir à cause de la montagne et des mouillages peu sûrs. Au XIXᵉ siècle commence la construction des routes et, vers 1960, les travaux pour la création du port de Porto Novo afin d'acheminer plus rapidement les récoltes vers Mindelo où elles sont revendues. De nos jours, cette activité persiste et se développe avec l'aménagement de nouvelles routes et la considérable amélioration des réseaux de communication. La pêche se pratique à Tarrafal, Porto Novo et

Janela mais ce n'est pas l'activité principale, car les habitants sont de tradition paysanne.

Le tourisme y progresse depuis quelques années, aidé par la Coopération luxembourgeoise, et de nouveaux hôtels viennent combler le retard en infrastructures hôtelières.

Il existe beaucoup d'endroits encore vierges avec des paysages grandioses, de profondes *ribeiras*, des ruisseaux, des versants rocheux vertigineux, des pics et des sommets noyés dans les nuages. On cultive principalement la canne à sucre, le maïs et la banane, et l'île est parsemée d'arbres fruitiers divers tels que les papayers, les cocotiers et les manguiers. Les plages sont rares car la côte est plutôt rocheuse et montagneuse. Celle de Praia Formosa à l'est, reste difficile d'accès

Vous débarquez au port de Porto Novo qui est bien abrité du vent, très fort sur São Vicente. C'est ici que vous empruntez un *aluguer* qui vous mènera au nord, de l'autre côté de l'île, par

Pressage de la canne à sucre dans la région de Santo Antão.

© BLAISE MENJET

Cratère de Santo Antão.

une route pavée tortueuse construite à la main pierre par pierre à travers la montagne. On la surnomme Estrada Corda, la route de la corde, car elle traverse l'île telle une corde jetée dans la nature, passant dans la montagne à plus de 1 000 m d'altitude, d'un bout à l'autre de Santo Antão. Pendant les premières minutes du trajet, vous vous demandez vraiment s'il existe une végétation sur cette terre. Peu à peu apparaissent les premiers sapins, d'abord par dizaines, puis par centaines. Et, des nuages s'accumulent, et vous ouvrez votre sac pour y prendre un gilet, car la fraîcheur est bien là. Vous serez émerveillés par la beauté de cette forêt de pins, de cèdres, de mimosas à l'odeur de bonbon, et d'eucalyptus. C'est une splendeur jusqu'à Ribeira Grande dans un paysage unique. Mais cette route, qui chevauche les cimes des

montagnes, serpente au-dessus des précipices avec des gouffres de plus de 1 000 m de chaque côté.

De l'autre côté de l'île et de la chaîne de montagnes, les vallées se multiplient et se confondent dans une couleur verte de plus en plus présente.

À chaque tournant de la route, à chaque descente, des énigmes se posent à vous. Tout au long, accrochés aux flancs des montagnes, vous apercevez une multitude de maisons de pierre. Vous vous demandez comment elles tiennent sur ces pentes et surtout comment les paysans s'y sont pris pour les construire.

Le grogue, eau-de-vie capverdienne faite avec de la canne à sucre broyée et distillée, trouve ici son origine. Passer par Santo Antão, sans y goûter, est quasiment impossible. Vous en trouverez un peu partout le long des *ribeiras* (n'hésitez pas à emporter avec vous une bouteille vide pour la remplir contre quelques escudos) mais quelques spécialistes vous proposeront les meilleures bouteilles. L'île produit aussi des punchs nature et fruités. C'est très bon et cela se boit facilement mais prenez garde aux effets secondaires, qui se manifestent lentement. Sachez que les paysans se feront alors un plaisir de vous ramener allongé à l'arrière d'une *juvita*. Le vieux grogue est très difficilement à trouver alors méfiez-vous des contrefaçons. Vous trouverez des coopératives à Vila das Pombas et à Porto Novo pour acheter des fabrications artisanales telles que confitures et grogs.

Porto Novo

De son ancien nom Carvoeiros, c'est le port de l'île, entièrement réaménagé dans les années 1960.

Terrasses entre Porto Novo et Ponta do Sol.

Terrasses sculptées par l'homme entre Porto Novo et Ribeira Grande.

Il dispose d'un quai de 133 m de long avec une profondeur de 7 m permettant de ravitailler les autres îles. Grâce à l'activité maritime, la ville est très animée. Environ 5 000 personnes y vivent. Il existe deux plages de sable, Praia Tesina et Corralete. Vous pouvez ressentir une petite déception en arrivant à Porto Novo, car vous attendiez une île montagneuse et agricole. Or, les alentours de la ville sont plutôt déserts et arides. Cette impression s'estompe sitôt les premiers lacets de l'*estrada corda* parcourus…

Ribeira Grande

C'est une ville qui se trouve derrière la chaîne de montagnes et que vous rejoignez en empruntant l'Estrada de Corda. Elle est fondée à la fin du XVIe siècle par le comte de Santa Cruz, Mascarenhas, qui la baptise Povoação de Santa Cruz dans un premier temps. Et même aujourd'hui, ses habitants ont gardé l'habitude de l'appeler Povoação. L'église est construite en 1595 et, en 1755, transformée en cathédrale par l'évêque Jacinto Valente, en hommage à Nossa Senhora do Rosario. Elle aurait besoin d'une rénovation. Environ 2 700 personnes vivent dans cette agglomération calée entre des montagnes et faisant face à une plage de rochers et de galets. Aux alentours, se trouvent d'autres vallées plus petites mais bien arrosées, comme Ribeira de Chã de Pedra et João Alfonso, ainsi que des villages, dont Coculi et son église, qui possède la plus grosse cloche du pays. C'est ici qu'est mise en bouteille l'eau minérale de marque Rotcha, eau de montagne de Santo Antão, produite localement. On trouve une deuxième unité de production sur l'île de Santiago.

Sinagoga

C'est un petit village de pêcheurs qui se trouve sur le front de mer à quelque 5 km de Ribeira Grande, sur la route qui mène à Paúl. Des colons juifs s'y sont établis et vous pouvez encore voir l'ancienne synagogue reconvertie en camp d'isolement pour les lépreux. Ce village abrite aussi un petit chantier naval qui fabrique les barques en bois utilisées par les pêcheurs.

Ponta do Sol

À 4 km au nord-ouest de Ribeira Grande, c'est une charmante ville aux maisons colorées de vert, de bleu et de rose. Ces belles maisons anciennes à l'architecture coloniale constituent aujourd'hui le patrimoine historique de l'île. La plupart du temps, elles sont généralement bien entretenues et longent des rues pavées à la main régulièrement nettoyées. Sous le soleil avec ses façades pastel, la ville a vraiment des airs cubains. C'est ici que la plupart des touristes viennent se loger. C'est l'une des plus belles villes de l'île et elle dispose d'une petite plage où vous pouvez vous baigner. Plusieurs discothèques ouvrent tour à tour le week-end. Le mieux est de se diriger au son de la musique ou de demander aux jeunes du coin. Tropicana, c'est La discothèque qui attire tout le monde. Des concerts sont organisés de temps en temps, en particulier le week-end, dans le restaurant de la place centrale du village.

Il existe une plage de sable noir à Ponta do Sol, la Praia de Lisboa, difficilement accessible. Pour vous y rendre, obliquez sur la droite après la décharge publique.

Circuits dans l'île

L'intérêt de l'île réside dans la beauté de sa nature : son paysage, sa flore, ses plantations, ses ribeiras vertes, ses montagnes et sa côte escarpée. Voici donc quelques propositions d'excursions à réaliser, sans oublier son appareil photo.

Vallées de Janela et de Penede, tout à l'est

Elles sont belles et verdoyantes. Ces vallées sont accessibles depuis Ribeira Grande en aluguer, par la route côtière. Bientôt, avec l'ouverture de la route côtière, vous pourrez les rejoindre depuis Porto Novo. Vous pouvez également les découvrir à pied, si vous êtes bon marcheur, en vous faisant déposer à Pico da Cruz. Un sentier descend dans chacune des vallées jusqu'au bord de mer. Comptez 5 bonnes heures de marche. Dans la vallée de Penede, on trouve la pierre écrite, datant d'avant la découverte de l'île par les Portugais. Elle se trouve dans le bas de la vallée et il faut remonter le fond de la vallée par le sentier principal, sur quelques centaines de mètres, pour la découvrir sur la droite.

Paúl

Jolie vallée pour la marche à pied et deux balades principales. Pour la première balade, vous pouvez la découvrir à pied depuis le cratère de Cova. La seconde balade commence en venant en véhicule depuis Ribeira Grande par la côte et en entrant dans la vallée par le bas. Comptez 2 heures de marche entre chaumières et terrasses cultivées.

Ribeira da Torre

Ribeira da Torre offre une belle descente spectaculaire, réservée aux bons marcheurs. Faites-vous déposer entre Agua das Caldeiras et Espongeiros sur la route de Corda, que vous veniez de Porto Novo ou de Ribeira Grande. La descente est soutenue mais le panorama magnifique. Comptez 4 heures de marche pour rejoindre la piste au fond de la vallée de Ribeira da Torre qui rejoint Ribeira Grande.

Ribeira Grande

Beaucoup de balades dans Ribeira Grande, mais les sentiers sont difficiles à trouver. Pour les bons marcheurs qui veulent faire une ascension, partez de Joao Afonso et continuez à monter par le sentier pavé quand la route s'arrête. Cela amène sur le plateau de Lagoa, qui offre un beau contraste entre le fond de la vallée cultivé d'ignames et de cannes à sucre et le plateau aride qui est une zone d'élevage, de forêt et de petite culture de maïs. Sur le plateau de Lagoa, du côté de Lin d'Corvo le sentier rejoint une piste, suivez-la à gauche, pour rejoindre Espongeiros et la Route de la corde. Là, vous trouverez toujours un véhicule pour vous ramener. Comptez une matinée de marche pleine pour arriver sur le plateau, principalement en montée (4 à 5h de marche). Vous pouvez rejoindre Ribeira Grande et Ribeira de Garça (Chã d'igreja et Cruzinha) ou vous faire déposer à Boca de Ambas, dans Ribeira Grande après Coculi. Dans le fond de la vallée, quand vous vous apprêtez à la remonter, un sentier part à droite et mène jusqu'au col de Mocho. Vous redescendez ensuite dans la vallée de Mocho puis dans celle de Garça pour arriver au joli village de Chã d'Igreja. Comptez 4h de marche, moitié en montée, moitié en descente. Intéressant pour ceux qui veulent se rendre dans la vallée de Garça pour rejoindre le jour suivant Ponta do Sol par le sentier côtier.

Le sentier côtier

Il peut se faire aussi bien au départ de Cruzinha de Garça que de Ponta do Sol. Il permet de découvrir le petit village de Fontainhas, avec ses maisons colorées perchées au-dessus du vide et un magnifique panorama sur la côte et l'océan. Une des balades les plus fréquentées. Comptez 5h de marche.

Vallée de Ribeira Grande.

Village de pêcheurs à Ponta do Sol.

Le plateau de Lagoa

Par la piste peu fréquentée qui part de la route de Corda au niveau d'Espongeiros, vous pouvez pénétrer sur le plateau et découvrir ce paysage particulier d'altitude, en allant par exemple jusqu'au village de Lagoa, sans aucune difficulté. En continuant après Lagoa vous trouvez les restes d'un ancien cratère d'1 km de diamètre (Espanada). Du plateau, les marcheurs expérimentés munis d'une carte peuvent trouver les points de départ de plusieurs belles descentes : Joao Afonso, Chã de Pedra ou Caibros dans Ribeira Grande, ainsi que sur la vallée de Garça.

Ribeira das Patas

C'est la grande vallée qui sépare l'est et l'ouest de l'île, elle offre un paysage plus aride, parsemé de zones de cultures et de dykes, des lames de basalte verticales qui hérissent le paysage par endroits. Curral das Vaccas peut être le point de départ pour réaliser l'ascension du sommet de l'île, le Tope de Coroa, situé à l'ouest de l'île. Sinon, sans aller jusque-là, à proximité de la pension les patrons vous montreront le départ du magnifique sentier pavé qui conduit à Bordeira de Norte en montant dans la falaise. Après avoir gravi la falaise vous découvrez le plateau d'altitude qui se prolonge jusqu'au sommet et un panorama imprenable sur la vallée et l'île de Sao Vicente au loin.

Canyon entre Ribeira das Patas et Tope de Coroa.

Tarrafal de Monte Trigo et la pointe ouest

Il faut vous rendre à l'arrivée du bateau à Porto Novo pour trouver les chauffeurs se rendant à Tarrafal. Une fois à Tarrafal vous pouvez découvrir la vallée de Tarrafal, en remontant par le fond, et admirer le travail fait par les agriculteurs, particulièrement ingénieux. En continuant par le bord de mer en direction du nord, vous rejoignez en 3h de marche le petit village de pêcheur de Monte Trigo. Vous pouvez négocier avec un pêcheur qu'il vous y emmène ou vienne vous y chercher en bateau. Mettez-vous d'accord sur le prix avant. De nombreux secteurs tels que la partie Alto Mira, Figueiras, Ribeira Alta, offrent une vision du Cap-Vert authentique, sans route d'accès ni d'hébergement, où tout se transporte à pied ou à dos de mule. Vous devrez donc y aller avec un guide qui sache où bivouaquer. De même pour la partie de Norte et certains secteurs de Ribeira Grande où les sentiers se perdent et se multiplient. Voyez avec Théo, un guide français basé à Mindelo, qui connaît parfaitement les lieux (agence Nobai).

À 10 minutes se trouve une plage bien abritée. Attention cependant, le sentier n'est pas du tout sécurisé, et vous devrez marcher sur une bande rocailleuse très étroite donnant sur le vide de chaque côté. À décommander aux personnes sujettes au vertige. Faites très attention aux courants, très fort sur l'île.

Ribeira do Paúl

La Ribeira do Paúl (prononcer paoul) est l'une des vallées les plus verdoyantes, riche en plantations de canne à sucre, de café et de bananiers. Elle est située à 7 km de Sinagoga. Des papayers, des manguiers, des avocatiers, des arbres à pain, d'immenses cocotiers et des bougainvilliers poussent simultanément dans cette vallée luxuriante. La petite ville de Paúl, qui fait face à la mer sur environ 1 km, est le point de départ d'une belle balade à pied à travers la nature, comptez environ 4h. Vous emprunterez un chemin qui vous mènera d'abord à Passagem où vous trouverez un grand jardin avec une maison et une piscine publique où les gens se réunissent pour pique-niquer et se reposer en fin de semaine. De là, vous continuerez à suivre la route qui s'arrête à Cabo de Ribeira, au pied des falaises. Vous aurez une superbe vue sur la vallée. Cette balade est aussi intéressante à faire dans le sens inverse, au départ de Cova, que vous rejoignez en voiture. C'est un immense cratère de volcan fleuri que vous traversez après avoir grimpé sur le versant opposé et qui vous mènera vers Cabo de Ribeira par une piste. À Paúl, vous pourrez admirer la plus vieille trapiche du Cap-Vert, datant probablement du XVIIe siècle. Elle se trouve dans une cour, à l'intérieur d'un grand corps de bâtiment avec une porte en bois, tout près de la station-service (sous la statue de Santo Antonio). On y fabrique du grogue et du punch napoléon, du nom du bœuf de 18 ans qui fait tourner la trapiche. Si vous ne trouvez pas, demandez aux habitants en évoquant le nom de ce punch.

Village à Cruzinha da Garça.

Janela

C'est un village, avec son port de pêche, qui se trouve sur la route côtière, à l'est de Ribeira Grande. La mer est assez houleuse dans ces parages car les vents sont très forts.

Ribeira das Fontainhas

Situé à 3 km au sud de Ponta do Sol, c'est un village essentiellement agricole. Il a été construit sur un rocher, en face de l'océan. Vous trouverez de belles vues dans ce secteur.

Garça da Cima - Igreja - Cruzinha da Garça

Cette magnifique région mérite une visite. En partant de Ribeira Grande, vous vous dirigez vers la vallée et suivez la route qui mène vers Coculi, puis prolongez jusqu'à Garça da Cima, dont le paysage et la vue sont superbes. En remontant vers le nord, vous arrivez sur Chã da Igreja, village cerné de plantations de cannes à sucre où une halte s'impose, pour assister à la fabrication du grogue et en découvrir sa saveur. Cet endroit est typique avec ses quelques maisons en toit de chaume.

Tarrafal - Monte Trigo

Situé de l'autre côté de l'île, au sud-ouest, dans la zone aride, Tarrafal se trouve à 3h de Porto Novo. Vous avez une impression de bout du monde. De là vient tout le charme de ce village de pêcheurs bordé par la végétation, ce qui est assez rare de ce côté. Il est niché au pied d'une montagne, face à la mer, ce qui lui donne un cachet supplémentaire. En remontant au nord du village, vous atteignez Monte Trigo, autre village de pêcheurs qui contemple la montagne la plus haute de Santo Antão, Tope Coroa, avec ses 1 979 m.

© BLAISE MENUET

Jeunes filles à Janela.

À 10 minutes de vol de Santiago, dont elle est distante de 25 km, l'île de Maio a la forme d'un œuf étoilé entouré de belles plages immenses. Ce sont 25 km qui séparent le nord du sud et 16 km d'est de l'ouest. Sur sa superficie de 269 km², vivent plus de 6 000 personnes. À l'image des îles de Sal et de Boa Vista, cette île est plate et désertique. Son point le plus haut est le Monte Penoso qui culmine à 436 m d'altitude. Soumise à l'érosion du vent, l'île de Maio ne présente pas, contrairement à la plupart des îles de l'archipel, de traces de son passé volcanique. Malgré son climat aride et un sol très calcaire, on retrouve quelques oasis de cocotiers dans le sud, une cinquantaine d'hectares de terres arables et la plus grande forêt reconstituée du pays. Des dunes façonnent le paysage du nord où les vents sont les plus forts, accentuant la ressemblance avec l'île de Boa Vista. La population de l'île de Maio est particulièrement accueillante et hospitalière.

L'île est découverte au mois de mai 1460 par Diego Gomes et Antonio de Noli, qui lui donnent le nom de Maio. À l'origine, elle abrite un troupeau de chèvres laissées en liberté ce qui appauvrit considérablement les sols ; puis commence l'exploitation du sel au début du XVIIe siècle, entraînant le peuplement de l'île et surtout un début d'activité économique. Les Anglais, viennent s'approvisionner sur place, d'où le nom de Porto Inglés attribué au port. Le sel recueilli est, en grande partie, exporté vers le Brésil et fait de Maio une île prospère. Jusqu'à ce que la création d'un impôt sur le sel et de nouvelles directives protectionnistes prises par le gouvernement brésilien, n'y mettent un terme. À la fin du XIXe siècle, début XXe siècle, l'exploitation des salines cesse. Débute alors une ère difficile, aggravée par la sécheresse et des périodes de famine qui provoquent des vagues massives d'émigration.

Aujourd'hui, l'île tente de rattraper son retard en misant surtout sur le développement du tourisme, tout comme ses sœurs Boa Vista et Sal. Mais, si Maio est l'île la plus proche de la capitale, elle est la plus isolée, la plus délaissée par les politiques de développements, alors qu'elle dispose d'atouts de tailles, comme plus de 20 km de plages idylliques. Il est cependant grand temps de profiter de toutes ces merveilles encore sauvages, car les promoteurs immobiliers se ruent sur l'île de Maio depuis quelques années. Un tour-opérateur italien a eu l'idée de proposer aux touristes séjournant dans l'île d'acheter des terrains. Toutes les parcelles de Vila do Maio, le long de la côte vers Praia Preta, ont été vendues. Et les Italiens investissent à tour de bras, suivis par les Espagnols et les Allemands, les Anglais et les Français.

Une des attractions de cette île est un véritable rodéo, mais avec capture d'un âne sauvage, spectacle très apprécié par la population et les étrangers de passage.

Avec une mer peuplée d'une faune marine dense et de nombreuses variétés de coquillages, la pêche reste l'activité principale des habitants de l'île. Son réseau de communication, un de ses points noirs, a besoin d'être amélioré. Le port manque de quais, ce qui rend difficiles les liaisons maritimes avec le reste de l'archipel, et freine considérablement la production locale (bois, charbon, pommes de terre, oignons) qui ne peut être acheminée dans de bonnes conditions. L'île dispose d'un potentiel de ressources naturelles dans ses sols, comme la chaux et le gypse. L'eau y est extraite des nappes souterraines, grâce à l'énergie éolienne.

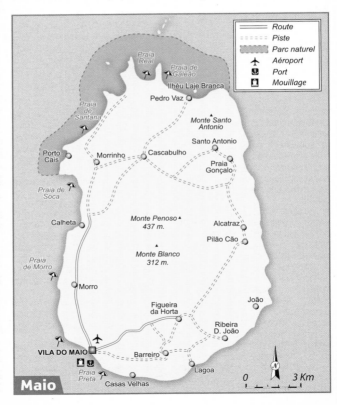

Plage de Vila do Maio.

Vila do Maio

C'est la capitale de l'île qui compte environ 2 000 habitants et se situe au sud-ouest, au bord d'une très belle plage de sable fin. À l'époque de l'exploitation du sel, Porto Inglès joue un rôle économique prépondérant lorsque les bateaux anglais s'approvisionnent sur l'île.

Aujourd'hui, le port n'est utilisé que par les pêcheurs locaux. Pour protéger la ville des incessantes attaques de pirates, un château fort a été construit au XVIIIe siècle disposant de plusieurs canons que vous pouvez encore admirer aujourd'hui. Face à la mer, la très belle église principale, Igreja Matriz, est entourée de fleurs. Les maisons de la ville sont très colorées et ses rues alignées et propres. D'après Fausto do Rosario, une célébrité sur les îles de Maio et de Fogo qui connaît parfaitement l'histoire de son pays, jusque dans les années 1980, un seul policier veille sur la ville. Il s'appelle Belarmindo, originaire de l'île de Fogo,

et la prison n'a pas de porte. De plus, il raconte que seule une poignée de familles ont peuplé cette île, et les noms les plus courants sont Spencer, Frederico, Vaz, Agues… Les autres sont une association de deux noms. La ville s'étend le long d'une des plus grandes plages de sable blanc de l'archipel.

Ses maisons sont colorées et l'ensemble exhale un air de tranquillité et de calme absolu. Beaucoup d'animaux – chèvres, poules… – traînent dans la ville et font du bruit la nuit. Il y a un petit marché aux poissons sur la plage, le bâtiment avec une porte verte, qui s'anime à partir de 10h, à l'arrivée des premiers pêcheurs.

Il est possible, moyennant quelques centaines d'escudos, de partir pêcher avec eux. Renseignez-vous sur la plage pour cela.

Autre site à visiter : le marais salant situé au nord-ouest de la ville, le long de la grande plage. Il est aujourd'hui quasi inexploité, mais l'endroit est vraiment propice aux promenades.

Profitez-en surtout en début ou fin de journée, lorsque l'inclinaison du soleil donne une couleur toute particulière aux monticules de sel. C'est surtout en juillet et en août que les femmes travaillent dans les salines. Le marché de la ville est très modeste et peu approvisionné en marchandises. Pour se procurer des fruits et légumes, allez dans les petites échoppes. Sachez qu'ils sont beaucoup plus rares et chers que sur l'île de Santiago. Nous pouvons même vous conseiller de vous ravitailler avant de venir, si vous êtes accrocs aux mangues ou papayes, foisonnants sur Praia, mais rares sur Maio. Maio est encore mal approvisionné en biens alimentaires, tout est importé. Les bateaux ne respectent pas la chaîne du froid, car ils ne sont pas pourvus de frigo ! Il n'y a pas de cas d'intoxication alimentaire, mais attention donc à ce que vous mangez. Privilégiez le poisson frais.

Plateau de terre rouge de la Ribeira da Lagoa.

Dans les environs

À vélo, ou en voiture, il vaut mieux commencer par Lagoa et Figueira (par l'ouest) et revenir par Calheta et Morro. Vous mettrez beaucoup de temps si, en plus du mauvais état des pistes, vous vous laissez piéger par les très belles plages de la côte ouest.

Le tour de l'île

Maio dispose de 25 km de belles plages ourlées de sable blanc qui s'étendent autour des quelques villages existants. Si elles rivalisent de beauté, elles présentent toutes le même charme : un sable blanc et fin, des eaux turquoise transparentes à bonne température toute l'année, et une nature saine. Il est courant d'y rencontrer des tortues venues pondre leurs œufs. Voici les

étapes immanquables à faire tout autour de l'île au départ de Vila do Maio en remontant la côte ouest vers le nord.

Les salines

Il en reste deux qui ne sont plus exploitées actuellement : celle de la ville de Moro, au nord de Vila do Maio, et celle de Morrinho, au nord-ouest de l'île.

Morro

Morro est un petit village agréable situé à l'ouest de l'île, à 5 km de Vila do Maio en remontant vers le nord. Une belle plage longe ce village, où une coopérative artisanale crée divers objets comme des vases, des cruches, des ustensiles de cuisine...

Calheta

À 6 km au nord de Morro et à 11 km de Vila do Maio. Avec ses maisons colorées, c'est aussi bien un ravissant village de pêcheurs que d'éleveurs de chèvres, vaches et cochons. Il a bénéficié de la politique de relance de l'agriculture, en matière de reboisement et d'élevage. Une forêt d'acacias s'étend jusqu'aux villages de Morrinho et Cascabulho. Au nord de Morrinho, les plus grandes salines de l'île s'étalent sur 5 km le long de la côte, dont elles sont distantes d'un peu plus d'un kilomètre. Elles sont aujourd'hui dépourvues de sel.

Praia de Soca

C'est une superbe plage, calme et souvent déserte. La mer est d'huile, vous pouvez vous baigner toute l'année. Munie de quelques rochers, elle est idéale pour le snorkeling.

Pedro Vaz

Il est charmant, ce village du nord avec ses cocotiers et ses palmiers. Vous pouvez y déguster une noix de coco, après une bonne baignade à la plage totalement isolée de Praia Real ou à celle de Galeao.

Monte Penoso

C'est la montagne la plus haute de Maio, mais avec ses 436 m d'altitude, elle fait figure de naine devant celles de Santo Antão. Au pied, se dresse le plus ancien village de l'île avec son église. Cette région agricole

développe des plantations vivrières qui s'étendent jusqu'aux villages d'Alcatraz et de Pilão Cão.

Figueira da Horta - Ribeira do João

Vous prendrez plaisir à marcher à 7 km environ du nord-est de Vila do Maio. Vous y découvrirez quelques oasis superbes, surtout du côté de Ribeira do João. En passant à Figueira da Horta, c'est l'occasion de voir les cultivateurs de canne à sucre fabriquer le grogue. Pensez emportez eau et chapeau, vous ne trouverez guère d'ombre sur le chemin.

Ribeira da Lagoa

Une magnifique vallée agricole se prolonge jusque sur une belle plage de sable blanc, splendide.

Les plages

Les meilleures se situent à l'ouest, et les plus connues sont Praia Preta, Praia Real, Boca de Morro, Bitche Rotcha, Praia Pau Sêco et Porto Cais.

© ANTOINE YVON / BENOÎT MOREL

La plage de Vila do Maio.

Santiago

C'est l'île africaine, riche d'histoire. Car c'est là que tout a commencé en 1460, avec l'arrivée des Portugais puis des esclaves, dont le mélange a donné naissance au peuple capverdien. Santiago est la plus grande des îles de l'archipel avec ses 991 km², et la plus peuplée, avec 237 000 habitants environ, soit la moitié de la population du Cap-Vert. La capitale, Praia, compte environ 110 000 habitants, soit le quart de la population capverdienne. Du nord au sud de Santiago, on compte 80 km de distance, et de l'est vers l'ouest 29 km. C'est une île de montagnes, avec de nombreux massifs, dont le plus haut, le Pico d'Antonia, culmine à 1 392 m. Le Serra Malagueta pointe à 1 063 m et le Monte Xota à 1 050 m. C'est également une île d'origine volcanique, dont l'activité sismique passée a grandement façonné le paysage, donnant des vallées, des centaines de collines et de profondes *ribeiras*. La côte ouest est très découpée avec des pentes rudes ; cela donne de belles criques désertes le long de la mer, alors que la côte orientale glisse avec plus de douceur vers la mer. C'est une île qui a l'avantage d'avoir de belles montagnes, de jolies plages, de nombreuses plantations et des forêts ressuscitées, grâce à l'intense campagne de reforestation entreprise dans le pays. Les paysages de l'île sont en majeure partie sauvages, mais à certains endroits, se trouvent des vallées agricoles très verdoyantes. L'histoire de l'île est marquée par le trafic des esclaves et le commerce, notamment celui du bois. Véritable entrepôt de pagnes de coton et de canne à sucre, lieu de spéculation, les bateaux qui sillonnent la côte ouest africaine et les négriers qui viennent se ravitailler avant d'attaquer la longue route menant vers le Brésil, la transforment vite en escale incontournable. C'était une cité religieuse prospère, avec de nombreux couvents et une cathédrale, la première construite en Afrique, avec des terres cultivables, des plantations de coton et de canne à sucre, des cultures de céréales et de légumes et de l'eau en abondance.

Elle subit de nombreuses attaques de pirates : en 1578 et en 1585, le célèbre Francis Drake pille la capitale de l'époque, Ribeira Grande, devenue Cidade Velha aujourd'hui. Jacques Cassard le Nantais fait de même en 1712, ce qui finit de convaincre les habitants de changer de capitale au profit de Praia. L'île de Santiago subit de graves périodes de sécheresse qui déciment le bétail et provoquent des famines désastreuses. Elle connaît également des révoltes paysannes, dont celle de 1841, protestant contre le coût élevé des loyers. À plusieurs reprises, les autorités de l'île font appel à Lisbonne, qui dépêche des troupes bien entraînées pour mater les insurgés.

La population de cette île présente une morphologie beaucoup plus africaine que dans le reste de l'archipel, car les esclaves gardés sur l'île de Santiago, vivaient et se reproduisaient entre eux, dans les plantations comme dans les montagnes du nord-est abritant les *rebelados*, ceux qui s'enfuyaient.

Santiago

Punta Moreia

Baie de San Francisco

PRAIA

S. Tomé

Ponta de S. Francisco

Praia Baixo

Achada Fazenda

Achada Ponta

Salas

Milho Branco

Ribeirão Chiqueiro

S. Jorginho

S. Martinho Grande

Cidade Velha

S. Domingos

Pedra Badejo

Trindade

S. Martinho Pequeno

S. Jorge dos Orgãos

João Teves

Rui Vaz

Santa Cruz

Calheta de S. Miguel

Manque de Sete Ribeiras

Picos

Boa Entrada

Pico de Antonia 1394 m

Santa Ana

S João Baptista

Porto Gouveia

Porto Formoso

Principal

Monte Malagueta 1064 m

Assomada

Mato-Gégé

Porto Mosquito

Guindão

Figueira das Naus

Chão Bom

Figueira Maita

Tarrafal

Baie de Tarrafal

Chão de Ribeira da Prata

Ribeira da Barca

Achada Leite

Porto Rincão

0   5 km

Route
Piste
Parc naturel
Aéroport
Port
Mouillage

C'est ici que l'apport culturel africain a été le plus important. Il transparaît aujourd'hui dans les manifestations culturelles, la danse populaire, avec la *batuka* et la *tabanka*, et la musique, surtout la *funana*, dont les rythmes rappellent ceux de l'Afrique traditionnelle. Il anime toujours la vie sociale paysanne : dans l'habillement, avec le fameux pagne noué autour des hanches, dans l'alimentation avec le *cuscuz* et le *xérem*, et dans le comportement des individus, contrairement à São Vicente, par exemple, où l'influence latine plus forte a entraîné le rejet des racines africaines.

Les gens de l'île de Santiago et surtout ceux de l'intérieur, sont surnommés les *badius*, mot qui vient de *vadios* en portugais et qui signifie « errant ». Cela vient du fait que pendant l'occupation portugaise du pays, les esclaves en fuite erraient dans la montagne ; pour survivre, ils élevaient du bétail et plantaient quelques légumes.

Aujourd'hui, l'agriculture occupe une place essentielle, la moitié des terres cultivables est concentrée sur l'île de Santiago.

À côté des traditionnelles plantations de bananes et de canne à sucre, sont apparues les cultures de piments, de patates douces, de maïs, de haricots, de manioc, d'ignames, de cacahuètes, de pois d'Angole, de tabac…

Les pluies ne sont pas fréquentes et encore moins régulières. Il arrive parfois qu'il tombe des trombes d'eau, souvent catastrophiques pour l'agriculture. En effet, elles dévastent les cultures et appauvrissent les sols, dont toute la bonne terre est entraînée vers la mer car rien ne la retient.

Les premières gouttes arrivant généralement en juillet, les semis sont préparés en juin. En août ou septembre, la fin de la saison des pluies est le moment propice pour planter des pieds de patate douce. La récolte du maïs commence en janvier. L'île de Santiago possède également quelques oasis

© ANTOINE YVON / BENOÎT MOREL

Enfants de Santiago.

permanentes, mais elles tendent à disparaître. Pourtant, l'exploitation d'une source permet aujourd'hui à l'île de produire son eau minérale, tout comme sur l'île de Santo Antão. La pêche reste en dessous de son potentiel de développement, mais concerne plus de 2 000 personnes à Praia, Tarrafal et Pedra Badejo. Praia dispose d'un port qui concurrence Mindelo.

Pour ce qui est du tourisme, Santiago est bien l'île comptant le plus grand nombre de sites à visiter, dans des paysages très variés. La très belle côte est, avec ses vallées, ses criques désertes et sauvages, ses montagnes et la baie de São Francisco, mérite une balade. À l'ouest, Tarrafal, avec sa magnifique plage de sable brun et son village de pêcheurs, est très attrayant. Au sud, Praia, la capitale économique et administrative du pays, et un peu plus à l'est, Cidade Velha, l'ancienne capitale. L'intérieur de l'île, appelé le *fóra*, abrite de nombreux villages où se retrouvent toute l'identité créole et la tradition capverdienne. Le dépaysement est assuré au contact de cette population qui sauvegarde les rites, la langue et toute la culture l'archipel. Santiago est une île historique qui se visite en plusieurs jours, car les points d'intérêt sont nombreux : Praia, Cidade Velha, Tarrafal, São Domingos, Assomada, Monte Xota, São Jorge, Ribeira da Barca…

Praia

Elle est devenue la capitale en 1772, détrônant Cidade Velha maintes fois attaquée et pillée par les pirates. À l'origine, simple village situé sur le Platô et baptisé Vila Praia de Santa Maria,

aujourd'hui, Praia est la plus grande ville du Cap-Vert. Praia se trouve au Sud de l'île, sur la côte. Juste en face de la baie, très protégée des vents du nord-est, se trouve l'îlot de Santa Maria avec un vieux bâtiment en ruine qui a servi, paraît-il, de léproserie. Des investisseurs ont essayé de monter divers projets, dont un casino et un hôtel, mais les négociations n'ont jusqu'à présent pas abouti. Praia est une ville en plein essor, grâce au développement de ses activités économiques et internationales. De nombreuses ambassades y sont aujourd'hui représentées : c'est le cas de la France, du Portugal, des Etats-Unis, du Brésil, de Cuba, du Sénégal, de la Russie, de la Chine et des organismes internationaux, comme le PNUD, le FENU, le PAM, l'OMS, la FAO, l'Unicef… Les commerces se créent de toutes parts et les étrangers débarquent, comme les Libanais, les Portugais et les Asiatiques. Ces derniers ont ouvert plusieurs boutiques sur le Platô et dans d'autres quartiers, revendant des produits *made in* Taiwan et des cosmétiques. La ville s'agrandit et attire de nouveaux habitants, accélérant l'exode rural dans tout l'archipel, de même que l'aéroport s'ouvre à l'international. Le développement des banlieues crée un certain nombre de problèmes sociaux, notamment la fourniture en eau et en électricité.

Quartiers

Praia peut se découper en plusieurs quartiers assez bien délimités. D'un point de vue touristique, trois quartiers sont à retenir : le quartier historique, appelé le Platô, Prainha et Achada de Santo Antonio.

Vers Tarrafal,
P. Badejo, Assomada

Vers Trindade,
S. Jorginho

INIT

SAFENDE

Vers plage S. Franciso

CALABACEIRA

VILA NOVA

PONTA
D'AGUA

LEM CACHORRO

ACHADA
E. LIMA

FAZENDA

CASTELÃO

ACHADINHA

PAIOL

N

COQUEIRO

0   400 m

BAIRRO
KWAME
N'KRUMAH

Aéroport

TERRA
BLANCA

LEM
FERREIRA

Vers cidade velha,
S. Martinho

VARZEA

Marché de Sucupira

ACHADA
GRANDE

TIRA-CHAPÉU

Musée archéologique

PLATÔ

ACHADDA
S. ANTONIO

VER PLATÔ

MARCONI

CHÃ
D'AREIA

PORTO DA PRAIA

QUARTIER DES
AMBASSADES

Ilhéu
Santa-maria

PALACIO

PRAINHA

OCÉAN ATLANTIQUE

Praia

Praia da
Quebra-Canela

Ponta Temerosa

🏛 Musée

→ **Le Platô.** Vous pouvez facilement le parcourir à pied. Le Platô abrite de belles maisons coloniales et de beaux bâtiments, qui accueillent diverses administrations comme le palais présidentiel, les ministères, le palais de justice, la poste etc. De nombreux marchands ambulants s'installent, surtout aux abords des marchés et de la Praça 12 de Setembro, la place centrale du Platô. C'est un point de rendez-vous avec le bar Esplanada, où les gens se retrouvent généralement en fin d'après-midi pour prendre un verre. La place est bordée par le *palacio de la cultura*, quelques boutiques, des bars, la banque BCA, le siège de la TACV, des bureaux administratifs, le palais de justice et l'église Matriz. Dans les rues environnantes sont implantées des agences de voyage, des bazars, des bars, des laboratoires photographiques, des hôtels et de nombreuses épiceries appelées *lójas*, où s'achètent toutes sortes de produits, des bonbons au détail à l'alcool, en passant par la nourriture, l'eau, les cosmétiques et articles de toilettes…Elles ne sont pas vraiment concurrencées par les supermarchés, qui commencent à fleurir aux quatre coins du pays. Les Capverdiens restent fidèles aux *lójas*, car ils y font leurs achats à crédit, qu'ils soldent généralement toutes les fins de mois, ce qui n'est pas possible dans les supermarchés. Cette manière de procéder s'explique par une constante augmentation de la pauvreté. Néanmoins, sur le Platô, la majorité des magasins et des *lójas* appartiennent à la communauté chinoise. Le marché regorge de fruits et légumes du pays, et propose du poisson et de la viande de porc, de mouton, de bœuf et de poulet.

→ **Achada Santo António et Prainha.** Dans les quartiers aisés d'Achada Santo António et de Prainha, les maisons sont plutôt d'architecture moderne. Vous y verrez de jolies villas, où sont logés les diplomates et les coopérants étrangers, ainsi que quelques personnalités locales. La plupart des ambassades se situent d'ailleurs dans le quartier de Prainha. Les rues sont arborées dans ces quartiers très résidentiels, à deux pas de la mer. Les maisons possèdent l'eau courante et possèdent un réservoir d'eau approvisionné une fois par semaine ; ce qui n'est pas toujours le cas dans les quartiers populaires où les constructions restent souvent inachevées. Les plages de Praia ne valent pas celles de l'île de Sal, ni de Boa Vista, mais vous pouvez quand même y passer des moments agréables (sauf le week-end où toute la population les envahit). Celles de Prainha et Quebra Canela sont les plus connues, mais il en existe aussi une autre du côté de l'aéroport, Mujer Branca. Enfin, c'est vers l'Achada de Santo Antonio qu'il fait bon traîner le soir. Nombre d'habitants de Praia se rassemblent aux alentours des restaurants Benfica et Dragoeiros pour prendre un verre, manger une cuisse de poulet, ou regarder un match de football.

→ **Autres quartiers.** Les autres quartiers (Fazenda, Tira-Chapeu, Terra Branca, Vila Nova et Pensamento) ont un intérêt touristique limité. Ces quartiers présentent les traces d'une urbanisation plutôt anarchique, résultat de l'exode rural massif vers Praia, à la recherche de travail. Néanmoins, le marché de Sucupira, le plus populaire de la ville, spécialisé dans les vêtements, les cassettes, les disques,

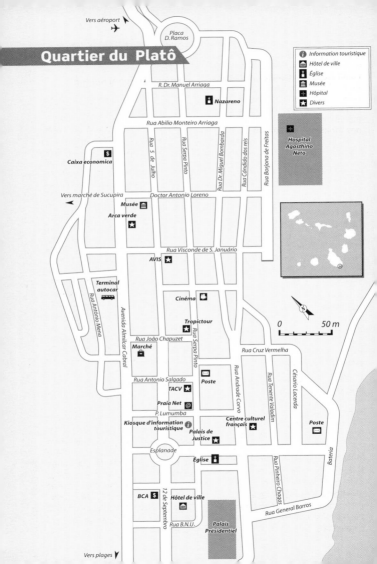

Quartier du Platô

Vers aéroport ✈

Placa D. Ramos

	Information touristique
	Hôtel de ville
	Église
	Musée
	Hôpital
	Divers

R. Dr. Manuel Arriaga

Nazareno

Rua Abilio Monteiro Arriaga

Hospital Agosthino Neto

Rua 5 de Julho

Rua Serpa Pinto

Rua Dr. Miguel Bomborda

Rua Cândido dos reis

Rua Borjona de Freitas

Caixa economica

Vers marché de Sucupira ◄

Doctor Antonio Loreno

Musée

Arca verde

Rua Visconde de S. Januário

AVIS

Terminal autocar

Rua Antonio Mena

Avenida Almilcar Cabral

Cinéma

Tropictour

Rua Serpa Pinto

Rua João Chapuzet

Marché

Rua Cruz Vermelha

Rua Andrade Corvo

Rua Terente Valodim

Césário Lacerda

0   50 m

Rua Antonio Salgado

TACV

Praia Net

P. Lumumba

Poste

Kiosque d'information touristique

Centre culturel français

Poste

Palais de Justice

Esplanade

Église

BCA

Hôtel de ville

12 de Septembro

Rua B.N.U.

Palais Présidentiel

Rua Pinheiro Chagas

Bateria

Rua General Barros

Vers plages ▼

les appareils photo et divers objets d'artisanat, mérite un détour pour son ambiance typiquement africaine. Les commerces sont généralement tenus dans ce marché par des Africains de la côte ouest, et quelques Capverdiens. Les petits restaurants, situés sur le marché de Sucupira, sont tenus par des Africains du continent.

Points d'intérêt

■ SUCUPIRA
En plus de la visite du Platô et de Cidade Velha, il est intéressant de vous rendre dans certains quartiers populaires de jour, afin de sentir l'animation de la capitale du Cap-Vert. Un endroit très accessible pour cela est le marché de Sucupira. Dans une ambiance très colorée, vous trouverez de tout : vêtement, poulet, poisson, artisanat…

■ PHARE
Une balade assez classique consiste à marcher jusqu'à la pointe de Temerosa et à visiter le phare. Malaquiès, le gardien, peut vous ouvrir les portes et vous pourrez monter tout en haut pour admirer la vue sur Praia.

■ PALACIO DE LA CULTURA
Très belle bâtisse abritant le palais de la culture. Librairie, cybercafé, salle d'exposition, café-concert tout en haut du bâtiment, vidéothèque. Souvent des expositions ou des concerts, renseignez-vous sur place. Vous pouvez monter au premier étage pour simplement profiter de la terrasse et de la jolie vue sur Praia.

■ MUSÉE ETHNOLOGIQUE
Ce tout petit musée propose un aperçu très large des arts et cultures capverdiens.

Rénové, il est bien fait et très intéressant. Les commentaires sont en français.

■ MUSÉE ARCHÉOLOGIQUE
L'ancien Núcleo Museológico da Praia, est devenu un musée archéologique depuis octobre 2008. Le musée est dédié aux découvertes subaquatiques effectuées dans l'archipel. Les artefacts en provenance d'Europe, d'Afrique et d'Asie, sont, pour la plupart, en bon état. Ils sont le résultat des nombreux naufrages ayant eu lieu tout au long de l'histoire. Ici, sont exposées les premières pièces en argent frappées à Potosi (Bolivie), à l'origine de la monnaie moderne de l'Europe, et d'anciennes pièces suédoises ; ainsi qu'une trousse de manucure, des bijoux (émeraude et ivoire), des écus datant de Louis XV, etc. Le musée vaut vraiment le coup d'œil, les explications sont en anglais et en français, et le personnel, très avenant, répond à vos questions. Le plus surprenant : il reste encore beaucoup de fonds marins à explorer, car ce qui est visible ici, n'est qu'une infime partie des trésors cachés du Cap-Vert.

■ PLAGES
Il existe plusieurs plages à Praia, où vous pouvez vous baigner. Sachez tout de même qu'elles sont bondées le week-end. Les deux plages de Praia se nomment Prainha et Praia da Quebra-Canela. La première est réputée comme la plage des familles, la seconde comme celle des jeunes. Vous trouverez donc plus de tranquillité à Prainha. Cette longue plage ne manque pas de place et la mer est très calme (peu de fonds et peu de rochers).

Vendeuses au marché de Praia.

La plage de Canela se prête plus à la plongée et attire beaucoup de jeunes, qui viennent draguer ou y faire du foot. Il se trouve un bar assez couru juste au-dessus de cette plage, avec une grosse sono qui fait entendre de la musique (surtout occidentale) à tous les plagistes : l'Alkimist bar.

Cidade Velha

Première ville du Cap-Vert, elle s'est appelée Ribeira Grande. Elle est située à l'est de Praia, à environ 16 km, et comprend près de 3 000 habitants. La vallée de cette région est assez verte, avec des plantations de canne à sucre et plein de cocotiers, dissimulant quelques ruines éparpillées d'églises et de couvents. Il existe de nombreux baobabs très imposants. Au départ du village, vous pouvez arpenter la ribeira sur environ 8 km, c'est une superbe balade dans la nature au milieu de ces palmiers, bananiers, cannes à sucre, et autres arbres fruitiers. Profitez-en pour visiter les fabriques de grogue,

le rhum local, et goûter à quelques fruits tropicaux comme la papaye ou la mangue, suivant la saison. Des travaux de restauration ont permis de protéger des édifices historiques, des bâtiments et surtout de reconstituer une partie de la vieille ville, Rua Banana. Aux alentours de Cidade Velha, ne manquez pas les balades longeant la côte. Le paysage est magnifique, avec de multiples petites cultures potagères, notamment le long de la côte en remontant vers Porto Mosquito, un petit port très pauvre ne disposant d'aucune infrastructure touristique si ce n'est un bar, vous avez droit à une belle balade avec de très belles vues. Vous pouvez aussi vous baigner, car certaines petites plages sont désertes en semaine. Vous pourrez acheter de l'artisanat dans les petites boutiques du village.

Cette ville s'est bien développée jusqu'au XVIIe siècle, avant de céder peu à peu sa place à Praia, à la suite des incessantes attaques des pirates, pillant et dévastant le site.

Les plus connus sont Francis Drake et Jacques Cassard le Nantais. Un prieur du nom de D. Antonio a mis également la ville à sac en 1585. En 1645, les entrepôts d'esclaves ferment. Vers 1712, après la dernière attaque de Jacques Cassard, beaucoup d'habitants délaissent la ville pour s'installer à Praia. Cidade Velha attend d'intégrer la Liste du patrimoine mondial de l'Humanité de l'Unesco.

C'est autour de la place du pilori que se concentrent les quelques bars et restaurants du village. En fin de journée, c'est à cet endroit que le village commence à s'animer. Un après-midi suffit pour visiter la ville,

mais vous pouvez rester plusieurs jours si vous souhaitez effectuer des promenades sur le bord de mer ou dans la Ribeira. Il y a une petite plage dans la ville, pour les accrocs de la baignade. Aujourd'hui, il ne reste pas grand-chose de Ribeira Grande, pas même le nom. Juste avant d'entrer dans Cidade, une route sur la droite vous mène aux ruines de la forteresse royale São Felipe du XVIIᵉ siècle, rempart contre les attaques de Francis Drake. Elles offrent une très belle vue sur la ville et sur la ribeira. D'autres édifices : en ruine, comme la fameuse cathédrale construite en 137 ans, entre 1556 et 1693, et brûlée par Jacques Cassard au XVIIIᵉ siècle ;

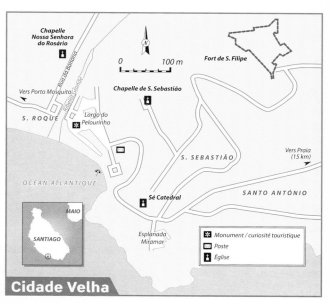

et toujours bien conservée, comme l'église Nossa Senhora de Rosario, édifiée en 1532, abritant la tombe du père Nicolau qui n'a pas eu moins de 54 enfants. D'importants travaux de reconstitution de certains monuments et bâtiments historiques ont été déjà réalisés par la Coopération espagnole. En juillet 2003, ont été inaugurées les réhabilitations du couvent de São Francisco et de l'église Senhora de Rosario. Le *pilhourino*, pilori où étaient attachés et fouettés les esclaves qui se rebellaient ou tentaient de fuir, a été construit vers le début du XVIe siècle. Il se trouve au centre du village, près du port. Un petit musée, le Gabinete technico, est ouvert depuis 1991.

La route vers le Nord

Grâce à son bon réseau de routes pavées, il est possible, avec une voiture, de faire le tour de l'île en une journée. Cependant, pour bien profiter des villages pittoresques et pour sortir un peu des sentiers battus, nous vous recommandons de le faire en deux ou trois jours. Des haltes à Rui Vaz, Tarrafal et Pedro Badejo, vous permettront d'avoir un meilleur aperçu des visages de Santiago.

São Domingos

En quittant Praia pour emprunter la route de Tarrafal, vous traversez une zone de quartiers en construction. Les maisons inachevées s'alignent les unes derrière les autres dans les faubourgs. Ensuite, et ce jusqu'au village de Variante, les terres traversées sont très arides. Passé Variante, vous entrez dans une zone moins sèche. Le paysage change, vous circulez au creux d'une ancienne rivière asséchée et les montagnes se dessinent à l'horizon. Vous atteignez alors São Domingos, petit village situé à 18 km de Praia. C'est aussi le point de départ de cette magnifique ribeira. Vous y trouvez une belle forêt d'acacias. C'est l'occasion de visiter le centre artisanal – assez modeste cependant – Centro de Apoi a Produção Popular, et de faire des achats d'objets locaux (poteries et vanneries).

Rui Vaz

À la sortie de São Domingos, vous pouvez bifurquer sur la gauche et emprunter la route, assez pentue, menant au village de Rui Vaz. Il est possible de vous y rendre également en *aluguer*. Cette route qui mène au Monte Tchota (1 050 m) est magnifique, avec de superbes panoramas sur Santiago. La végétation est presque luxuriante, vous traversez en effet une forêt de

pins, acacias et bougainvilliers. Il est maintenant possible de loger à Rui Vaz, point de départ de nombreuses randonnées.Au départ de Quinta da Montanha à Rui Vaz, vous pouvez contacter un guide local pour réaliser l'ascension du sommet (Pico d'Antonia, 1 394 m). Prévoyez 5h de marche aller-retour. Vous pouvez aussi descendre dans la très belle vallée de Sao Jorje, très agricole.

Monte Xota

C'est une des montagnes de l'île, haute de 1 050 m, où vous retrouvez des forêts d'eucalyptus et un paysage montagneux très beau. Nombreux sisals et surtout superbes vues. Vous apercevez même l'île de Fogo, lorsque la vue est dégagée.

São Jorges das Orgaso

C'est un petit village au nord de São Domingos, avec un climat très agréable, frais et humide, permettant l'éclosion de belles fleurs. Vous retrouvez entre autres des bougainvillées. Cette zone très arrosée et bien verte, possède le seul jardin botanique du pays, baptisé Grandvaux Barbosa, et créé pour sauvegarder quelques espèces endémiques de l'archipel et pour les multiplier. Pour vous y rendre, tourner à gauche à la sortie du village (c'est indiqué). L'entrée est gratuite. C'est un endroit magnifique, fréquenté par les gens de la capitale. Il est très calme et vraiment très charmant. Il est conseillé de réserver une journée pour accomplir certaines des balades à pied ou à cheval qui sont proposées à partir de São Jorge. Le Pico d'Antonia, le mont le plus élevé de Santiago avec ses 1 394 m, se trouve dans les environs. Il offre aussi un superbe panorama.

Picos

Ce village est magnifique, perché sur l'arête d'une montagne. Sur la route d'Assomada, tournez à droite pour pénétrer dans ce village merveilleux. C'est là que la route s'arrête, ce qui donne une impression d'être au bout du monde. La vue est sublime sur la vallée, avec un haut rocher ciselé au beau milieu. La rue mène à l'église en longeant de magnifiques maisons colorées. Une étape à ne pas manquer.

Assomada

C'est une région de 50 000 habitants environ qui se construit. Cette région essentiellement agricole est riche, et l'activité commerciale dense. Les émigrés contribuent pour la plus grande partie à l'essor de cette ville, bâtissant immeubles et maisons. Un lycée accueille même près de 2 500 élèves qui viennent des villages environnants. Son marché, réputé dans tout le pays, est un véritable centre commercial. Dans la région, les cultures du maïs, des légumineuses, des tubercules tropicaux (manioc, igname), de la canne à sucre, de la banane sont pratiquées, ainsi que l'élevage de cheptels de bovins, caprins et porcins. Il est ouvert tous les jours, mais c'est le mercredi et le samedi que l'affluence est la plus forte. Il commence à se faire vieux, mais l'animation est toujours là. Les femmes qui s'y rendent sont toutes vêtues d'une manière très traditionnelle, pagne autour des hanches et foulard noué sur la tête, créant une ambiance très colorée.

Les hommes portent des chemises brillantes, et leur poitrine est ornée d'énormes chaînes en or.

Les gourmettes du même métal qui entourent leur poignet et les grosses chevalières à leurs doigts, sont si lourdes qu'ils peinent à lever les bras.

Ce marché est un lieu de rencontre, l'endroit où circulent tous les potins et événements qui se sont passés. Vous pouvez aussi bien y acheter des animaux que des meubles, de la nourriture et toutes sortes d'ustensiles et accessoires. Profitez en aussi pour acheter de l'artisanat. La ville est jolie et vaut une visite. Les maisons sont colorées et nombreuses, d'architecture coloniale portugaise.

Les endroits ne manquent pas pour manger à Assomada. De plus, comme la ville est très peu touristique, vous aurez droit dans chaque restaurant à une ambiance très typique. Il est aussi possible d'acheter des fruits, légumes, pains et fromages au marché et de pique-niquer à la sortie du village, près du panorama où vous pouvez apercevoir le fameux fromager.

Aux environs d'Assomada, visiter l'énorme fromager de Boa Entrada, centenaire, appelé Peï de Polom, la maison qui a vu grandir Amilcar Cabral et qui se trouve à Achada Falcão, le village de pêcheurs de Porto Rincão et ses magnifiques canyons, ainsi que la vallée d'Enghenhos où vous pouvez admirer le travail des potiers du village de Fonte Lima.

Serra Malagueta

Entre Assomada et Tarrafal, la route monte à travers les montagnes et traverse des paysages fabuleux mais malheureusement trop souvent sous les nuages. Il s'agit d'une route datant de 1985 pour désenclaver le nord de Santiago. Auparavant, il fallait contourner la montagne. Après quelques lacets, vous atteignez la Serra Malagueta, cette crête qui sépare les deux *ribeiras* et offre une vue magnifique, en particulier sur l'île de Fogo. Une belle balade à pied s'impose. Une randonnée intéressante part de là et descend jusqu'à Princal. Vous pouvez remonter ensuite en *aluguer*. Bonnes chaussures recommandées, car il y a 1 000 m de dénivelé. Marchand de grogue en bas de la descente.

L'autre très belle randonnée permet de découvrir les montagnes de la Serra Malagueta jusqu'à Espinho Branco en bord de mer. Comptez 4 bonnes heures de marche. Départ sur la droite dans les montagnes sur la route qui rejoint Assomada à Tarrafal.

Chão Bom

La ville est située juste avant Tarrafal. C'est là que se trouve ce camp de concentration aujourd'hui fermé, et qui était tant redouté par les îliens. Les Portugais y ont commis les pires atrocités sur les prisonniers, racontées encore par la population, dont la torture du goutte-à-goutte consistant à faire couler des gouttes d'eau sur le crâne pendant une durée illimitée. Vous pouvez visiter la chambre de torture et les cellules. C'est sinistre… Il y a aussi un petit musée (explications uniquement en portugais) à l'entrée du site.

Tarrafal

Dans le nord, à 70 km de Praia. Près de 30 000 personnes vivent dans la zone, en comptant l'agglomération de Chão Bom. Tarrafal est un village de pêcheurs, en bordure d'une belle plage de sable blanc ornée de cocotiers, sur lesquels vous pouvez apercevoir quelques macaques en liberté.

Le week-end, les gens de Praia et du village viennent se baigner et faire la fête sur la plage.

C'est très animé et tout le monde danse à l'ombre des arbres. Bonne ambiance. Il existe deux autres plages situées dans les villages de Chão Bom et de Ribeira da Prata. Au nord de Tarrafal, vous retrouvez aussi une belle plage de sable noir. Elle se trouve après le phare, en suivant la piste. Nous vous conseillons de vous promener le long de la route vers Chão Bom, puis de suivre la côte. Celle-ci est très escarpée, la falaise plongeant dans la mer ne laissant que peu de place aux plages. Vous apercevez le volcan de l'île de Fogo à l'horizon.

→ **Randonnée.** Au départ de Tarrafal, il y a une boucle qui fait le tour du mont Graçiosa en 4 heures de marche, en passant par le phare de Ponta Preta dans un paysage sec et aride. Vous trouverez le départ du sentier en longeant la côte vers le nord après la plage.

La côte ouest

À l'inverse de la côte est, la côte ouest affiche des paysages très découpés. Les amateurs de spots isolés seront enchantés par ce côté de l'île tant il compte de nombreuses criques vierges de toute présence. Une destination idéale pour jouer les Robinsons.

Porto Rincão

Petit port de pêche sur la côte ouest de l'île, il est à visiter si vous cherchez un véritable contact avec la population. Hébergement possible chez l'habitant.

Ribeira de Barca

Petit port de pêche situé dans le creux d'une vallée. Vous y trouverez un chantier naval et un site merveilleux. Lorsqu'il pleut, l'eau tombe en cascade au fond de la vallée. La région est plantée de nombreux arbres fruitiers, qui donnent d'excellentes mangues, noix de coco et oranges vertes. Un bar-restaurant, chez Carlita, avec terrasse, permet de faire une pause pour déjeuner. Très copieux plats de poissons.

→ Dans les environs, se trouve une merveille qu'il faut absolument visiter, car c'est splendide. Tout d'abord, allez à la crique d'Angra en barque, où vous pouvez vous baigner sur la belle plage. Puis poussez jusqu'à Achada Leite, merveilleuse oasis au bord de la mer avec des bananiers, des cocotiers, des orangers… Un endroit féerique avec des orgues volcaniques. À moins d'une heure à pied, vous atteignez la grotte d'Agua Belas qui possède une plage à l'intérieur. Fantastique !

La côte est

La route qui mène de Tarrafal à Praia en passant par l'est, offre un paysage complètement différent : côtes déchiquetées, rochers, ports de pêche… Cela ressemble fort aux côtes bretonnes. De multiples criques apparaissent sur le littoral, abritant fréquemment de petites plages de sable, noir, le plus souvent.

Santa Cruz

En redescendant vers Praia par la côte est. Avec les autres *ribeiras* de Principal, Calheta, Flamengos et Seca, vous découvrez une zone de cultures avec une belle végétation.

Les Rabelados

La communauté des Rabelados vit dans les montagnes, sur une terre isolée au nord ouest de l'île. On les appelle ainsi car ils se sont rebellés vis-à-vis des missionnaires de la congrégation du Saint-Esprit qui leur interdit leur culture animiste dès 1942. Leur rébellion est pacifique, en refusant la spiritualité chrétienne. Pendant la dictature de Salazar, ils sont persécutés et emprisonnés sous prétexte de non-respect des lois. Ils ne reconnaissent aucun pouvoir « terrestre » et donc aucun pouvoir de l'église.

Ils sont alors isolés, non reconnus, sans papiers. En 1997, c'est l'artiste Misa qui les prend sous son aile et les aide grâce à leur artisanat. Aujourd'hui, s'ils conservent toujours leurs traditions après 50 ans d'isolement, il est possible de leur rendre dans leur village d'environ 400 personnes et admirer leur peinture, céramique, couture…

On y fabrique du grogue (à Principal), et les paysans sont accueillants et forts sympathiques.

Pedra Badejo

Pedra Badejo est surnommé Santiago. C'est un village de pêcheurs et de paysans, car l'agriculture y occupe une place importante. Chaque année, s'y déroule un festival de musique très populaire dans tout Santiago. Pedra Badejo est le centre administratif de la région de Santa Cruz. Elle abrite entre 4 000 et 5 000 personnes. Ce n'est pas une ville touristique, mais elle est très charmante avec ses petites maisons de pierre et ses ruelles.

La place principale accueille le marché et tous les *aluguers* qui tournent autour, recherchant des clients pour aller à Praia ou à Tarrafal. La région est aussi recouverte de plantations diverses, comme les bananiers et les palmiers. Vous pouvez prendre un verre dans un bar en forme de bateau, au pied d'une piscine naturelle formée de rochers permettant aux enfants de barboter. Juste à côté, se trouve une superbe plage de sable noir. Il est encore temps de profiter du calme et de la préservation de Pedra Badejo, car plusieurs projets d'infrastructures touristiques sont en cours : des Allemands projettent de construire une marina, et un hôtel financé par des Norvégiens est en cours de finition.

Vous pouvez manger un morceau au bar de l'esplanade offrant une belle vue, ou à la Casa Nha Fafa dans la rue Catchas. La route menant à Praia est pittoresque, agrémentée par des successions de palmeraies et d'espaces désertiques.

São Tomé et São Francisco

Ce sont deux magnifiques plages de sable blanc, mais sans aucune infrastructure.

Apportez donc votre pique-nique. Rares sont ceux qui viennent s'y baigner. Toute la zone de São Francisco appartenait à des Anglais, mais aujourd'hui l'Etat a repris les terres et leur a laissé juste une partie pour pouvoir construire un établissement hôtelier. C'est situé à 12 km au nord-est de Praia.

Praia Baixo

À côté de Praia. Petit site balnéaire de villégiature, disposant d'une assez belle plage.

Fogo

D'abord, elle s'est appelée São Filipe, mais avec la fureur de son volcan, on lui a préféré le nom de Fogo (feu). C'est une île ronde, habitée de 36 000 habitants sur une superficie de 476 km² et surmontée d'un pic de 2 829 m d'altitude, le Pico, qui n'est autre que le sommet du volcan. Ce dernier est le symbole de l'île, le point le plus haut de tout l'archipel. Au fur et à mesure que vous montez en altitude, vous remarquez que le terrain contient de plus en plus de rochers noirs, conséquence d'une intense activité volcanique. Le climat

y est particulièrement chaud pendant toute l'année. Les points les plus éloignés d'est en ouest sont distants de 24 km, et du nord au sud de 26 km. Le volcan semble avoir beaucoup influencé le caractère des gens de l'île de Fogo, qui ont la réputation d'être aussi orgueilleux que lui et dotés d'une forte personnalité. Ses colères et ses grondements sont compris et acceptés de la population, qui le respecte beaucoup. Quel que soit le risque encouru, les gens refuseront de quitter les parages de ses terres très fertiles.

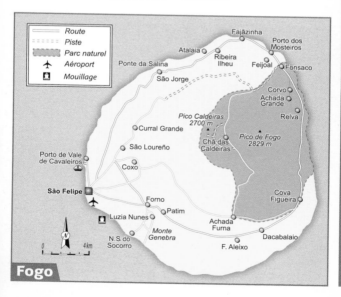

La principale activité économique est l'agriculture, même si la végétation n'abonde qu'en temps de pluie. On y cultive des légumes, des noix de cajou, du tamarin, des pommes, des grenades, des cacahuètes, du raisin et du café, qui sont de très bonne qualité. Ces deux derniers poussent au pied du volcan, dont la partie nord est recouverte de verdure, et la réputation de ce café est internationale, le classant même au 3e rang des meilleurs cafés du monde. Il ne faut pas hésiter à en rapporter et le faire moudre à votre retour en Europe, sa saveur est exquise et raffinée.

Sur toute l'île, la fertilité de la terre est un phénomène assez bizarre, d'autant plus qu'elle ne demande pas une grande quantité d'eau. Malgré tout, il a été construit un système étendu d'irrigation, pour arroser les cultures de fruits et légumes exportés vers les autres îles. Son fromage de chèvre est également réputé. Curieusement, l'eau jaillit des sources naturelles qui se trouvent plus nombreuses dans le nord, près de la mer, rendant difficile l'arrosage des plantations situées plus haut. Actuellement deux sources, donnant une eau de bonne qualité, sont répertoriées, au sud celle de Nossa Senhora Soccoro et au nord celle de Praia Ladrao, ainsi que les puits d'Avito et Achada Malva.

Le raisin cultivé au pied du volcan est presque entièrement utilisé pour produire un vin local très apprécié, le *manecom*. Il ne contient pas d'additifs chimiques.

La pêche n'est pas très développée car les gens de l'île sont avant tout des paysans, mais elle est pratiquée de manière artisanale dans certaines localités comme São Filipe, Mosteiros et Salinas.

Environ 500 tonnes de poisson sont pêchées annuellement. On pêche principalement le thon, le rouget, le saumon, la sole, peu consommée sur l'ensemble de l'archipel, car les Capverdiens ne l'apprécient pas, le maquereau, la langouste et beaucoup de fruits de mer.

© ANTOINE YVON / BENOÎT MOREL

Plage de sable noir dans la région de Fogo.

Fogo invite à découvrir des sites fantastiques et très différents, comme les immenses plantations et les plages de sable noir, bénies par le très imposant volcan que beaucoup rêvent d'escalader. C'est une île à découvrir absolument, car le contraste est saisissant et la nature d'une beauté captivante. L'île de Fogo n'est pas seulement à découvrir pour son volcan, mais aussi pour la randonnée, notamment dans ses forêts de conifères, pour ses magnifiques plages de sable noir Fonte Bila et Praia de Nossa Senhora Soccorro et la baie de Salinas, pour la pêche, pour ses vins, son café et pour le repos qu'elle procure. Sans oublier ses belles maisons coloniales centenaires, ses édifices comme l'église de São Filipe et de São Lourenço, ses cimetières de Blancs, riches, et de Noirs, pauvres, qui retracent une époque coloniale difficile ; et surtout sa population très accueillante.

Histoire

C'est au XVe siècle que débute le peuplement de l'île. Sa première activité est la culture du coton pour la fabrication des pagnes, servant de monnaie d'échange contre des esclaves. Les pirates, comme dans toutes les îles de l'archipel, ne manquent pas de visiter l'île à maintes reprises pour la piller. L'île de Fogo, voisine de celle de Brava, connaît la même émigration vers les Etats-Unis avec l'arrivée des baleiniers qui s'y arrêtent pour faire le plein de main-d'œuvre. Ces deux îles ont une histoire similaire qui a eu pour conséquence, une forte influence américaine dans le mode de vie et la culture des habitants. L'architecture des maisons de Fogo, appelées *sobrados*, avec leur style colonial et leur balcon en bois, est assez harmonieuse. À l'époque, les *sobrados* sont composées d'un rez-de-chaussée où dorment les esclaves, et d'un premier niveau qui sert de logement aux maîtres. Une cour intérieure, le quintal, permet de se détendre à l'ombre d'un arbre ; elle sert à abriter les chevaux de race que l'on sort à l'occasion des fêtes de São Sebastião, São Filipe, São João et São Pedro. Tout autour, des vérandas correspondent à différentes pièces de la maison. Presque tous les propriétaires de *sobrados* font construire une réplique de leur maison à la campagne, dans leurs terres, où ils passent leurs vacances. Les premiers *sobrados* ont été construits autour de l'église Matriz, au milieu du XVIIIe siècle. Malheureusement mal conservés, certains tombent en ruine. La population de l'île est estimée à environ 40 000 habitants. Vous verrez de nombreux métis aux cheveux blonds et aux yeux verts ou bleus, ce qui ne vous surprendra pas quand vous saurez l'histoire de son peuplement. En effet, l'île a accueilli davantage de colons et moins d'esclaves africains que dans le reste de l'archipel. Puis, au XIXe siècle, un Français, le comte de Montrond, fuit la France après un duel qui se solde par la mort de son adversaire. Il se réfugie à Fogo, où il vit jusqu'à sa mort. Ce véritable Don Juan a eu beaucoup d'enfants, contribuant ainsi à éclaircir la peau des générations suivantes. Nombreux sont ceux qui portent son nom dans l'île. Les habitants du village de Chã das Caldeira seraient presque tous ses descendants. Dans cette région, le tourisme s'est développé plus tardivement à cause du peu d'infrastructures existantes, mais l'île, promise à un bel avenir, commence déjà à rattraper son retard.

São Filipe

C'est la capitale de l'île, avec près de 6 000 habitants, située sur la côte ouest, face à Brava, sur une falaise au-dessus du port de Vala de Cavaleiros. Elle est très attrayante avec ses nombreux *sobrados*, les belles maisons aux façades colorées des anciens colons Portugais, ses rues pavées ornées d'arbres et de jardins fleuris. Le Presidio, un magnifique jardin en bordure d'une falaise d'où vous pouvez observer Brava lorsque la vue est dégagée, est un endroit très apprécié par les habitants de São Filipe. Cette ville empreinte de nostalgie, est calme et reposante. Du haut de sa falaise, elle domine Fonte Vila, petit village de pêcheurs : situé sur une belle plage de sable noir idéale pour le farniente, il alimente aussi le marché de la ville en poissons très variés.

Les nombreuses fêtes populaires sont une tradition ancestrale et celle de Nhô São Filipe, célébrée le 1er mai, attire toute l'île et même un certain nombre d'émigrés qui reviennent spécialement pour la célébrer pendant une semaine. Plusieurs manifestations ont lieu dans l'année, comme les courses de chevaux, et la fête du Presidio. Elles font de Fogo, une île très festive et attrayante. Les gens de l'île sont aussi fêtards que ceux du reste de l'archipel, mais cela se passe surtout en fin de semaine. Il existe assez souvent des fêtes populaires. Voyez la *camara municipal* (mairie) pour des infos sur les événements ponctuels.

L'artisanat se développe bien, notamment avec le travail des pierres du volcan transformées en maisonnettes traditionnelles et autres figurines, les paniers, le cuir, la poterie, la confection de pipes en bois dont celle du vieux Boboi connu de la population, les nappes et napperons qui ornent presque toutes les maisons capverdiennes… Vous trouverez des souvenirs dans certaines boutiques du centre-ville et aussi sur les routes menant à Chã das Caldeira.

© ANTOINE VYON / BENOÎT MOREL

Marché de São Filipe.

Pêcheur de São Filipe.

Le marché aux légumes, dans le bas de São Filipe vaut le coup d'œil. Sur la place centrale, se trouve le marché aux vêtements, dans lequel vous trouverez de la musique.

La pêche au gros

La mer autour de Fogo est riche en poissons : merlins, espadons, requins... Vous pouvez aussi admirer les baleines et les dauphins. N'oublions pas que c'est par ici que les baleiniers américains venaient pêcher du temps de l'esclavage, recrutant ainsi une main-d'œuvre locale qui émigrait ensuite vers les Etats-Unis, notamment le Massachusetts.

Plage

Il y a une grande plage de sable noir à São Filipe. Elle n'est pas très propre, mais il est possible de se baigner. Attention cependant à ne pas s'éloigner et de toujours avoir pied, car les courants sont très forts et dangereux, vous vous en apercevrez rapidement.

Le volcan

Lorsque l'on se réfère au volcan de l'île de Fogo, on pense bien sûr au Pico de Fogo, ce cône volcanique formé lors de l'éruption de 1955, et qui constitue l'attraction touristique principale de l'île. Majestueux, le volcan est enserré dans un cirque de hautes falaises nées de l'effondrement de la partie centrale du cône. C'est la Caldeira. Elle est énorme et se trouve sur la partie supérieure du volcan. Son diamètre est d'environ 9 km.

À l'intérieur se trouve le Pico, qui culmine à 2 829 m.

Au sommet, il forme un cratère de 500 m de diamètre et de 180 m de profondeur, contre 50 m avant l'éruption de 1951.

L'écoulement de la lave a lieu sur la partie orientale, le plus souvent. Mais, le 12 juin 1951, lors de l'éruption précédée d'un tremblement de terre, l'explosion laisse échapper la lave par deux cheminées situées sur le côté sud.

Fogo

L'une des deux coulées détruit le village de Cova Martinho pour s'arrêter à 100 m de la mer, à Bombardeiro. Le volcan continuera de fumer pendant plusieurs années. Plus récemment, le 2 avril 1995, à 23h, il se remet en colère. Il projette des blocs de pierre de plusieurs tonnes, à des centaines de mètres à la ronde, avant de laisser filer la lave qui détruit quelques maisons dans la Caldeira. Bien entendu, tous les habitants sont évacués vers São Filipe et les villages avoisinants.

Seuls quelques courageux de Chã das Caldeiras refusent de partir, prétendant connaître la direction que prendront les coulées de lave et les retombées de l'explosion. Ils voient juste.

La communauté capverdienne entière se mobilise pour porter secours aux sinistrés, de l'archipel à la France, en passant par les Etats-Unis, le Sénégal ou la Hollande. Heureusement, aucun mort ne sera déploré.

En octobre 2000, alors que tous les vulcanologues présents dans l'archipel annoncent par voie de presse une éruption immédiate du volcan, les habitants de Chã das Caldeiras, après être montés au sommet, démentent cette information. Une fois de plus, ils ont raison.

Aujourd'hui, les fidèles villageois ont regagné leurs maisons, et se sont remis au travail tout en continuant à converser avec leur cher volcan qu'ils ne quitteront jamais.

Surtout, ne pas manquez pas la visite du volcan de Fogo, que vous apercevez subitement à la sortie d'un virage. Cet immense volcan dégage une telle puissance que c'est une expérience forte et sensationnelle à vivre, une fois dans sa vie.

Chã das Caldeiras

À 32 km de São Filipe, et à 1 700 m d'altitude, c'est la partie centrale du volcan qui donne la sensation d'arriver dans un autre espace-temps, impressionnant de silencieux. Vous avez une belle vision du Pico et des traces de lave écoulée. À l'intérieur, vous trouvez deux minuscules villages, Portela et Bangaira, habités par près de 1 600 personnes. Les villageois y cultivent des vignes, des arbres fruitiers et des légumes. Le fromage de chèvre est excellent et le vin très fruité. C'est dans cette région que vous pouvez rencontrer les descendants du comte de Montrond. Cet aristocrate de Bagnols-sur-Cèze, arrivé au Fogo en 1870, y a vécu jusqu'à sa mort en 1900.

C'est également ici que vous pourrez acheter le fameux vin de Fogo, le *manecom*, très fruité et préparé par Ramiro Montrond entre autres, pour 700 CVE le litre.

© ANTOINE YVON / BENOÎT MOREL

Habitation de Chã das Caldeiras.

© ANTOINE YVON / BENOÎT MOREL

Grand Pico de Fogo.

Nous vous le conseillons pour l'apéritif, il est excellent. Il ne faut pas en abuser, car c'est un peu fort (14°). Il existe également une coopérative, appuyée par la coopération italienne, qui produit du vin Chã blanc, rouge et rosé, avec une unité de mise en bouteille installée sur place. Le vin blanc est très bon, un peu sucré (*600 CVE la bouteille*). Vous pourrez aussi trouver dans le village plusieurs vendeurs de confiture et de café. Le café de Fogo est réputé comme l'un des meilleurs du monde. Les habitants de ces villages sont très respectueux du volcan qu'ils affectionnent intensément et semblent le connaître parfaitement.

Les deux principales balades sont l'ascension du Grand Pico (4h) et la descente sur Mosteiros (5h). Il y a également Petit Pico (3h), le tour de la crête dans l'intérieur du cratère (4h) et pour les plus hardis, une randonnée de deux jours sur les crêtes du volcan, avec bivouac. C'est l'occasion d'apprendre à connaître les habitants de Chã das Caldeiras.

Certains soirs, il est possible d'aller écouter de la musique à la Cooperativa chez Ramiro, dans un petit bar, 500 m à droite après le bureau d'informations. Ambiance garantie. Autrement, Chã das Caldeiras n'est pas un village qui s'anime beaucoup en soirée : pas d'éclairage public, pas de bar… Il convient de profiter ici du calme et de la tranquillité.

Grand Pico (Éruption de 1951)

Cette montée est assez accessible, mais il faut avoir une bonne condition physique. La montée se fait par le versant sud. Comptez trois à quatre bonnes heures de marche pour y arriver, selon votre rythme. Il est possible de le faire en 2 heures, mais il ne faut pas traîner et être entraîné. La descente se fait en une demi-heure de glissade vraiment inoubliable. De préférence, partez tôt le matin (6h, 7h), à l'aube, pour éviter les grosses chaleurs de la journée. Pensez à prévoir un litre d'eau minimum par personne.

Et pour ceux qui partent en pleine journée, un litre supplémentaire est nécessaire en cas de soleil et température élevée. Il y a parfois beaucoup de vent sur le trajet, n'hésitez pas à prendre un K-Way, si le guide vous prévient assez tôt des conditions. Pour les fous de glisse, la pente du volcan est un amas de plus d'un mètre de profondeur de pouzzolane, sable noir de lave.

Descendre le volcan en surf, comme l'a déjà fait un jeune Français, ou à ski est une belle performance, mais qui requiert beaucoup de prudence et d'expérience. Néanmoins, vous pourrez de descendre, plus simplement en courant, plutôt en bondissant, sur cette masse volcanique de plus de 1 000 m de dénivelé. C'est vraiment une expérience amusante et inoubliable ! Serrez bien vos chaussures pour éviter que la pouzzolane ne rentre dedans et prévoyez de bonnes chaussettes, voire des guêtres. Vous pouvez aussi descendre par le petit volcan, après être arrivé au sommet du grand.

Petit Pico (Éruption de 1995)

Cette balade prend 3h aller-retour. L'itinéraire n'est pas compliqué et se fait facilement seul : empruntez la route de São Filipe pendant 1 heure, commencez à contourner le Petit Pico et tournez à gauche après l'avoir dépassé.

Le chemin est souvent emprunté, il est facilement repérable. Ce Petit Pico offre une belle vue sur le grand volcan.

De plus, il est un peu plus actif que son voisin, vous pouvez bien sentir la chaleur de la terre en posant la main au sol. Vous verrez beaucoup de pierres entourées de soufre.

Le tour de l'île

La côte sud-est n'est pas très touristique et ne présente pas beaucoup d'intérêt, à part les vues sur le volcan.

C'est plutôt la côte ouest, qui présente de beaux paysages.

© ANTOINE YVON / BENOÎT MOREL

Petit Pico de Fogo.

Mosteiros

Au nord-est de l'île, un peu plus de 600 habitants vivent dans cette bourgade dotée d'un aéroport non utilisé actuellement. Elle est le deuxième centre urbain de Fogo, située dans une région essentiellement agricole bien qu'il y ait quelques pêcheurs qui fréquentent le port d'Igreja situé tout près. À deux pas, se trouvent les Covas de Mosteiros, trois cratères regroupés au fond recouvert de plantations de bananiers et de café, des papayers et des orangers. En août, les caféiers fleurissent, et en mars c'est la cueillette. C'est magnifique à voir. Pour y accéder, passez par le nord du village, par la route qui monte vers le vallon. C'est également ici que se fabrique le fameux vin traditionnel appelé le *manecom*. La descente de Chã das Caldeiras à Mosteiros est magnifique, c'est l'une des balades à faire avant de quitter l'île de Fogo. La descente se fera par le nord-est, en 5 heures à pied, pour profiter de la forêt de conifères et d'eucalyptus qui s'offre à vous, et des différentes plantations rencontrées. C'est une zone protégée et aucune voiture n'y a accès. En quittant la Caldeira, vous entrez dans le parc naturel de Monte Velha.

Curral Grande

Charmant village perché sur une montagne, sur la côte ouest de l'île. De très beaux arbres et de belles fleurs forment un joli paysage. Plus au sud, vous pouvez faire un saut à São Lourenço pour voir l'église dirigée par des religieux italiens.

São Jorge

Cette région est plus humide, ce qui en fait la zone la plus verte de l'île, où poussent des cocotiers et des eucalyptus, ainsi que de nombreuses plantations. Au nord-ouest, vous trouvez une belle plage de sable noir avec des grottes et des orgues basaltiques, Salinas, ainsi que des salines encore vierges. C'est l'un des rares endroits de l'île, où vous pourrez vous baigner presque en toute sécurité. La piscine naturelle est magnifique, protégée de la mer par des récifs noirs, découpant un paysage superbe. Sur la plage, sont rangées de nombreuses barques de pêcheurs colorées offrant une vue pittoresque. Mais, hélas, la plage n'est pas bien entretenue, et il y a beaucoup de tessons de verres. Depuis la plage, si vous trouvez une barque, vous pouvez vous rendre sur de belles plages inaccessibles.

Vous pouvez également faire de très belles balades à pied ou en VTT, mais avec le soutien d'une voiture, car c'est épuisant et n'oublions pas que nous sommes dans une des régions les plus chaudes de l'archipel.

Monte Genebra

C'est une ancienne station de pompage créée par les Allemands en 1976, près d'une source d'eau douce jaillissant à côté de la mer. Située au sud-est de São Filipe, elle sert à irriguer les 13 hectares d'exploitation sur lesquels poussent différentes cultures comme les choux, les tomates, les pommes de terre, les fruits, etc. Elle est malheureusement abandonnée depuis.

Nossa Senhora de Socorro

C'est un lieu de pèlerinage où a été construite une chapelle pour les fidèles. De prétendues apparitions sont signalées.

Brava

Réputée pour ses belles fleurs et ses belles femmes, Brava est la plus petite île habitée du pays avec ses 67 km² de superficie, et ses 9 km de longueur d'est en ouest. Sa population est d'environ 5 000 habitants. Elle est située à près de 20 km à l'ouest de l'île de Fogo. Dans son ensemble, c'est l'île la plus montagneuse de l'archipel et son relief est très accidenté. Elle comporte plusieurs rivières profondes, un excellent climat, avec une température régulièrement comprise entre 16 et 25 °C en raison de l'altitude, et le brouillard se lève même en été. Le centre de l'île est très montagneux et constamment arrosé, avec de la verdure, même en saison sèche, grâce aux nuages qui y laissent de la rosée. Proportionnellement à sa taille, c'est l'île la plus verte du Cap-Vert : elle abrite les plus grandes variétés de plantes et de fleurs, surtout l'hibiscus présent partout, notamment pour créer des haies. Elle tient son nom de sa nature sauvage, *brava*.

Cette île a eu une intense activité volcanique dont vous pouvez encore observer les nombreuses traces, comme le cratère de Fundo Grande par exemple. Les pentes sont très escarpées et les montagnes tombent dans la mer en laissant peu de place aux plages. Ultime étape avant d'affronter l'océan menant vers l'Amérique du Sud, Brava est surnommée l'île du bout du monde. Quatre îlots inhabités, Ilheus de Rombo ou de Secos, Ilheu Grande, Ilheu Luis Carneiro, Ilheu Sapado et Ilheu Cima, sur lesquels vous pouvez aller pêcher, sont situés aux alentours. Du fait de son relief montagneux et de sa végétation, l'île se prête bien à la randonnée avec ses nombreux sentiers et jardins fleuris. Le VTT est aussi un bon moyen de locomotion et de randonnée, surtout pour aller se baigner dans ces criques isolées et désertes.

La musique est une réelle passion sur cette île, dont le représentant le plus connu, Eugenio Tavares, est un compositeur de *mornas*. C'est le pays du violon et des plus belles *mornas*. La fête de la São João est une tradition qui a lieu le 24 juin. Toute l'île se mobilise et de nombreux émigrants reviennent au pays pour l'occasion. La messe et la procession marquent le caractère religieux de la fête, tandis que les chevaux qui dansent au son des tambours de Cutelo Grande mettent de l'animation et de la couleur sur Vila Nova Cintra. Elle est patronnée par un ministre, gardien des traditions. Dans le domaine artisanal, Brava est réputée pour ses broderies. Il existe un centre de formation pour l'apprentissage de la broderie et de la couture.

Histoire

C'est en 1462 que l'île est découverte, mais elle demeure longtemps déserte. À l'origine, elle s'appelle São João car c'est un 24 juin, jour de la saint-Jean, que les premiers arrivants mettent pied à terre. Le peuplement commence réellement en 1680, lorsqu'une partie des habitants de l'île de Fogo, doit la quitter à cause d'une violente éruption volcanique. Mais vers la fin du XVIIIe siècle, avec l'arrivée des baleiniers américains qui viennent pêcher dans l'Atlantique, débute l'exode massif des jeunes.

Ces baleiniers américains, en quête de main-d'œuvre, engagent rapidement des Capverdiens en raison de leur réputation de marins courageux, et surtout travailleurs. Malgré la rudesse de la vie et du travail à bord des bateaux, beaucoup saisissent l'occasion de fuir les dures conditions coloniales pour s'installer aux Etats-Unis, principalement à New Bedford et Rhode Island.

Ces marins ne coupent pas les liens avec leur famille restée à Brava, bien au contraire, ils envoient de l'argent et des colis contenant des vêtements et des cadeaux divers. Cette tradition se perpétue encore de nos jours. L'influence américaine est particulièrement forte dans cette île où l'on parle couramment anglais, Dans les rues, les gens se saluent souvent dans cette langue, et l'on trouve de nombreux produits importés d'Amérique comme les vêtements, casquettes, chaussures et équipement de sport, le Coca-Cola… En été, de nombreux émigrés reviennent pour passer les vacances ou pour se faire construire une maison.

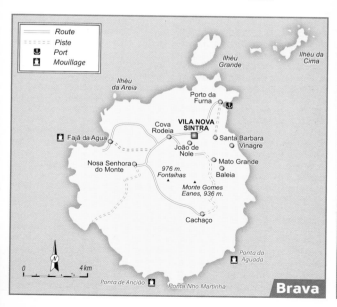

Route
Piste
Port
Mouillage

Ilhéu da Areia
Ilhéu Grande
Ilhéu da Cima

Porto da Furna
Cova Rodeia
VILA NOVA SINTRA
Fajã da Agua
Santa Barbara
Vinagre
João de Nole
Mato Grande
Nosa Senhora do Monte
976 m. Fontaihas
Baleia
Monte Gomes Eanes, 936 m.
Cachaço
Ponta da Aguada
0   4 km
Ponta de Ânciào
Ponta Nho Martinha

Brava

D'autres, spécialement les nouvelles générations, viennent découvrir le pays de leurs parents et ancêtres et rêvent de venir s'y installer un jour.

L'activité économique de Brava est essentiellement agricole, avec une production de bananes, de café, de manioc, de canne à sucre, de maïs et de patates douces.

La pêche y est aussi importante, 200 personnes environ en vivent, et l'élevage, de moutons notamment, permet de produire du bon lait, dont on fabrique aussi un excellent fromage rond.

Vila Nova Sintra

Capitale de l'île, elle se trouve à 500 m d'altitude sur la place d'un ancien cratère. Les belles maisons en pierre au toit de tuiles possèdent presque toutes un jardin avec un potager. Avec ses variétés de fleurs, jasmins, bougainvillées, jacarandas et frangipaniers, sa végétation exubérante, ses arbres plantés le long des rues et ses allées propres, c'est l'une des plus belles villes du pays, comme Ponta do Sol à Santo Antão.

Dans le centre-ville, dans un beau jardin fleuri, on trouve une carte sculptée dans la pierre et une plaque à la mémoire d'Eugénio Tavares. Né à Brava en 1867, ce poète a écrit de nombreuses poésies en portugais et en créole.

Excursions dans l'île

Furna

Au nord-est de l'île et de Nova Sintra, Furna abrite le port où vous débarquez en provenance des autres îles. Les pêcheurs y sont assez nombreux, et rangent leurs barques dans la baie longeant le village. Pour atteindre Furna en venant de Nova Sintra, empruntez une route très sinueuse comptant exactement 99 virages.

Fajã da Agua

En quittant la ville, suivez la route à l'ouest qui mène à Nossa Senhora do Monte. Après avoir atteint Caldeira de Cova Joana, entourée de plantations, prenez la direction de la mer et dirigez-vous vers Fajã d'Agua.

C'est un beau petit village avec une baie qui le protège du vent et des tempêtes. De nombreux baleiniers américains venaient y jeter l'ancre et c'est là que se trouvait l'aéroport.

Un monument se dresse en souvenir d'un bateau, le *Matilde*, qui a coulé en 1943, avec à son bord 51 personnes tentant de fuir la famine.

Nossa Senhora do Monte

Dans les hauteurs, là où plusieurs chemins et pistes se croisent.

C'est l'occasion d'une belle balade à pied. Les nombreux orangers peuplant la région ont disparu avec la sécheresse. Vous noterez que la plupart des maisons du village possèdent de grandes citernes, où l'eau est stockée en quantité suffisante pour une année.

Fontainhas do Vinagre

Au sud-ouest de Nova Sintra, se trouve une fontaine servant à irriguer les cultures en terrasse du coin. L'eau fluorée qui contient du bicarbonate a un goût agréable, très apprécié par les habitants. Cet endroit est aussi un lieu de rendez-vous d'une belle espèce d'oiseaux, aux ailes bleues et au bec rouge.

Miradouro do Nova Cintra

À 3 km environ au sud-ouest de la ville, il y a plein de cultures en terrasse et le point de vue est splendide, un panorama fantastique jusqu'à la mer.

Sorno

Une belle calanque pittoresque et bien découpée, avec une plage protégée par des rochers, juste en face d'un énorme pic rocheux, sortant de la mer. C'est un endroit très agréable.

© BLAISE MENUET

Sur les hauteurs de Janela.

Pense futé

Argent

Monnaie et subdivisions

La monnaie est l'escudo capverdien (CVE). On trouve des pièces de 1, 5, 10, 20, 50 et 100 CVE. Les pièces sont magnifiques : aucun insigne républicain, mais des oiseaux et des tortues. Les billets en circulation sont ceux de 200, 1 000, 2 000 et 5 000 CVE. Posséder des billets de 5 000 CVE pour se déplacer dans le pays est souvent source de difficulté : on ne peut pas vous rendre la monnaie. Lorsque vous changez votre monnaie, essayez de ne pas trop en avoir.

Change

▶ **La parité avec l'euro est fixe :** 1 € = 110,265 CVE. Attention, les escudos capverdiens n'ont rien à voir avec les anciens escudos portugais. Vous ne pouvez vous en procurer en France, sauf par le biais de voyageurs ou émigrants de retour de leur pays. On trouve des bureaux de change dans toutes les banques. La commission est souvent de 350 CVE, quelle que soit la somme échangée sauf dans les Caixa Economica qui n'en prennent pas.

Moyens de paiement

La meilleure solution est d'avoir des espèces sur soi, car des commissions assez élevées sont prélevées sur le change des Traveler's Cheques (*500 CVE*).

▶ **Cash.** Ne sous-estimez pas les retraits que vous aurez à faire en vous rappelant que tout se paie en cash. Le mieux est donc de toujours garder du liquide sur soi au cas où.

▶ **Carte de crédit.** Les cartes Visa® et EuroCard MasterCard® sont acceptées dans les banques ; il faut aller pour cela au guichet. La carte Visa® est plus souvent acceptée.

▶ **Traveler's Cheques.** Ce sont des chèques prépayés émis par une banque, valables partout, et qui permettent d'obtenir des espèces dans un établissement bancaire ou de payer directement ses achats auprès de très nombreux lieux affiliés (boutiques, hôtels, restaurants…). Ils sont valables à vie.
Leur avantage principal est l'inviolabilité : un système de double signature (la deuxième étant faite par vous devant le commerçant) empêche toute utilisation frauduleuse. A la fin de votre séjour, s'il vous reste des Traveler's Cheques, vous pourrez les changer contre des euros ou les restituer à votre banque qui les imputera à votre compte courant. A noter que le paiement par chèque classique est rarement possible à l'étranger.

Pourboire, marchandage et taxes

▶ **Pourboire.** Le service est compris dans la note. Les pourboires ne sont donc en rien obligatoires, mais ils sont très appréciés. Ils sont laissés à l'appréciation du client. Ici, les Français ont la réputation d'être plutôt pingres.

▶ **Marchandage.** Négocier les prix est d'usage sur les marchés, mais il ne faut pas exagérer, car les marchands préfèrent ne rien vendre plutôt que de brader leurs marchandises. On peut aussi négocier les prix auprès des taxis et des loueurs de voitures avec chauffeur pour les excursions d'une journée par exemple, mais pas pour une course puisque les tarifs sont règlementés. Ici, on ne marchande pas démesurément. En résumé : les prix demandés peuvent être marchandés de l'ordre de 10 % en moyenne (et non pas 50 % comme dans d'autres pays).

▶ **Taxes.** Les prix affichés sont le plus souvent affichés TTC, sauf exception faite dans certains hôtels de catégorie supérieure qui mentionnent leur tarifs sans la taxe (IVA). Les prix indiqués dans le guide comprennent l'IVA (sauf précision). Mais il est important de demander au préalable si les prix sont TTC afin d'éviter une surfacturation lors de l'addition.

Duty Free

Puisque votre destination finale est hors de l'Union européenne, vous pouvez bénéficier du Duty Free (achats exonérés de taxes). Attention, si vous faites escale au sein de l'Union européenne, vous en profiterez dans tous les aéroports à l'aller, mais pas au retour.

Par exemple, pour un vol Paris-Londres-Praia, vous pourrez faire du shopping en Duty Free dans les trois aéroports à l'aller, mais seulement dans celui de Praia au retour.

Bagages

Prévoyez des vêtements d'été et de plage (la température de l'eau est en moyenne de 24 °C, avec une petite chute de 2 à 3 °C entre janvier et mars) et un gilet ou un sweat-shirt pour certains soirs sur les îles ventées (surtout entre octobre et avril) et pour les balades en montagne. Il vous sera aussi très utile lors de la traversée vers Santo Antão.

© BLAISE MENUET

Lavandière à Ribeira Grande.

<figure>© ANTOINE YVON / BENOÎT MOREL</figure>

Enfants de Ponta do Sol.

Messieurs, ne mettez pas que des shorts dans votre valise car, par respect, il est préférable de se vêtir d'un pantalon dans les églises et dans certaines administrations. Emportez des chaussures à semelles très épaisses car les chemins sont pavés et, au bout de quelques jours, on ressent des douleurs à la plante des pieds. Pensez à de bonnes chaussures de marche, à un chapeau, à de la crème solaire, un anti-moustique et, bien sûr, au maillot de bain. Si vous allez à Fogo, dans le volcan, pensez à prendre des vêtements chauds (polaire et coupe-vent) pour vos randonnées matinales et vos nuits. Il est important aussi de se munir de pastilles pour purifier l'eau: c'est beaucoup plus économique que de devoir acheter vos 2 litres d'eau quotidiens en bouteille.

Décalage horaire

GMT-1 pour les îles du Cap-Vert. Ce qui signifie deux heures de moins en hiver et trois heures de moins en été, par rapport à Paris (GMT + 1). Lorsqu'il est midi à Paris, il est 10h à Praia en hiver et 9h en été.

Électricité, poids et mesures

Électricité

Le courant est de 220 volts dans tout l'archipel. Vous n'aurez besoin d'aucun adaptateur pour brancher vos appareils électriques : ce sont les mêmes prises qu'en France. Il survient de temps en temps des coupures pouvant durer de quelques minutes à quelques heures. L'entreprise Electra a en charge la production et l'alimentation en électricité du Cap-Vert. Les centrales n'appartiennent pas à cette compagnie sont gérées par les municipalités, assistées de la Direction de l'industrie et de l'énergie. Les programmes d'électrification rurale, financés par l'Union européenne notamment, sont nombreux et les efforts sont plus portés vers les énergies éolienne et solaire. Aujourd'hui, la tendance est à la construction de centrales de plus grande puissance, couplées à des unités de dessalement de l'eau de mer.

Poids et mesures

Le Cap-Vert utilise, comme nous, le système métrique. On mesure en mètres et on pèse en grammes.

Formalités, visa et douane

Formalités

Le visa doit être retiré au consulat du Cap-Vert à Paris au moins 2 semaines avant le départ. Il est valable pendant les 180 jours qui suivent la date de délivrance. Il est aussi possible d'arriver sur place sans visa et de l'obtenir à l'aéroport, mais le visa délivré n'est alors valable que sept jours. Il faut se conformer à la législation internationale en vigueur et ne pas apporter des quantités déraisonnables d'alcool, de tabac, de parfum ou de quelconques produits. Pour un séjour plus long, il faut demander un visa de six mois à entrées multiples.

Attention, si vous voyagez avec votre chat ou votre chien, il lui faut un passeport. Une période de quarantaine est aussi souvent obligatoire et vous devrez remplir des formalités spécifiques.

▶ **Arrivée en bateau.** Munissez-vous de l'acte de francisation du bateau ainsi que de l'ensemble des passeports des membres de l'équipage et rendez-vous dans les bureaux de la police maritime de l'île (jamais bien loin). Vous devrez payer la taxe portuaire de l'ordre de 500 CVE, et ce, quelle que soit la durée de votre séjour. Attention, les bureaux sont fermés le week-end. Ensuite, rendez-vous dans les bureaux de l'immigration.

▶ **Obtention du passeport.** Tous les passeports délivrés en France sont désormais biométriques. Ils comportent votre photo, vos empreintes digitales et une puce sécurisée. Pour l'obtenir, rendez-vous en mairie muni d'un timbre fiscal, d'un justificatif de domicile, d'une pièce d'identité, d'un extrait d'acte de naissance et de deux photos d'identité.

Le passeport est délivré sous trois semaines environ. Il est valable dix ans. Il n'est plus possible d'inscrire les enfants sur le passeport de leurs parents : ils doivent disposer d'un passeport personnel (valable cinq ans).

Faire – Ne pas faire

Comme dans tout pays, il est important de respecter la culture de la population locale. De la colonisation portugaise, le Cap-Vert a gardé un esprit catholique marqué, surtout en ce qui concerne la place des femmes dans la société. Une certaine réserve est donc conseillée dans les attitudes. Ainsi, vous baigner dénudé, totalement ou partiellement, n'est pas franchement conseillé, soyez respectueux.

Les courants sont forts au Cap-Vert, tout comme les vents, particulièrement en hiver. La vigilance est de rigueur : trois ressortissants européens, dont deux Français, se sont noyés en 2004 sur les plages des îles de Sal et de São Nicolau.

Cet archipel est une des régions les plus pauvres du monde. Malgré le développement du tourisme, la population peine à en voir les retombées immédiates. La mendicité, les petits vols à la tire ou, plus graves, des cas d'effractions dans des chambres d'hôtel à Mindelo, sur l'île de São Vicente, incitent à se prémunir de ce type d'agression en ne présentant pas d'attitude ostentatoire en public.

Enfin, selon l'île, la population rencontrée sera plus européenne, plus africaine, ou plus mixte, d'influence brésilienne. Les comportements ne sont pas les mêmes et les rapports à l'étranger diffèrent.

▶ **Conseil futé :** avant de partir, pensez à photocopier tous les documents que vous emportez avec vous. Vous emporterez un exemplaire de chaque document et laisserez l'autre à quelqu'un en France. En cas de perte ou de vol, les démarches de renouvellement seront ainsi beaucoup plus simples auprès des autorités consulaires.

Santé

Il n'y a aucun risque particulier sur le plan sanitaire, ni aucun vaccin obligatoire à faire avant d'entrer dans l'archipel. Néanmoins, il faut éviter de boire de l'eau du robinet et de mettre des glaçons dans son verre, sauf s'ils ont été faits avec de l'eau en bouteille. Il a déjà été signalé quelques rares cas de paludisme sur Santiago, ce qui ne signifie pas que vous devez subir un traitement avant d'y aller.

Maladies et vaccins

▶ **Diarrhée du voyageur (turista).** Statistiquement, un voyageur sur deux est touché par la turista au cours des 48 premières heures de son séjour. Ces diarrhées et douleurs intestinales sont dues à une mauvaise hygiène, à la cuisson insuffisante des aliments, à une nourriture trop épicée ou, le plus souvent, à l'eau. 80 % des maladies contractées en voyage sont en effet directement imputables à une eau contaminée. Ces troubles disparaissent en général en un à trois jours. Prenez un antidiarrhéique, un désinfectant intestinal et hydratez-vous bien (pas de jus de fruits). Pour éviter ces désagréments, achetez des bouteilles d'eau scellées, faites bouillir l'eau (le café et le thé sont des boissons

« sûres »), évitez les crudités ou les fruits non pelés, bannissez les glaçons, ne vous brossez pas les dents avec l'eau du robinet et ayez toujours sur vous des comprimés désinfectants.

▶ **Fièvre jaune.** Le vaccin n'est pas nécessaire sauf si vous arrivez d'une zone endémique, c'est-à-dire de Dakar (donc si vous venez avec Air Sénégal). La fièvre jaune est une maladie virale, transmise à l'homme par les moustiques. Elle est surtout présente dans les régions tropicales. Après une semaine d'incubation, la maladie provoque fièvres, frissons et maux de tête. Pour les cas les plus graves, après plusieurs jours apparaît un syndrome hémorragique caractérisé par des vomissements de sang noirâtre, un ictère et des troubles rénaux. Il n'existe aucun traitement spécifique pour soigner la fièvre jaune, si ce n'est le repos au lit accompagné de médicaments permettant de lutter contre les symptômes.

▶ **Hépatite A.** Pour l'hépatite A, l'existence d'une immunité antérieure rend la vaccination inutile. Elle est fréquente lorsque vous avez des antécédents de jaunisse, de séjour prolongé à l'étranger ou êtes âgé de plus de 45 ans. L'hépatite A est le plus souvent bénigne mais elle peut se révéler grave, notamment au-delà de 45 ans et en cas de maladie hépatique préexistante. Elle s'attrape par l'eau ou les aliments mal lavés. Si vous êtes porteur d'une maladie du foie, la vaccination contre l'hépatite A est hautement recommandée avant tout type de voyage où l'hygiène est précaire. Elle doit être effectuée en deux fois mais la première injection, un mois avant le départ, suffit à assurer une protection pour un voyage de courte durée. La deuxième (6 mois à un an plus tard) renforce la durée de l'immunité pour des dizaines d'années.

▶ **Hépatite B.** L'hépatite B est plus grave que l'hépatite A. Elle se contracte lors de rapports sexuels ou par le sang. Le vaccin contre l'hépatite B est à faire en deux fois à un mois d'intervalle (mais il existe des vaccinations accélérées en un mois pour les voyageurs pressés), puis un rappel six mois plus tard pour renforcer la durée de la protection.

▶ **Rage.** La rage est encore présente au Cap Vert : il faut donc éviter tout contact avec les chiens, les chats et autres mammifères pouvant être porteurs du virus. Le vaccin n'est conseillé par l'Institut Pasteur que pour les séjours « aventureux, de plusieurs semaines et loin des grandes villes ». L'apparition des premiers symptômes (phobie de l'air et de l'eau) varie entre 30 et 45 jours après la morsure. Une fois ces symptômes constatés, le décès intervient en quelques jours, dans 100 % des cas. En cas de doute, suite à une morsure, il faut donc absolument consulter un médecin, qui vous administrera un vaccin antirabique associé à un traitement adapté. Le vaccin préventif ne dispense pas du traitement curatif en cas de morsure.

Hôpitaux

Toutes les îles disposent d'une structure hospitalière ou d'un dispensaire et les ambassades ont également leurs propres médecins affiliés. Mais partez rassuré en sachant que le secteur médical de l'archipel est correct et en net progrès et que de gros efforts ont été consentis par le gouvernement et les coopérations étrangères pour son amélioration.

Il y a deux hôpitaux généraux, un à Praia et un autre à Mindelo, trois hôpitaux régionaux, 15 centres de santé, 22 dispensaires et une soixantaine de centres communautaires.

Assurance et assistance médicale

Sachez tout d'abord qu'il est possible de bénéficier des avantages de la Sécurité sociale, même à l'étranger. A l'international, des garanties de sécurité sociale s'appliquent et sont mises en œuvre par le Centre des liaisons européennes et internationales de Sécurité sociale chargé d'aiguiller les ressortissants dans leurs démarches. Les prestations comprennent la plupart du temps le rapatriement, les frais médicaux et d'hospitalisation, le paiement des examens de recherche ou le transport du corps en cas de décès.

© ANTOINE YVON / BENOÎT MOREL

Paysage de la Ribeira do Paúl.

Téléphone

▶ **De la France au Cap-Vert,** composer le 00 238 puis le numéro à 7 chiffres de votre correspondant.

▶ **Du Cap-Vert en France :** composer le 00 33 et le numéro de votre correspondant, sans le 0. L'indicatif du Canada est le 1, celui de la Belgique le 32 et celui de la Suisse le 41.

▶ **Du Cap-Vert au Cap-Vert :** composer le numéro à 7 chiffres de votre correspondant. Les numéros commençant par un 9 correspondent à des portables.

▶ **Le prix** des communications pour la France et l'Europe du Nord est de 250 CVE par minute en tarif normal et de 190 CVE par minute en tarif réduit.

Utiliser son téléphone mobile

Avant de partir, vous devez activer une option (généralement gratuite) en appelant le service clients de votre opérateur. Renseignez-vous auprès de votre opérateur sur les accords de « roaming » qu'il possède avec le Cap-Vert. Il est généralement aisé de continuer à utiliser son portable localement, mais est-ce vraiment toujours nécessaire... Sinon, vous pouvez acheter sur place une carte SIM dans toutes les agences CV Telecom pour la somme de 500 CVE. Le réseau téléphonique est bien développé et appartient à Cabo Verde Telecom, dont la fin du monopole a débuté en janvier 2007. De nouveaux opérateurs voient le jour mais ne couvrent pas encore l'ensemble de l'archipel.

▶ **Qui paie quoi ?** La règle est la même chez tous les opérateurs. Lorsque vous utilisez votre téléphone français à l'étranger, vous payez la communication, que vous émettiez l'appel ou que vous le receviez. Dans le cas d'un appel reçu, votre correspondant paie lui aussi, mais seulement le prix d'une communication locale. Tous les appels passés depuis ou vers l'étranger sont hors forfait, y compris ceux vers la boîte vocale.

Autres moyens de communiquer

▶ **Cabines et cartes prépayées.** Vous trouverez des cabines à carte un peu partout dans les rues ou à la poste (*correio* en portugais).
Pour l'achat de télécartes, rendez-vous à la poste ou renseignez-vous dans les bars et les boutiques. Il existe des cartes de 150 unités à 750 CVE et de 50 unités à 275 CVE.

▶ **Skype et MSN.** Pas besoin de combiné mais d'un ordinateur et d'une connexion Internet. Les deux personnes cherchant à entrer en contact doivent avoir téléchargé l'un de ces deux logiciels gratuits. L'utilisation est ensuite très simple : un micro, un casque et une webcam si vous en avez une, et vous pouvez discuter pendant des heures sans payer un centime (connexion Internet exceptée).

Praia / Ile de Santiago											
Janvier	Février	Mars	Avril	Mai	Juin	Juillet	Août	Sept.	Octobre	Nov.	Déc.
20°/ 25°	20°/ 26°	20°/ 27°	21°/ 27°	21°/ 28°	22°/ 28°	23°/ 28°	24°/ 29°	24°/ 29°	24°/ 30°	23°/ 28°	21°/ 26°

© ICONOTEC / PEPEIRA TOM

Paysage de Cruzinha da Garça.
© BLAISE MENUET

Index

Petite fille rencontrée sur l'île de Sal.

PENSE FUTÉ

Bateaux de pêcheurs à Santa Maria.

Sur le chemin de Tope de Coroa.

BULLETIN D'ABONNEMENT

A retourner à :
Petit Futé mag – service abonnements
18-24, quai de la Marne - 75164 Paris Cedex 19

☐ **Oui,** je souhaite profiter de l'offre spéciale abonnement hors série
pour 1 an pour 25€ au lieu de 29,90€ : je recevrai 6 n°s Petit Futé mag
et le hors série 2011 Les plus beaux lieux de vacances en France (parution juillet 2011)

☐ Je joins mon règlement par chèque bancaire ou postal à l'ordre de Petit Futé m

☐ Je préfère régler par carte bancaire :

CB n° ☐☐☐☐ ☐☐☐☐ ☐☐☐☐ ☐☐☐☐

Expire fin : ☐☐ / ☐☐

Clé : (3 derniers chiffres figurant au dos de la carte) ☐☐☐

Date et Signature

Mes coordonnées :
☐ Mme   ☐ Mlle   ☐ M.

Nom .... Prénom ....

Adresse ....

Code Postal ....Ville ....

Tél. ....

Email ....

Offre France métropolitaine réservée aux nouveaux abonnés jusqu'au 30/06/2012, dans la limite des stoc
disponibles. Vous pouvez acquérir séparément le hors série pour 5.90€. Tarif Dom et étranger, merci de no
consulter au 01 44 84 86 87. Conformément à l'article 27 de la loi «Informatique et libertés» du 6 janvier 19
vous disposez d'un droit d'accès, de rectification et de suppression des informations vous concernant.
Elles pourront être cédées à des tiers sauf refus de votre part (en cochant cette case ☐)

PC11

Partagez vos bons plans sur le Cap-Vert

Faites-nous part de vos expériences et découvertes. Elles permettront d'améliorer les guides du Petit Futé et seront utiles à de futurs voyageurs. Pour les hôtels, restaurants et commerces, merci de bien préciser avant votre commentaire détaillé l'adresse complète, le téléphone et le moyen de s'y rendre ainsi qu'une indication de budget. Dès lors que vous nous adressez vos bons plans, vous nous autorisez à les publier gracieusement en courrier des lecteurs dans nos guides ou sur notre site internet. Bien sûr, vous n'êtes pas limité à cette page...
Merci d'adresser vos courriers à PETIT FUTE VOYAGE, 18 rue des Volontaires, 75015 Paris ou infopays@petitfute.com

■ **Qui êtes-vous ?**

Nom et prénom ....

Adresse ....

E-mail .... Quel âge avez-vous ? ....

Avez-vous des enfants ? ❑ Oui (combien ?) ❑ Non

Comment voyagez-vous ? ❑ Seul ❑ En voyage organisé

Profession : ❑ Etudiant ❑ Sans profession ❑ Retraité
❑ Profession libérale ❑ Fonctionnaire ❑ Commerçant
❑ Autres ....

■ **Quels sont, à votre avis, les qualités et défauts des guides Petit Futé ?**

....
....
....

■ **Votre bon plan**

Nom de l'établissement : ....

Adresse : ....

Téléphone : ....

S'y rendre : ....

Budget : ....

Votre avis : ....

....
....

AUTEURS ET DIRECTEURS DES COLLECTIONS
Dominique AUZIAS & Jean-Paul LABOURDETTE

DIRECTEUR DES EDITIONS VOYAGE
Stéphan SZEREMETA

RESPONSABLES EDITORIAUX VOYAGE
Patrick MARINGE, Morgane VESLIN
et Caroline MICHELOT

RESPONSABLE CARNETS DE VOYAGE
Jean-Pierre GHEZ

EDITION ✆ 01 53 69 70 18
Audrey BOURSET, Sophie CUCHEVAL,
Maïssa BENMILOUD, Julien BERNARD,
Chloé HARDY, Charlotte MONNIER, Antoine RICHARD
et Pierre-Yves SOUCHET

ENQUETE ET REDACTION
Baptiste THARREAU, Gaëlle HENRY, Antoine YVON,
Vincent FAVRE et Georges MEDINA

MAQUETTE & MONTAGE
Sophie LECHERTIER, Delphine PAGANO,
Antoine JACQUIN, Marie BOUGEOIS, Élodie CARY,
Laurie PILLOIS, Julie BORDES, Élodie CLAVIER
et Marie AZIDROU

CARTOGRAPHIE
Philippe PARAIRE, Thomas TISSIER

PHOTOTHEQUE ✆ 01 53 69 65 26
Élodie SCHUCK et Sandrine LUCAS

RELATIONS PRESSE ✆ 01 53 69 70 19
Jean-Mary MARCHAL

DIFFUSION ✆ 01 53 69 70 06
Eric MARTIN, Bénédicte MOULET,
Jean-Pierre GHEZ et Nathalie GONCALVES

DIRECTEUR ADMINISTRATIF ET FINANCIER
Gérard BRODIN

RESPONSABLE COMPTABILITE
Isabelle BAFOURD assistée de Christelle MANEBARD,
Oumy DIOUF et Janine DEMIRDJIAN

DIRECTRICE DES RESSOURCES HUMAINES
Dina BOURDEAU assistée de Sandra MORAIS,
Cindy ROGY et Aurélie GUIBON

■ **CARNET DE VOYAGE CAP-VERT** ■

ÉDITIONS DOMINIQUE AUZIAS & ASSOCIÉS©
18, rue des Volontaires - 75015 Paris
Tél. : 33 1 53 69 70 00 - Fax : 33 1 53 69 70 62
Petit Futé, Petit Malin, Globe Trotter, Country Guides
et City Guides sont des marques déposées ™®©
© Photo de couverture : BLAISE MENUET
ISBN - 9782746952188
Imprimé en France par
GROUPE CORLET IMPRIMEUR - 14110 Condé-sur-Noireau

Pour nous contacter par email,
indiquez le nom de famille en minuscule
suivi de @petitfute.com
Pour le courrier des lecteurs : country@petitfute.com

Achevé d'imprimer en 2011

For Irene

Chapter 1

'A poor aviator lay dying
At the end of a bright summer's day,
His comrades were gathered around him
To carry the fragments away.'

The R.F.C. ditty with the sad tune, which Christina had
sung several times with Will and his friends when he had
been home on leave, would not leave her head. They had all
laughed when they sang it, even the lines which went:

'Here's a health to the dead already,
And hurrah for the next man who dies.'

7

When Will had been beside her, Christina had laughed, too. But when Will became 'the next man', the poor aviator in the song, she did not laugh any more. In fact, although she was only twenty-one, she did not think for some weeks that she would ever laugh again.

But in 1916 a young woman dressed in mourning did not evoke a second glance. There were too many of them. When she boarded the train with her luggage at Liverpool Street Station Christina decided that, as she was about to resume her life as if Will had never existed, she would discard her black as soon as she got to Flambards. 'You can't go round being a farmer in *black*,' she said to herself practically. 'It'll show every speck.' For a few minutes she felt very bold and calm. That was the way of it. She would be all right, she thought; she had got over it. But when the train was out in the country, and she saw the untouched hay-fields swinging in the soft August sunshine and the skylarks rising up over the thick dusty hedges with their ever-optimistic music, the awfulness came back, that Will had landed in a hay-field in France and lain in the grass and died of his wounds, while she had been at home peeling potatoes for Aunt Grace, who had been coming to lunch that day ... it was a thought that still had the power to crush her into white, numb petrifaction. Thank God, she thought, pulling her eyes away from the window, she was not alone in the dingy carriage. The polite curiosity of the other occupants held her in check, her face composed. The smoke from the engine obscured the hay-fields. She was grateful.

She thought she had had no feelings at all about going back to Flambards. It was somewhere to go, no more. But as the train drew its smoky course across the Essex countryside she was less sure. She had wanted to go there to be alone. It was empty now, save for the two old servants, Mary and Fowler, and in its rambling wilderness she had supposed she would be able to find some sort of peace. She had loved it when she had lived there as a child, although it had never officially been her home, as it had Will's. Will had been born there; she, the orphan of the family, had merely been summoned there to live, whether she liked it or not. She had not been back since she and Will had run away together to get married, except once, fleetingly, for the funeral of Will's father. Now, officially, it belonged to Will's elder brother Mark, but in fact the old place was in limbo, belonging to a ghost, for no word had come from Mark since the fighting round Gaza in Palestine and he was posted as 'Missing'.

That was another thing that Christina did not want to think about. (There was, indeed, nothing left to think about that gave Christina any measure of happiness at all.)

'I must work,' she thought, 'and make myself very tired. And at Flambards there will be plenty of work to do.'

At least, if Flambards failed her, she would have the satisfaction of having tried.

When the train eventually came into the little home station, Christina remembered how she had felt before, returning to Flambards for old Russell's funeral, that it was like stepping back into another century. It was the same now, except that this time she was glad, not scornful. The porter was gathering his Darcy Pippins from the small orchard beyond the palings; he came hurrying, wiping his forehead under his cap. His dog lay panting in the shade, undisturbed by war or death, or even modern transport. Christina's luggage was bundled down, and several parcels besides, and a truck of heifers was uncoupled, and amongst the little, local commotion, Christina went out through the ticket-office and found Fowler waiting for her.

'Miss Christina, my dear!'

Christina had forgotten how old he was. He was as knotted as the porter's apple-trees, his cheeks red with old threaded veins, his hands trembling in his excitement. His eyes were full of tears, and Christina had to be brisk to stop the emotion overflowing, hers as well as his. It was not until she was up beside him in the wagonette and the horse was moving out into the dusty lane that she felt the imminent danger past.

'How is Flambards?' she said quickly, before he could ask after the painful subject of herself.

'The same, the same, miss – or ma'am, I should say. All falling to bits. It's patch this, patch that, inside and out, no end to it. And all makeshift, because Mr Mark never left no money for it, and no instructions. Mary and I – well, it's been our life, the old place – we do our best, but we're past it now. We just try to keep it from getting too bad, for the time –' He faltered, unsure of how to finish. 'For whoever comes back, you understand.'

'Yes, I see.' Already, the conversation was back to the point Christina could never get away from.

'You've heard no news of Mr Mark, ma'am?'

'No.'

'Will's death came as a terrible shock to us, Miss Christina. We both remember the boys being born here, you see. They're more to us than just employers. When you've been with a family all your life, you become a part of it yourself – without being disrespectful, ma'am.'

'Yes, of course.'

'And when we heard you were coming back, Mary and I – we – well, we were that excited – oh dear me! We laughed and cried in turns, wanting you to come back, you see, but not for the reason – the way it turned out, with Mr Will being killed.'

'Yes.' Christina sat thinking, 'I shall have to go through all this again with Mary, but afterwards it will be all right.' She prayed that it would be all right. So far, her return was doing little to raise her spirits. Every turn in the lane and

view across the fields was precisely as she had always remembered, but every view had been shared, before, with
either Mark or Will. With Mark she had always been on
horseback, with Will on foot, on the way to visit his dear
friend Mr Dermot, who had taught him to fly an aeroplane
when he was just sixteen. Now, if she roamed these ways
again, she would be alone.

'How are the horses?' she asked quickly, before Fowler
could depress her any more. 'How many did you keep?'

'Why, miss, there's only old Pepper here, who we keep
for the errands. All the hunters have gone. The Army took
Treasure and Goldwillow, Drummer was sold after you
went, and Woodpigeon – the Army didn't want him on
account of his legs not being all they should be – he was
sold to a doctor to use in harness –'

'And Sweetbriar? Do you know what happened to her,
after Mr Dermot died?'

'No, ma'am, I never heard.'

Now Christina had to blow her nose, turning her head
away. It was ludicrous that she had managed all right when
the talk was of Will, but that she wept for the horses. 'It's a
part of it all,' she thought desperately; she cried for everything that would never come back.

'Oh, yes, Miss Christina, you'll see big changes. All the
best horses went into the Army and Mr Lucas sold up the
hounds – they were scattered around, a couple here and a
couple there to whoever'ld take them. He went into the
Army himself, in spite of his age, and got wounded about the
same time as young Peter, his nephew. Not so badly, though.
Young Peter's very bad, I hear.'

Christina shut her ears to the old man's narrative, letting his gentle voice get drowned in the dusty clip of the
horse's hoofs and the distant clatter of the reapers over the
fields. She felt she must protect herself somehow, get braced
again for facing Flambards in all its solid reality, its dread-

ful emptiness. She knew perfectly well that when they turned in at the drive she would remember only the night Will had come for her in Mr Dermot's Rolls-Royce and taken her to the Hunt Ball and asked her to marry him; she would remember nothing else. 'But I knew it would be like this,' she thought stubbornly. 'Afterwards it will be all right.'

These were the lanes she had ridden a thousand times with Mark. She shut her eyes for a bit, but the smell of dust and trampled grass and horse and leather was every bit as evocative. She set her teeth. 'Soon it will be all right.'

But however she had pictured Flambards in her mind, it did not measure up to Flambards in fact. When Pepper turned through the gates and into the drive, she realized immediately that Flambards in its present state offered precious little comfort. It had never been well cared for even before, but at least the paddocks had been grazed, the fences kept in order and the woods and coverts thinned and checked. Now, as the drive stretched ahead, the paddocks on the left-hand side were a jungle of shoulder-high grass with yellow ragwort flaring and thistledown floating in little clouds on the breeze. The same thistles coarsely sprouted up amongst the dried ruts of the once neatly gravelled drive, along with suckers and struggling saplings which had seeded from the woods that bordered the right-hand side. And as they drew nearer to the house Christina could scarcely make out the doors and windows for the rampant ivy. Beside the house the garden was now growing right up through the terrace, rough arms of flowering teasels rubbing against the terrace doors, the roses scarcely visible through the suckers of wild plum and sloe that had been thrown out from the hedges. Only the big cedar-tree rose up, inviolate, out of the mess and, beyond the house, across the weedy expanse of dried mud that had once been the gravelled forecourt, the chestnuts soared in all their

green, summer glory as Christina had always remembered, their spiked pale fruits ripening in great clusters against the sky.

Fowler brought Pepper to a halt in front of the house. Christina sat looking, not wanting to get down.

'Old Mary's a little deaf these days, ma'am. She won't have heard us. I'll get down and call her.'

'No,' Christina said quickly, 'don't.'

She looked at the house. It stared back, shrouded and empty. Not even the old foxhounds stirred on the doorstep. The house looked defeated beneath its strangling mantle, as if it would willingly disappear altogether. 'It feels like I do,' Christina thought.

'Drive on to the stables,' she said to Fowler. 'I would like to see them.'

The stables were worse. They, at least, had been neat and shining in the old days, as the house never had, but now the empty loose-boxes echoed to the solitary Pepper's hoofs as Fowler drew him up near the trough. A top-door swung disconsolately. Even the cats had gone, and grass grew between the cobbles. Fowler dropped his reins, and gave Christina a wry smile.

'A bit different, ma'am, from the old days?'

Christina felt her lips trembling. She sat up stiffly.

'We must have more than one horse, Fowler – a riding horse, at least –' Her voice shook. She turned away, climbing down.

'I have plenty of money now,' she said, when she had composed her face. 'At least I can buy a horse.'

Her twenty-first birthday, arriving two weeks after Will's death, had given her possession of her father's money at last. She had enough to buy whatever she desired. Her money could mend the fences and paint the stable doors, repair the drive, tidy the garden. She walked back to the house, white-faced, and stood looking at the open door, and the creeper swinging over the lintel, the windows blank, uncurtained. The blackbirds sang in the wild garden, and a pheasant croaked somewhere close, in the long grass. It was hot, and silent. Nothing moved but the bees in the willow-herb.

'I have plenty of money,' Christina repeated to herself. 'I can do anything I want.'

But the silence did not alter. Christina knew that Flambards was her own, to do whatever she liked with. It was there, in the sunshine, waiting for her to take possession.

'I can buy a horse,' she said to herself, 'but I can't buy *people*.'

No money on earth could buy the people she wanted.

Chapter 2

The sun went down over the high, flowering grass in the
park in a thick pollen-heavy haze of golden light that hurt
Christina's eyes. It was so incredibly still and untouched,
the smells of the warm earth drawn out to meet the first
chill of dusk, a yellow chestnut leaf falling, a rose petal
hanging from a spider's thread, so infinitely uncomplicated
... Christina felt she must be softened, eased by its peace.
But she wasn't. It made her more bitter, this peace, that
while she was standing looking at everything that was the
essence of the sentimental picture of home, which all the
newspapers made out that the 'boys over there' were fighting for, the fact that the boys over there were now dead
and would never come home again made completely nega-
tive the sweetness of every flower and the balm of every
sunset. Even worse, that the boys had not even paused to
wonder if they were losing anything by dashing so eagerly
to France; they had never noticed the sunsets when they
were alive, save as portents of weather for a good flying day,
or a good hunting day; they had gone happily, and been
killed willingly ...

'No!' Christina caught herself up. Not willingly. Not in
the hay-field, with the agony and skylarks mingled. Christina's face tightened. Oh, it was worse here! She should
never –

'Miss Christina, dear, the tea's ready. I've made a nice
bit of pie with a rabbit Fowler got, and gingerbread like
you used to enjoy. We're a bit short on sugar, but all right
for most things here, luckily. Come on in, dear; it's getting

chilly. I've lit a fire in the dining-room, but I'm afraid it's smoking dreadfully. It's not been lit since the spring.' Mary was at her side.

Christina went to do her new duty as mistress of the household, to inspect the fire, and advise abandoning it, until the chimney should be swept. The dining-room, the one-time 'lair' of her Uncle Russell, the crippled father of Mark and Will, appalled her with its air of decay and smell of soot, the moths fluttering wearily against the window panes, the dust thick on mahogany and leather.

'Oh, I don't want to eat in here! Let's eat in the kitchen, Mary.'

Their feet echoed across the tiled hall and down the empty passage. At least the kitchen, Mary's haunt, was warmed by the cheerful range; it was clean and scrubbed and homely. Mary would not eat with Christina, but waited on her until she had finished; then she ate her own meal at the other end of the table. Christina sat in the rail-backed chair by the range, watching the glow from the fire increase as dusk filled the big room. She felt very tired, and rather ill in an unfamiliar way, the rabbit pie lying uneasily. She did not feel capable, now, of deciding what she was going to do; she did not care. When Mary asked her, she shook her head, frowning.

'It's early days yet,' Mary said. 'It takes time. Fowler and me, even, we've sat here many a time and said we can't believe the two boys are gone. It just doesn't seem possible. This wicked war—' Christina had heard the platitudes a thousand times before: a million times, she thought – 'taking our dear boys ...' She shut her eyes.

'They *wanted* to go,' she said. 'They loved it. When Will came home on leave, he couldn't wait to get back.'

If Mary heard her, she made no sign, chatting on in the old-lady journalese that Christina had heard so often.

Christina did not believe that anyone in that elderly generation could be expected to express a sensible opinion, and bore with her, not listening. How could Mary ever understand Will's passion for his work? No, he hadn't wanted to die for it, but he had willingly accepted every sort of privation the life offered, so that the ultimate sacrifice was, in a sense, a mere extension of normality. He had accepted as perfectly normal that one should enjoy going out on patrol at first light day after day all through the bitter months of December and January and February, when the casualties from frostbite were as many as those from gunfire and the agonies of the complaining circulatory system were to be suffered on every landing. 'I'd rather have it that way than moulder in a dug-out day and night up in the lines like the blokes we go spotting for,' he had declared. A hasty landing in flames a hundred yards on the right side of the lines had brought him home on an extended sick-leave twelve months after their marriage; five weeks, it was the longest period he had ever spent with Christina. They had rented a cottage in the Surrey hills, and walked and cooked and eaten picnics in the sunshine and talked and laughed. It was the happiest time they ever spent together, and yet, at the end of it, when Will had reported back to the Medical Board and was told he was fit for duty again, he had come back and told Christina not with regret but with the enthusiasm that she would always remember as his most endearing characteristic – in spite of the subject that invoked it.

'Back to your darling Morane!' she had teased. 'Oh, how lovely for you!'

'Yes, I'm throwing you over, Christina, for that heavenly little creature that always does exactly what I ask her.'

'She let you down, though –'

'Oh, well, she was badly treated. Make allowances. She doesn't make a habit of it.'

Christina had known when she had married him that she would never compete with Will's first love, but she had been secure in the knowledge that no woman ever would. And, because he had always been so happy to go back, their leave-takings had never been morbid or tearful. Her memories were all of laughing and teasing and cheerfully waving as some neat little machine skimmed away over the bumpy grass of a manufacturer's airfield. Even if she cried afterwards, she could only remember Will happy, which was what mattered. Even the last time, a fortnight before he was killed.

Mary was still talking.

Christina stared into the fire. The creaking house was full of ghosts, of the old man weeping over his brandy, the smell of the foxhound bitches, the great dinners of roast mutton after a day's hunting ... she should never have come back.

'And there's no help to be had if you want it,' Mary grumbled on, like a squeaking cart-wheel. 'Even on the land, let alone in the house or the garden. The young men have gone, and even the girls are all in the munitions factories. Mr Allington's land has gone all to rack and ruin since his boy went – Mr Mark's land it is really, what old Mr Russell let off to Allington after he couldn't work it no more ... all weeds and thistles ...'

Christina remembered her vision of being a farmer, and shivered. Her trunks were in her room, unpacked, and when she went upstairs she made no move to take anything out of them, save her nightdress. She felt very cold and ill. Her room had the chill of decay in it, like the whole house, and the window was completely covered with ivy. It was like being in a tomb. Across the landing was Will's room, with the model flying-machines that he had made when he was little still hanging from the ceiling. 'I shall never go in there,' Christina thought. 'Never, never, never.' That was where she had first met him, lying in bed with a broken leg. She had been twelve, and he thirteen.

'If I stay here,' she thought, 'the ivy and the weeds will grow over me, too. Flambards is as dead now as Will and Mark. I will go away and if there is no word from Mark within the next month or two I will see the solicitors about selling it. I will see that Fowler has enough money to live on, and Mary; and Mary can have one of the cottages behind the stables. Then it will all be finished with. I shall never come back again.'

At least it would be a decision made, even if she still did not know what she was going to do. It was as if every road she turned to had a high, locked gate across it, erected as much by her own diffidence – and she realized this – as by circumstances. And the Flambards road, from which she had expected comfort, erected a barrier of impenetrable thorns. There was nothing here a mere girl could do; it needed an army of strong men. In her thoughts it had been a refuge; in fact it was a disaster.

'What a fool I was to come!'

The empty stables, the damp, empty rooms, revived memories that were no help at all.

She slept badly, and in the morning was very sick.

'I'll send Fowler for Dr Porter,' Mary said, excited by having something important to do.

'It doesn't matter,' Christina said. 'I've had all this before. I had a doctor, and he said it was shock.' She wished she could die. If she did, there would be no one to notice that she had gone; she would disturb no one. It was raining, and the rain slithered over the ivy leaves, and did not touch the dust that filmed the window. Mary brought up a paraffin lamp, and Christina lay listening to the flame and the rain and the knocking of overgrown branches on the roof, smelling the damp and the mildew. She did not want to see Dr Porter, another relic of the past, another old, old man. He had been old even when he had come before, for the boys' accidents.

When he came he shook her hand and made the same utterances of regret which Christina once more had to stiffen herself against. She started to tell him about her symptoms, to stop him, and repeated the opinions of the doctor who had seen her after Will's death. 'He said I was suffering from shock, but I don't see that I can be now. Not after six weeks.'

Dr Porter examined her, and she lay and looked up at the damp on the ceiling, and thought of Will with an impossible longing. 'I hope he will tell me that I'm going to die,' she thought, and she had a picture of Will laughing, waiting for her. 'How can it be shock?' she thought. She had been prepared for it for four years, ever since she had loved Will and he had flown aeroplanes.

'No, it's not shock,' Dr Porter said. 'You are going to have a child.'

He smiled at her. Her face stared back at him, as white as the pillow beneath it.

'It's not death that is upsetting you, my dear. Quite the opposite.' He turned and rang the bell-pull beside the bed. 'I'll tell Mary to bring you a nice strong cup of tea. It's a great surprise, I can see. Had it not occurred to you?'

Christina, with what felt like her last ounce of strength, shook her head. The tears poured down her cheeks, like the rain over the ivy leaves. No wonder Will had been laughing! She could not say a word.

Mary came in, her eyes curious.

'There's nothing wrong, I hope?'

'No, oh no,' Dr Porter said. 'Nothing that time won't cure.'

Time, to Christina, lost all meaning. She lay curled up in her bed, glad of the ivy blanking out the cold light of day. She wanted nothing and no one, only the blessed peace of the musty room. Ironically, she was now suffering from shock. Mary thought she had a stomach upset and lit a fire in her room and brought her meals up, but otherwise left her to rest. (She was very happy having someone to nurse.)

So much for her indecision, Christina thought. Now it was all decided for her. But after the idea had taken root, she could do nothing but give herself up to a fresh, agonizing, useless, involuntary grief for Will, as bad as the first, when the telegram came. It was no good trying to fight it; it flooded her. She lay staring into the shadows, remembering all the inconsequential moods of their brief marriage, the tears running sideways into her hair and her ears. She despised herself, and cried on. And all the time she could not understand why the news made her feel so sad; she thought it ought to make her feel happy. She tried to tell herself that it was Will all over again, that she would never be lonely again, as she was now. But her inner sense only told her that any characteristics of Will's the child might show would merely serve to remind her of Will himself; that a child's company was an unmitigating bore for years. She had never had anything to do with children, nor particularly wanted to, and had never wished for a child when Will was alive, feeling that it would merely come between them. Will had never raised the subject and Christina guessed that, if it had been mentioned, he would have shown no interest. (If it had been a new prototype from the Royal Aircraft Establishment, he would have discussed it for hours.)

Then, after the first orgy of self-pity, other considerations groped into her mind.

She stopped crying, and lay watching the soft light from the paraffin lamp. If she had a child, most of the alternative courses of action were closed to her. She could hardly go back to her job as a hotel receptionist, or become a nurse like Dorothy, the daughter of her old employer. She could not work in a munitions factory, nor did she think she would be particularly welcome at the home of her Aunt Grace, a hard-working dressmaker in Battersea. For a child, she would need a home.

'Flambards,' she thought, 'will belong to this child.'

It was all. The child would have no father, no grandparents, no brothers, sisters, aunts, uncles, or cousins. It would have two old great-aunts – and Flambards. Christina's pity transferred itself to the child. She lay very still, appalled for this child. She saw it forlorn in the great wastes of crumbling Flambards, with a mourning mother and the ancient servants for sole company. The picture was so stark that Christina sat up in bed, pushing back her damp hair.

'Flambards *must* come to life again. I cannot leave it to fall down. And I cannot sell it, for no one would have it.' Now that Mark was dead, it was hers, for what it was worth. She had no choice any longer. She pushed her feet out of bed, scrambling for her slippers.

'There is so much to do! I cannot waste time here. What a fool I am! Oh, what a fool!'

Chapter 3

'The two boys from the village are outside now, ma'am, if you want to see them.'

Fowler stood at the kitchen door, very formal with disapproval.

'It's all there is to be had, ma'am, and I don't see as how you'll ever make farmers out of either of 'em.'

'Show them in.' Christina was equally cold. Both Mary and Fowler were appalled at the plans she had hatched in her sick-bed, and had taken no pains to conceal the fact.

Fowler, his old face twitching with horror, had poured scorn on her plans. 'Make Flambards pay! Why, it didn't pay even when Mr Russell was in his prime, and it was a twelve-horse farm! A lady like you can't be a farmer!' He had been so moved that all his years of 'begging your pardon, ma'am' and 'if I might say so, ma'am' had been thrown to the winds. He had stamped up and down the kitchen like a demented goblin. Now, having made his feelings clear, he was very correct again.

Mary said, from beside the sink, 'You can't interview staff in the kitchen, ma'am. It's not right. Have Fowler show them through the front door into the dining-room.'

She sniffed tartly. She was on Fowler's side all the way.

'Very well.' Christina was not disposed to argue about so minor a detail. As she crossed the hall she thought, 'How impressed they'll be by such grandeur!' A pile of fallen plaster lay on the cracked tiles at the foot of the stairs, and when she opened the dining-room door two mice scuttered away into a hole in the floorboards. 'Oh, how elegant!' Christina said out loud. There was a glistening of fungus on the wall over the fire-place, and the ornate ceiling was hanging in stained bulges. It was dark, like her bedroom, with the inroads of the ivy, and the heavy furniture lowered in the gloom. Christina could not bring herself to sit down. She stood with her back to the fire-place, like a man, and Mary showed the two village boys in.

Christina saw immediately, with a surge of anger towards Fowler, that one was an idiot. He looked about thirteen, and had a large vacant face and a happy smile. He was built like a young bull, with long arms and huge hands which lolled at his sides. The other character was by comparison very sharp-looking, with reddish-brown hair brushed back and insolent, quick eyes that looked Christina smartly up and down. She felt instantly antagonistic towards him.

25

'What have you done before?' she asked sharply.

He told her his history, which made out that he could do everything. His name was Stanley Minton, and the idiot he referred to as Harry. Harry said nothing, but smiled.

'Why aren't you in the Army?' Christina asked Stanley.

'I'm not daft, mum.'

Christina frowned, instinctively repelled by the slick tongue. But the boy was obviously strong and quick. If he was honest, he could be a good worker. Christina very much doubted whether he was honest.

'I'll try you both for a week,' she said. 'Call tomorrow at six, and Fowler will tell you what to do. I'll pay you twelve shillings, and I'll raise it if you're any good.'

'Very well, mum.'

Stanley's eyes slid all round the decrepit room as he took his leave, shoving the cheerful Harry along in front of him. Christina went back to the kitchen, stubbornly angry. Fowler was drinking tea with Mary. They stood up when she came in.

'Is it that bad?' Christina said to Fowler. 'Are there only idiots to be had?'

Fowler had the grace to look slightly shamefaced. 'Yes, ma'am,' he said. 'It is that bad. You can try yourself, and you'll do no better. There's only dregs. Young Minton was in munitions, but he got the sack. He can work if he wants to, but he needs watching.'

'It will be your job to watch him, then,' Christina said. 'When they come tomorrow I want you to put them on to stripping the ivy away from all these windows. Even the idiot should be able to manage that.'

'Yes, ma'am.'

Christina felt no compunction about being hard on Fowler and Mary. They infuriated her with their stubborn antagonism. She realized now that they had wanted her back, so that the responsibility for the place would be taken from them, but they did not want anything else to change. They wanted, perhaps, a smart horse, and a kitchen-maid, and new gravel on the drive and paint on the doors, but no more. They did not want to fight, only moulder on their way. They did not know the reason for Christina's new determination, and Christina had no intention of telling them.

'And, Fowler, I want you to find me a builder who will come and do some work here.'

'It's very difficult to find a –'

'It may be very difficult, but I want you to find one.'

'Yes, ma'am.'

'And that horse, Pepper – has he carried a side-saddle before? Can I take him out?'

'Yes, ma'am.'

'Get him ready for me, then.'

She went upstairs to change into her riding-clothes. At least she might as well find out the extent of her acres, and just how many weeds they grew. 'And I cannot live in the kitchen,' she thought. 'If I'm going to act like the lord of the manor, I must have my own room downstairs.' But she could not face the vast desolation of the dining-room. It could never be anything to her but old Russell's lair, and she did not want his spirit breathing over her every movement. (Although, strangely, she knew that old Russell would approve of what she was doing, had he the power to see her from his seat in heaven – no, Christina corrected her thoughts – in hell. Old Russell would surely not have gone to heaven.)

'I should have started the boys on the ivy today,' she thought as she went downstairs. A cheerful noise would have improved the place enormously. She kicked the fallen plaster out of her way and stopped, one hand on the banister rail. A faint sunlight struggled in over the front door, showing gracious proportions, and the skeletons – beneath flaking paint and dog-scrabbled panels – of fine doorways. She remembered how once she had pictured it like a hall in a lady's magazine, with bowls of flowers, and calling-cards on a silver plate, and a maid in a black dress. 'Why not?' she thought grimly. She opened the other doors, peering in. One room was almost filled with a billiards table, its green baize in tatters. A lot of old harness was slung over some chairs and a chaise-longue with burst stuffing filled the window bay. The other room had once been used as a study; Christina had done lessons there herself with Mark and Will. She opened the door, recalling a smell of ink and an atmosphere of ill will, but the room had been cleared of its tables and chairs, and all that remained was a sofa and a faded golden-coloured carpet. The room was small, and looked out over the park, through windows that stretched round in a pleasant bay. It had a plain marble mantel-piece, and tiles round the fire with gold roses painted on them. It faced south, and smelt of trapped sun.

'Why, this is all right.' Christina was pleasantly amazed. 'This could be a nice room!' She looked round with her first lift of pleasure, almost excitement. She saw it as a gold room, looking out on to the chestnuts, the brown paint changed to cream, the evening sun slanting in, gold on the gold carpet.

'Yes, this will be my room!' She saw herself eating tea by the fire, interviewing farm-labourers with bulging muscles and honest faces, recording her bushels of wheat in a ledger ... 'I *will*,' she thought.

She went out through the kitchen, and gave orders to Mary to clean the room out, enjoying the old woman's look of rage.

'Oh, I am hard,' she thought. 'I shall make it come right. I shall make it all work, and be a proper farmer, and learn to ride astride.' For a few minutes it would work, this enthusiasm, if she concentrated on it. But if she let her mind stray ... The quicksands lay all round, waiting to take her.

Fowler, looking more cheerful, had Pepper ready saddled in the yard. The horse was a dark bay with an honest head. Dull. In old Russell's days the driving-horses and the hunters never mixed jobs. Now Pepper, like Fowler, did everything.

'Can you plough, Fowler?' Christina asked.

Old Fowler's face gaped.

'I'm not a —'

'Can you plough?'

'Yes, ma'am.'

Christina smiled. 'We must buy some horses – cart-horses, I mean. Will you find out if there are any sales on, and let me know?' Her eyes fixed him.

'Yes, ma'am.'

'I'm going up to look at the farm, to see how bad it is.' The farm buildings that belonged to Flambards were on the other side of the covert, almost a mile away.

'It's in a terrible state, ma'am. Mr Allington patched the stables a few years back, but you couldn't put a horse there and expect it to thrive.'

'We might have to use these stables, in that case.'

'For the cart-horses!' Fowler's face went bright red. Christina watched him struggle with his emotions, little threads of outrage pulsing on his temples. He led Pepper up to the mounting-block, and she climbed up and settled herself in the saddle.

'You say you don't know who bought Woodpigeon, only that it was a doctor?'

Fowler, tightening the girths, replied, 'A doctor out Woodham way. I don't know his name.'

'See if you can find out, will you?'

'Very well, ma'am.'

Christina rode out away from the house, through the

big fields where she had learned to ride with Dick, and into the covert. Pepper was a quiet, stolid ride – 'Very suitable for my condition,' Christina thought, with an odd stir of emotion at the thought. But it was her fields she wanted to think about. '*My* fields,' she thought, 'and this in *my* covert. All these trees are mine, and the pheasants and the foxes and the rooks and the moss and the toadstools.' She was a landowner, rich and powerful. 'That is what I must think about,' she thought, 'not all the other things.'

When she came out of the ride at the other side she saw the fields spreading away, thin barley marbled with weeds, and uncut hay splayed by the rain, divided by hedges twenty feet high and ditches brimming with nettles. It was lush and profligate. Neglected. Beyond the farthest corner of weeds a ring of old elms marked the site of the village church, and a few roofs crouched beyond the hedges, show- ing where the road lay. The home farm lay in the midst of its shameful crops, a cluster of picturesque barns and tiled roofs. A land bordered with elms led away from it towards the road, and another track came up a slight hill to where Christina sat at the edge of the covert. It looked pretty from a distance. Christina would have liked to turn back and keep the image in her mind, but she pressed Pepper on and went down the track at a canter.

At close quarters the farm could only be described as dilapidated, if not derelict. The farm-house, a four-square brick building with a sagging roof, stood in a small garden of nettles and elderberry with railings round it. Beside it the duckpond was choked with reeds, and tenanted only by mallard and moorhens; and high grass had flowered over the cart-tracks that wound into the stockyard. Pepper made a swathe through it like a horse on a prairie. The wagons stood in the barns with oats and grass growing out of the floorboards where the seed had sprouted, and the rows of scythes hanging from the rafters were rusty and spattered with pigeon droppings. There were large pieces of machinery which – beyond a couple of ploughs – Christina was unable to put a name to, all very dilapidated, and in another shed rows of harness, too old ever to use again, layered over with dust. The empty stables, with holes in the roof, and the empty threshing-barn with its great timbers arching up into the gloom, silent and bare like a medieval church, laid a cold hand over Christina as she rode the carriage-horse from door to door. The silence was oppressive. The flowery heads of the big thistles floated away on the summer breeze, brushing her face, dissolving into the sky like all

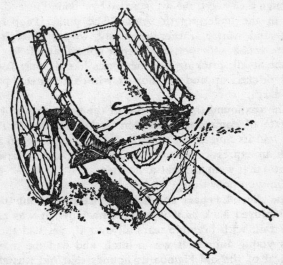

the wishes she had once dreamed up for her life. She stroked Pepper's neck, pursing up her lips. She could see what she was up against now, more than any words of Fowler's could have told her.

'Oh, come on, Pepper!' She would cry again, in her feeble way, if she stayed in this sad place. 'It will be all right,' she thought, 'when there are men there and horses and the roofs are patched up ... and *people*. It's always *people*,' she said to Pepper, with a desperate swallowing of a sob. 'It wants people!' Pepper fled up the dry track at a gallop, feeling her urgency, his head stretched out, his stiff old legs stirring the dust, the barley barbs tossing in his wake. 'It will be all right,' Christina said to him, her hands holding his hard old mouth. 'It will be all right, Pepper, given time.' Nothing, as Dr Porter had said, that time wouldn't cure.

Riding, at a more sedate pace, along the peaty track through the covert, she was startled by a bounding and crashing in the undergrowth behind. She pulled Pepper to a halt, and waited, rather nervously, to see what it was. There was a whimper, and then a noise that left her in no doubt at all, pricking her memories like a spur. Pepper's ears pricked up and he snorted with excitement, pawing the earth.

The foxhound that came out of the undergrowth was in a state of complete exhaustion. It lolloped up to Pepper and laid its muzzle on Christina's ankle, looking up at her with an expression – half hope, half fear, and all bewilderment – that went straight to her heart.

'Oh, you poor thing!'

She slid off Pepper and held her hand out, but the animal cringed back as if it expected a blow. It was as thin as a rail, with bramble tears all over it, yet had the look of a young animal. It was a bitch, and had the markings typical of the old Flambards hounds that old Russell had devoted a good deal of his life to breeding.

'Who are you, then, my poor dear?' Once Christina had known each hound by name, but she did not know this one. The bitch would not come near now that Christina was dismounted, but cowered under the bushes, backing away. Christina sensed that it would follow her, and walked on, leading Pepper, and the bitch came slowly, very nervous. Christina wanted it to come desperately; it was young and in trouble, like herself, and it was a bit of the old Flambards that had got steamrollered by events. It followed, and Christina walked on through the covert and across the fields, back to the stable-yard. The bitch came into the stable-yard some thirty feet behind her, and stood watching.

Fowler came to take Pepper.

'Do you know that bitch?' Christina asked him. 'She's in a dreadful state.'

Fowler looked, and considered.

'Looks like young Marigold to me, as went to Suffolk when Mr Lucas went away.'

'Marigold?'

'Daughter of Matchless – you'll remember Matchless? And Matchless was by Marmalade, your uncle's darling.'

'Yes, I remember Matchless.' Matchless had been one of Mark's favourites, as Marmalade had been his father's; Mark had laid bets with young Allington on Matchless's owning first to a line, Christina remembered. Marigold's pedigree was peerless.

'Looks like she's come down from Suffolk on her own, to me,' Fowler said. 'She's in a bad old way.'

'She's come to the right place, then,' Christina said.

33

'We'll keep her; she belongs here.' She felt excited; Marigold was a part of the re-peopling of Flambards, materializing out of the covert as if by act of God. 'I'll go up to the house and get her some meat. She looks starving.'

The bitch ate and drank, and fell into an exhausted sleep in a corner of one of the deserted loose-boxes. Christina walked back to the house, glad about the hound, pleased that by tomorrow the boys would be at work on the ivy, that there would be some signs of life about the place. Although Flambards had been neglected when she had lived in it before, there had at least been coming and going, the boys in the stables, and Violet in the kitchen; doors slamming and hoofs crunching on the gravel. 'It will happen,' she thought. 'It will improve . . .' And in the train of thought Violet's face lingered. Christina stopped beneath the deep shade of the chestnut-trees, and a jumble of memories turned themselves over in her head. Here, on this very spot, Dick, the kindest and most intelligent of all the stableboys, had kissed her when she had cried for her mare, Sweetbriar. Dick had been Violet's brother, Fowler's favourite, the one who had been dismissed for doing Christina a favour against old Russell's orders, the one whom Mark had hated. And Violet – Christina stood in the drive, seeing nothing, biting her thumbnail . . . *Violet!* The sudden, unbidden memory of what had happened to Violet now had all the relevance in the world. Christina's eyes widened with sudden excitement. She turned and ran up to the house, and went into the kitchen without bothering to change first.

'Mary, I want to ask you something. What happened to Violet?'

Mary gawped at her. 'Violet?'

'The kitchen-maid. She was dismissed because she was going to have a baby. You remember?'

'Of course I remember,' Mary said, her old lips closing in an angry line.

'What happened to her?'

'I'm sure I don't know,' Mary said, as adamant as Christina herself.

'Don't you know whether she had the child? What happened to it?'

'No, I don't. I wasn't interested, ma'am, I'm sure.' Mary's voice was tight with disapproval.

'Oh, how can you *not* be interested?' Christina was angry with Mary's anger. 'It was Mark's child, wasn't it? That's what all the trouble was about, and why Dick came back and had that fight with Mark, wasn't it? Why else, then, if that wasn't the reason?'

Mary's old-fashioned disgust seemed to Christina infinitely petty beside the stark fact that Mark, who was dead, had left a child. She could not understand the mentality of the old woman, to be so prudish about this past history, when any birth – however irregular – was surely a more welcome subject of conversation than death, which she would gladly discuss for hours.

'I would like to find out what happened to the child. Who would know?'

'Nobody as I know of. Violet went to London – that's all anyone knows.'

'And Dick joined the Army. Violet would be Dick's next of kin, so her address should be in the Army records.' Christina, talking to herself, went upstairs to get changed. She was taut with excitement. The door of her sitting-room was open and a smell of scrubbing-soap permeated the hall, and the disturbed moths were blundering about the cornices, but Christina did not notice. She was thinking of the phantom people, the anonymous child, six years old, the ghost of sobbing Violet ...

It could come right, if she was clever enough. There

were threads to follow: even Marigold was a part of it –
and Woodpigeon, pulling the doctor's trap. 'I will buy
Woodpigeon back, and find Violet, and *buy* Mark's son off
her, and there will be two children here, and the fields all
ploughed and the lawns all smooth . . .' It was like a dream,
what she saw in her head, the children's faces laughing, a
groom holding their ponies at the door, bowls of flowers in
the hall – like one of old Mary's novels, like an illustration
in a magazine.

'Why not?' Christina said fiercely to her reflection in the
mirror. The reflection should have stared back, all fire and
resolution, but it looked frightened. Why not indeed? The
reflection trembled at what was being asked of it. It was a
thin, white-faced reflection, all eyes and cheek-bones and
tumbled untidy hair. And when it stood still, listening, its
dream faded, and the house was empty and cold as a
tomb.

Christina, having found out from Fowler Dick's regiment,
wrote to Colchester Barracks, and received a terse reply to
the effect that they could not enter into a correspondence
concerning next of kin of Trooper Richard Wright.

She showed the letter to Fowler. They were in the dog-
cart at the time, on their way to a farm sale, to see if there
were any horses. Christina was handling the reins, with
Fowler beside her watching her performance, fairly cheerful and apparently resigned to the day's work.

'Hmm,' was Fowler's comment, frowning over the message. Christina remembered that he had cried when Dick
had been dismissed.

'I never had another boy as good as Dick,' he said, hand-
ing the letter back. 'Never will, either. He just knew horses.
It was in him.' He spat into the road.

'Where else can I find out where Violet is, then? There
must be someone who knows.' Christina was confident that

Fowler knew why she wanted to find Violet, although she hadn't told him.

Fowler, watching her hands on the reins, said, 'Mrs Masters might know. She used to visit old Mrs Wright when they moved her to the workhouse, after Dick and Violet had gone away.'

'Mrs Masters?'

'They have a farm over Mickleditch. Young Amy used to go out hunting – you'll remember her?'

'Yes. I remember Amy.' Amy had been a tough young blonde with an eye for Mark. 'I'll go and see her tomorrow.'

'That's a farm, now – Mickleditch,' Fowler said. 'They say he's making a fortune, with the wheat prices what they are. Both his boys are still at home, working, and even with conscription come in he's got them deferred. There's no flies on Masters.'

Christina hated the young men who stayed at home, alive, when Will was dead.

'Eighty shillings a quarter!' Fowler sighed.

'We'll get that next year,' Christina said angrily.

'If it comes up, we will.'

The statement was indisputable, and Christina said nothing.

'Make him stride out a bit more, Miss Christina. He's lazy, this one, if he has the chance.'

The farm where the sale was being held was swarming with hopeful buyers. Dog-carts jammed the lane, with bicycles threading their way through, pedestrians tramping over the verges.

'You can see how things have changed, eh? You never saw this before the war.' Fowler, in his element, had forgotten his original doubts, and even his deferential manners. Christina was pleased, almost amused, wondering if he would unbend enough as time went on to handle a plough, and be horseman to a team of Punches. They left Pepper

37

with a nosebag, and went round the yards on foot, searching out the horses.

'Horses and harness to go with 'em, Miss Christina. That's
what you want. Our machinery can be fixed; it's not too
far gone, and you can get your cattle off Masters or Discoll,
nearer at hand.' Fowler led the way, catalogue in hand.

Christina, at last, was not unhappy. She knew what she
wanted, and she liked the bustle and the smell, and the
feel of belonging to this crowd, because she was after a
bargain the same as all the rest of them. Fowler knew the

horses that were for sale, and shoved his way into the barn
where they were tied up, awaiting the auctioneer. Christina
followed, happy to leave the choice to him. Her mind was
roving, for all the business in hand, and kept going to
Violet and the child. Violet had become very clear in her
memory, and Christina's imagination had provided a sweet-
faced child, whom Violet would weep over.

Violet had been an intelligent girl, intelligent enough to
realize that her child would have a better chance in life if

it went to live at Flambards. Christina's heart was set on it, and the Violet of her imagination was not allowed to oppose this desire. Christina, looking at horses, was taut with a purpose that had nothing to do with horses. It was something quite unexpected that brought her mind back to the day's task.

'Oh, Fowler, look! Who's this?'

There were twelve farm-horses in a long row and at the end, in the corner, a riding-horse. It stood turned towards the onlookers as far as its tight halter would allow, its nostrils dilated with apprehension, as if at bay. It was obviously a well-bred animal although not very big; 'a lady's hunter', Christina would have thought an appropriate description, save for the fact that the white-rimmed eye and sweating shoulder suggested an unladylike temperament. It was a rich bay in colour, with dark mottles on its coat, as if it were standing under the shade of a tree.

'Who does it remind you of, Fowler?' Christina asked eagerly.

'Treasure, ma'am, to be sure. A little Treasure.'

'That's what I thought. Show me the catalogue. What does it say?'

Fowler showed her the entry, muttering a reminder: 'We're here for the farm-horses, miss, if you remember.'

The horse was entered briefly as 'Argus Pheasant, bay gelding by Black Argus, 14.3 hands, 5 years'.

'I want a riding-horse, Fowler.'

Fowler scratched his nose, saying nothing.

'He's a lovely horse.' Christina was confident that Fowler could not deny this. The horse was both compact and refined, with hard, wide quarters, thick through the chest, but with a fine, arched neck and a beautiful head. There was a narrow stripe down the face, ending in a pink snip on the muzzle, but all the points were black, and the feet hard and shapely. The animal stared at Christina, and she saw the red nervousness in his nostrils and the shadows in his eyes. 'He's been ill-treated,' she thought. 'Like me.'

'I shall buy him,' she said.

Fowler looked gloomy, and clicked his tongue against his teeth. 'There must be something wrong, or the Army'ld have had him by now.'

'He's too small.'

'They take them all sizes and conditions these days, except dead.'

Christina was impatient with Fowler's caution, and excited about the eager little bay. She allowed Fowler to pick his plough animals, acknowledging his judgement as he lifted enormous feet and ran his skinny fingers down the knotty tendons.

'They've all seen too much work,' he said, but Christina was confident, her mind on the bay.

'Buy which you want,' she told him.

'I reckon they'll fetch high prices. You should put a top mark on them, ma'am. We don't want to regret anything.'

'We must have them. You bid for what you want, and I'll pay for them. And Argus Pheasant, remember.'

'If you say so, ma'am.'

When the bidding started she was all impatience for the thirteenth horse. Fowler, by judicious nods of the head, bought Dolly, Punch, Jack, Boxer, Dusty, and Ginger, obviously stricken by the prices he was paying, and Christina felt her responsibilities gathering, her commitments starting, with a feeling more of foreboding than excitement. But for the thirteenth horse her eyes gleamed.

'He's not a lady's horse, ma'am,' Fowler said, as the gelding was led into the dusty yard. The buyers who had pressed round for the heavy horses were silent in a way Christina could not define. The horse, nervous at the crowd, stood with his head up, ears twitching, his eyes quick with fear.

Christina was moved by his beauty, the perfect balance of strength and refinement, and the arrogance of his stride.

'Looks aren't everything, Miss Christina,' Fowler said. 'He's a bad 'un – I'd lay a bet on it.'

'We'll bid for him,' Christina said, very sharp.

The auctioneer asked for a bid. A voice from the back cried out, 'Two and a tanner!' and there was a yelp of laughter. The auctioneer glared. After a long pause, someone offered two pounds, and the price rose spasmodically to twelve. Fowler offered thirteen. 'It's all thirteens with this horse,' he muttered to Christina. 'I don't like it.' Christina, anxious now, eyed her competitor. He was a wiry man, with a face like a ferret, eyes like nails. She knew that all the silent bystanders knew more than she knew about the horse; he was worth, by the present-day standards, ten times the last bid. He fell to Christina for fifteen guineas. Fowler shook his head.

'That's a bad day's work, ma'am.'

Christina, knowing from the low price that Fowler's fears were certainly well founded, pushed her way angrily through the crowd. She paid her cheque to the auctioneer's clerk and went to where a groom stood holding Argus Pheasant. Several people watched her, smiling.

'What's wrong with him, then?' she asked. She felt shaken, sick with disappointment.

'He's a bit funny in the head. Times you can't do anything with him, ma'am.' The groom was grinning.

'Why? Has he been knocked about?'

'Not the last year or two, but before that I reckon. He sees ghosts, the master says.'

Christina stroked her horse's neck, and he turned and pushed at her hand, eager and gentle at the same time. Christina adored him, but the disappointment was like a lead weight in her stomach. She felt bitterly angry at the

workings of fate, yet – strangely – would not have changed the afternoon.

'I'll manage,' she said.

'The master thought that,' the groom said. He was a young Fowler, Christina decided, stolid with country fatalism ... mud clods in the brain ... She had forgotten, after all the years with Will, how the country people kept their feet on the ground. With Will nothing had been impossible, not even flying in the sky. His feet, literally, had left the ground. The thought came like a shaft of sunlight – winter sunlight perhaps – to hearten her. A little courage was all that was needed. She took the horse's halter. She was aware of several men watching her, and knew that they were summing her up because she was presuming to become a farmer. Her fierceness touched the new horse, and he walked obediently beside her, to where Fowler was waiting for her. Fowler, she knew, would already have found out what she had just learned.

'We'll take him home with us, behind the dog-cart. The boys can fetch the other horses in the morning.'

'Very well, ma'am. When I've bid for the harness . . .'

'Yes. I'll walk him round until you're ready.'

Christina was not interested in the harness. She led Argus Pheasant out of the yards and into the field where the dog-carts and wagons were lined up by the hedge. There were only two motor-cars; one was Mr Masters's. 'You wait, Mr Masters. One day I shall drive to sales in my own motor-car,' Christina said to the smart Ford. It would not be for preference, only to show status, and her success with wheat. Will had taught her to drive a motor-car. A picture of Will, leaning out of Sandy's Model T with his arm stretched out to pull her up, his dark eyes laughing, cap on back to front, came into her mind very suddenly, very vividly. For a brief instant Will was as near and as real as he once had been in fact. Christina gripped the horse's halter, and shut her eyes, but the dream was past almost before it had come. Her mind reached to recall the vision, frantic, but it was irrevocable, dissolved like thistledown.

The horse started to graze. Christina stood desolate, feeling as if her heart had been wrenched out. 'Why now?' she said aloud, and leaned her face on the warm, shining back, her arm hanging over the withers. Just at that moment she had had no reason to recall Will, her new life taking shape with more urgency than at any time during the last few months. It took a vast effort of will-power not to be shattered, to straighten up from the horse's back and remember where she had been before the motor-car had so fatally distracted her. She had been happy, almost, in those few minutes before the groom had told her the truth about Argus Pheasant.

'It shows I can be happy now, if I want to be,' she told herself firmly. She stared at her horse, and saw his pink muzzle eagerly searching the autumn grass, his nervous eye moving back to watch her. 'It will be all right, Argus Pheasant,' she told him. 'You must make things come right, whatever those bumpkins say. You've got to cheer me up. You and my wheat.'

What a dangerous vessel to put her hopes in, she could not help her mind adding – a horse who saw ghosts! 'We both see them. We've got something in common, you and I, Pheasant,' she said. She followed his slow search over the pasture, the halter in her hand, remembering Violet again, and her own child, and all the things that made up her future. Even Marigold. Fowler was a long time. Christina pulled Pheasant up from his grazing and led him back towards her dog-cart. Coming towards her over the grass was a vaguely familiar figure, a girl of about her own age, with a tall, hard-faced, middle-aged man. A farmer, Christina thought, rich by the look of him ... the girl used to hunt ... Amy Masters. Christina turned her horse and went to intercept them, acting on an immediate impulse.

Masters recognized her.

'Mrs Russell?' He smiled and looked quite pleasant, while Christina remembered the sons he still had at home, making money, instead of getting shot at in France.

'I wanted to see you, Mr Masters – about –' She hesitated.

Masters, apparently not in a hurry, said, 'I hear you're going to farm Flambards. Is that right?'

'Yes. I'm going to try.'

'If there's anything I can help you with, you must let me know. I'm not too far away. It's nice to see you back again, although I'm very sorry, of course, about –' He went red, breathing heavily with embarrassment.

'It's men to do the work that seems to be the biggest difficulty,' Christina said hastily, changing the subject to the first thing that came into her head.

'Yes, you're right. I'm afraid that's one thing we're all

in trouble with. I'm not down to taking Hun prisoners yet, though! There's no one round here will touch 'em so far.'

Christina never knew such a thing was possible. How ignorant she was! Her bad buy, in the shape of Argus Pheasant, which both Masters and his daughter were eyeing with interest, embarrassed her in front of these professionals.

'We came to get cart-horses,' she explained. 'I wanted a riding-horse, too, but it seems he hasn't a very good reputation. It's rather late to have found out.'

'Funny things, horses. You might make something of him – he's young, isn't he? You won't get a better looker.'

Christina decided that Masters might not be so bad after all.

'That's what made me want him. He reminds me of Treasure, Mark's horse; do you remember?'

'Yes, you're right! There is a resemblance. Same blood somewhere, I dare say. What's the news of Mark, by the way? Have you heard anything from him?'

Christina saw Amy's eyes turn abruptly away from the horse and meet her own.

'No. No.' The brief moment of optimism was stamped out, again, quenched by reality. 'I wanted to ask you –' Oh, how difficult it was! 'Fowler told me that Mrs Masters might know where Violet went to – where she is now –'

'Violet?'

'She was the kitchen-maid at Flambards, before the war. A long time ago.'

Masters looked baffled. 'I'm afraid I don't know anything –'

'I remember who you mean,' Amy said. Christina saw by Amy's eyes that Amy remembered everything. She said stiffly, to put Amy off, 'I want to get in touch with her about a legacy. And no one knows where she is now.'

'My mother had her address. It's in London somewhere – unless she's moved.'

'Could I ride over for it tomorrow?'

'Yes, of course.'

'Come for lunch,' Masters said. 'Would twelve suit you?'

'Thank you very much.'

Christina felt that she had accomplished more that day than in all the others she had spent at Flambards. If only Will's ghost had not touched her, that moment in the field, she would have been happier than for a long time. She sat in the dog-cart, watching the new horse trotting uneasily behind, listening to the two sets of hoofs on the hard road: Pepper's steady and confident, and Pheasant's uneasy, uneven. She felt for Pheasant, she talked to him soothingly as they bowled along, and Fowler, shaking Pepper's reins, shook his head and whistled between his teeth.

Chapter 4

Christina rode over to Mickleditch on Pepper, although she would have dearly liked to try Pheasant. Fowler promised to have him ready for her to ride when she returned – 'In the park, ma'am, with myself to hand to pick up the pieces.' (Fowler seemed to have become more outspoken since the even tenor of his old age had been disturbed; Christina liked this, and realized – with less approval – how much she was coming to depend on his advice.)

She would have liked to be on Pheasant, purely for reasons of vanity, when she rode into the Mickleditch yard and one of Masters' sons, Edward, came to take her reins. She had been spoilt in the past by the quality of the horses old Russell had provided for her to ride; she found Pepper's lethargic paces and hard mouth very dispiriting. A little part of her mind flickered with anticipation at the thought of getting home and trying Pheasant, even while she was greeting Edward.

Masters had three sons, Edward, Herbert, and Percy. They were strapping physical specimens, quietly spoken, but with sharp, intelligent eyes. They were intelligent enough, Christina thought, to stay at home; with all the ardour of her age and experience she hated them for this. While Edward put Pepper away for her, she stood in the yard watching the harvest teams moving down the lane beyond, taking the wheat to the rick-yards where it was being unloaded and built into perfect ricks. Christina had guessed that Masters' ricks would not be the sort that sagged and had to be propped up with timber; they were meticulous and there were rows and rows of them ... the wagons swayed past, pulled by teams of gleaming, fit horses, two men to each wagon, besides the rick-builders.

Edward rejoined her. 'We're taking advantage of the weather. It's been a wicked wet harvest this year. I can't remember such a bad one, and no sign of a settled period ahead either. Ploughing will be all behind.' He smiled at her. 'Not a very good year for you to start, the land being so wet.'

Christina thought of her dusty horses and the dilapidated ploughs in her barn and her three ploughmen : the ancient, the miscreant, and the idiot. 'No,' she said.

Edward escorted her to the farm-house, a rambling ivy-covered building not unlike a small Flambards. But only in the architecture was there any affinity. Mrs Masters, a small, hard-bitten, very efficient woman, was supervising the serving up of the lunch, which was laid on a big scrubbed table in the middle of the kitchen. A cook was dishing up a leg of mutton and a kitchen-maid was putting out vegetables, whilst another woman had come to fetch beer for the harvesters. The Masters boys were washing in the scullery; Amy was fetching an extra chair. Christina had not seen so much activity for weeks. The serving of the food was being effected with the same speed and efficiency as the harvesting of the crops.

'My dear!' Mrs Masters came forward to receive her. Christina could see that she was shrewd and energetic, as essential a part of the Masters machinery as the farmers themselves. It was as if all the ingredients of the successful farm were being displayed for her own benefit : the number and nature of the people employed, their attitude to their work, and the equipment all in perfect order, the intricate, timeless getting of the harvest proceeding all to plan, even while the master took time off to eat his meal.

'We always eat lunch in the kitchen. You'll excuse us!

But just as well you came for lunch, because at this time of year the men are nearly all asleep by dinner-time.'

'It was very kind of Mr Masters to invite me.' Through an open door across the hall Christina saw the dining-room and the solid mahogany and the port decanters, dusted and bright with use.

The men came to the table and they all stood while the father said grace. Not shutting her eyes, Christina watched them and sent up a man-to-man prayer that was nothing to do with food: 'Oh God, I wouldn't have swopped any of them for Will. Thank you for Will.'

'Amen!' said Mr Masters.

He started to carve, very quickly and easily, and said to Christina, 'So you are going to be a farmer.'

She listened to his advice all through lunch, not daring to speak in case she showed her terrible ignorance. She seized on a few points to pass on to Fowler, such as the hiring of a steam-plough for the initial opening up of the land, but for the most part let it ride over her head. All the time she was very conscious of the strong Masters boys, proud of their cunning in evading conscription, pleased with the prices they were getting for their wheat. If it hadn't been for Will and Mark, Christina felt that they would have boasted to her about their skill and good fortune, but as it was, she could see that they were faintly embarrassed when the question of labour was raised. She was glad when they all excused themselves from the table, and left her with Mrs Masters and Amy.

'Now, it was that girl's address you were wanting?' Mrs Masters said. 'Go to my bureau, Amy, and bring me my diary for – let me think – the year Mrs Wright died ... eleven, I think it was, Amy. I'm sure I jotted Violet's address down at the time. We'll soon see, anyway.'

'Five years ago,' Christina thought. A lot had happened in five years. Violet might prove elusive.

'She went to London when she left you, I know that. She was in trouble, I believe. Dick going, and then Violet, was the death of Mrs Wright. She had nothing else to live for.'

'No.' Even now, after all that had happened, Christina could feel the awfulness again, of Dick being dismissed through something that had been entirely her fault. She remembered Dick's golden hair when he had taken off his cap to go and see Mr Russell; she remembered Mark laughing, and Will defending Dick, and getting beaten for his pains ...

'It was very sad,' Mrs Masters said.

'Yes.' Christina felt the guilt, like a sickness, go through her again. She and Mark between them had been the ruin of that small family and even now she was only wanting to see Violet for her own ends, not in any way to help Violet. 'But I *do* want to see Violet,' Christina thought stubbornly. It was no good wavering, being soft. The child had become too real to let go now. It was lodged in Christina's imagination as surely as her own was in her body.

Amy brought the diary and handed it to her mother. Christina knew that the mother and daughter were both thinking of the reason why Violet went away, but politely not saying anything. It was Mark's ghost this time that was very close, careless, amused. In the arrogant Russell manner, he had never given a thought to Violet after she had gone away. She had been paid off and sent packing, and that was the end of it.

'Thirty-six Waterhouse Street, Rotherhithe,' Mrs Masters read out. 'I'll write it down for you.'

Christina took the piece of paper.

'I'll go tomorrow,' she said. 'It's very kind of you.'

Her mission completed, she took her leave as soon as she decently could. Amy went to get one of the men to fetch Pepper, and Christina rode away from the farm through the fields where the harvest was being taken. She was excited and tensed up, her mind all bound up with the child. It had been so long since she had had anything to look forward to that she felt quite strange, as if she had turned into somebody else. Her mind kept running away with her, thinking of herself with this ready-made child. And in this vision the child was sweet-faced and smiling, with – in spite of the fact that it was a Russell – the same blonde hair as Dick and Violet; it held her hand as they wandered through the park, and the park was mowed and smooth and the fences neat, and the sun shone. The child was a girl, just as the child that she was going to bear was, she felt convinced, a boy. It was with a sense of shock that she rode into the stable-yard and saw Fowler with the new horse saddled and bridled, ready to be led out of his box.

'I saw you coming up the drive, ma'am, and I just put a bridle on 'im. I had 'im all ready for you.'

He held Pepper while she slid down.

'Oh – thank you.'

She had almost forgotten. She waited while he put Pepper away, trying to gather herself together. She felt very tired again, and unreal, almost dazed. The bitch, Marigold, was lying in the autumn sun beside the trough, watching her. 'Oh, what does it matter?' Christina thought inconsequentially. 'Nothing really makes any difference. Everything will happen how it is meant to happen. I cannot do anything to change it.' Whether Pheasant was any good or not, or whether she found Violet, or whether the child existed; whether she was to succeed or fail with her farm ... She took off her hat and repinned her hair, which was falling down on her neck. What did it matter?

Fowler led Pheasant out. The little horse watched her nervously as she came up to him. Fowler got him to move over against the mounting-block, and Christina noticed how neatly he crossed his legs, turning on his forehand, arching his neck to the bit. His coat shone like silk. Fowler had obviously been spending some time on him.

'The boys have gone to fetch the cart-horses, ma'am. They should be back soon. Eh up, young fellow. You're a lady's horse now.'

Christina got into the saddle. She had only ridden proved horses before, and was aware of a slight doubt as she picked up the reins. What she was doing was not wise, all things considered, but – if Fowler thought the same – it was not for the same reason that was in Christina's mind.

But Pheasant, nervous and kind together, walked without seeing any ghosts, round and round the small paddock behind the stables. Fowler shut the gate and stood watching, and Christina rode, feeling she was on the edge of a precipice. Not only in Pheasant's uncertainty, but in what was going to happen. She watched the horse's mane blowing in the breeze and felt the horse's doubts and her own working together, just as the warmth of their two bodies mingled where her leg touched his side. They neither of them knew what was going to happen. Christina put the horse into a trot, sitting firmly down in the saddle. He had a long, smooth stride, but there was this hesitation, a sense of anxiety about what lay ahead of him, and behind him. There was no relaxation in riding him.

'I don't know about seeing ghosts, but you're certainly looking for them.' She pulled him up and stroked his neck. His behaviour was so akin to her own mood that she could only think of it as appropriate. There was nothing to censure. He was perfectly obedient.

'He's all right,' she said to Fowler.

'All right now,' Fowler agreed.

He could be all right for ever, if she were lucky, just as Violet could be found tomorrow, if she were lucky ... Christina had this strange feeling that everything was out of her hands; it would happen, or it would not happen. She did not want to talk about farming, or about the boys, who were still away fetching the horses. She went back to the house, to look out some suitable clothes for going to Rotherhithe.

It rained again the next day, and Christina gave a passing thought to Masters's harvest as she rode in a hansom cab across Tower Bridge. The yellow river with its scum of filth seemed very far from the gold wheat of Mickleditch, yet the same wheat could find its way up here quite easily; several of the barges below were full of grain. Masts and yards reached up to dull autumn clouds; tug smoke and factory smoke mingled. Christina watched the rain spiking the water and shivered. It was like Battersea, where she had gone with Will after they had run away; the smell of the river, whiffs of sulphur and gas and brewing, stirred memories best forgotten.

She had dressed carefully, to appear authoritative and prosperous, but fairly inconspicuous. She felt like a governess as a result, in severe dark grey (save that she was showing, perhaps, a good deal more ankle than a governess might, even allowing for wartime freedom in dress). She was nervous, very depressed, and excited all at once. She sat in the cab screwing her gloves in her fingers, wondering if she was making a terrible mistake in what she was attempting to do. 'But Violet will have gone,' she reassured herself. 'I am getting worked up all for nothing.' The patient cab-horse wove its way past several drays and a steam wagon, crossed some jolting tram-lines, and continued its weary trot down a cobbled road lined with shops. Nothing Christina saw cheered her up at all: the shabbily dressed women clutching their straw shopping-bags – any of them could have been Violet, for they were all grey-faced and anonymous in the rain. The cab pulled up for a tram, then turned off down a street of small, mean houses. A left and a right, and Christina saw the name Waterhouse Street. The doors opened straight on to the worn pavement flags; broken gutters deluged rain-water down the pitted blackened brickwork, runnelling the dirty window-glass where grey curtains moved with curiosity to the sound of a hansom. A sodden newspaper flapped across the cab-horse's foreleg, cartwheeling out of an overfull dustbin. 'Hard fighting round Thiepval.' The lettering mashed into the cobbles, and the cabman shouted down to Christina, 'Number thirty-six, ma'am!'

'Wait for me a moment,' Christina said to him.

She could not stop shivering. Number thirty-six was no different from any of the other numbers. Its windows were as dirty, the paintwork peeling. Christina raised the knocker and let it crash. It made a hollow noise, as if there were no carpets inside. A man and woman walked past her on the pavement, staring hard.

After what seemed to Christina a very long wait, she heard feet shuffling behind the door, and the door opened. A woman of about twenty-five, wiping her hands on her apron, looked at Christina sourly. She took in Christina's dress, and the hansom cab, with an expression of surprise, which gradually changed to one of servitude, and then apprehension.

'What d'you want?'

Christina knew at once that it was Violet, and the shock of it almost took away her powers of speech.

'Vi – Violet –' She swallowed, to make her voice come right. 'Do you remember me? Christina?'

'Oh Gawd!' Violet's already pale face went white. 'Yes! Oh, miss – ma'am! Oh, whatever –'

'Can I speak to you?'

'Oh, yes, ma'am, come in, do, I'm sure –'

Christina paid off the cab, her fingers trembling with

54

excitement. She was astonished at finding Violet so quickly, as shocked as Violet looked. The thought of what she was going to ask Violet made her feel sick.

Violet was saying, 'You'll have to excuse this place, Miss Christina – ma'am. It's just a pigsty. If you'd like to sit here a moment, I'll just see to the children –'

Stepping inside, Christina could understand Violet's harassed looks, for the house was not designed for entertaining. The fire that burned in the grate was entirely invisible behind the banks of steaming washing hanging in front of it and from the ceiling above it, and the rest of the room was filled by a large dining-table covered with a tatty velour cloth and the chairs that stood round it. A coloured engraving of Queen Alexandra on one wall stared at Christina as she edged her way in.

'I'll just move some of the washing, so's you can see

55

the fire. This weather's such a ———.' Violet used words that surprised Christina, although she did not show it. She only thought that, perhaps, if she lived in such conditions she might use the same words. A glimpse through the open door into the kitchen showed a chaos of brimming sink and buckets, something boiling over on the stove, a baby strapped in a chair eating bread and jam, and two other children playing at the sink, screaming with laughter. They were girls, with long blonde curls. Violet, having revealed the fire, turned her attention to them, silencing them with brusque slaps.

'Give us some peace now!' she told them sharply. 'I'll give you a penny and you can go and fetch me a basin of pease pudding at the shop. Get your coats!'

Behind smears of jam, the little girls had thin, pretty faces, blue eyes all curiosity. Christina watched them closely, hearing her own heart beating with nervousness. The eldest looked smaller than she had imagined, but, even in her grubby pinafore and broken boots, she had a charm that encouraged Christina. Her tangle of uncombed hair was the colour of Masters's harvest.

Violet quickly submerged this attractiveness beneath a torn coat several times too big for the child and an ugly bonnet. The other one similarly garbed, they were both shooed out into the rain and the door slammed behind them. Violet put a kettle on to boil, scooped up the baby, still with bread and jam, and took it up the uncarpeted stairs which opened out of the living-room. Presumably it was put into a cot, from where it cried for the rest of the time Christina remained in the house. Christina thought of her own baby, and realized that she knew very little about children at all. Compared with Violet, who handled them with such careless disregard, she was a complete beginner. This thought did not increase her confidence.

'There, we might get a bit o' peace now,' Violet said.

'They drive you mad this weather, under your feet all day.'

Violet was thin to the point of gauntness, the prettiness that Christina remembered quite vanished. Her fair hair was dulled and her cheeks fallen in. Her face in repose had a look of permanent worry, which had made lines across her forehead. Christina remembered her watching Mark, and the glow that had lit her, touching her with beauty. It seemed impossible now.

'I'll make us a cup of tea, ma'am. I'm sure you could do with it, if you've come far.' The remark was questioning.

'I've come from Flambards,' Christina said.

'Why, are you back there, then, ma'am? I heard as you'd gone away, with Mr William –'

'Yes. We got married, but he was killed, so I've gone back. Old Mr Russell is dead, so there's no one else there now. Only Mary and Fowler.'

'I'm sorry, ma'am.' Violet's voice was quiet. Christina knew what she was thinking.

'Mark is dead, too,' she told her, to get it over. 'He was reported missing after the fighting round Gaza. That's all I know. We've not heard another word.'

Violet did not say anything at once, and there was a long silence which Christina did nothing to break. Having known the facts herself for some time made them no less bleak now, and in the silence she felt very close to Violet.

Eventually Violet said, in a flat voice, 'Well, he was the sort, I suppose. Not to sit back, I mean, and let everyone else do it. I've often wondered ...' Her voice trailed away. There was another, shorter, silence, then she said, almost vehemently, 'Well, it was a long time ago. I've been married twice since then. He's not the only one I've wept over, believe me. I'll make the tea.'

She made it, very strong, in a brown teapot and brought cups and saucers and sugar and a jug of milk and set them on the table. The fire was now burning cheerfully; the rain rattled on the window-panes, and Christina's nerves were soothed. It was homely, amongst the washing, stirring the thick tea. She could say it now.

'Really, I came to see whether – to see the child, Mark's child.' She felt her cheeks flushing as she spoke.

Violet gave her a surprised, suspicious look. 'What do you want with him, then?'

'Him?' Christina was surprised, too.

'It was a boy.'

'I thought – I assumed it was the girl –'

'No. The girls were born when I was married to my first husband. He was killed at Mons and I married his brother and we had the baby. The story of my life in a nutshell.' Violet sighed, as if the recounting gave her little to congratulate herself upon.

'Where's the boy now, then? Does he live with you?'

'Yes, he lives with us. Now he's where he always is, I suppose. Up at the brewery.'

Christina, who had worked out that the child was not yet six, was puzzled. 'The brewery?'

'He hangs round the stables there all day long. The carters take him out with them. He's a proper little ——.' Violet used the same words as she had used earlier for the weather.

'I wanted to take him back to Flambards.' Christina decided not to hesitate. She felt that Violet, having obviously had several knocks in her life, was a person one could approach squarely. She looked too tough to be shocked by the suggestion. Also instinctively, after Violet's description, she did not want to flinch from the plan herself. This prompted the rather brutal announcement of her reason for coming.

'Well!' Violet was startled. 'You mean –'

'There's nobody left now. I thought, if he could grow up there, he could take Mark's place. He could have everything he wanted. I would pay for it all. In fact, if you agree to let me adopt him, I would pay you a sum of money to make it worth while.'

'How much?' Violet asked sharply.

'Five hundred pounds.'

Violet stared into her cup of tea, and stirred it absently. Then she tapped the teaspoon in the saucer and stared out of the window.

'We could use five hundred pounds,' she said.

She got up and went to fill up the teapot in the kitchen.

She was very slow, and came back without saying anything, her eyes far away. She poured Christina another cup, and herself, and stirred sugar into the fresh cup. Christina sat listening to the rain, and the puttering fire, and felt that time had stopped moving. She felt numb, almost as if it didn't matter very much, whatever Violet decided. Although it had mattered, earlier. Then the feeling came again, as it had the day before, that it was all out of her hands, that nothing really mattered any more. She let her breath out with a sigh, and knew that everything would take its course, one way or the other. She would adjust to whatever Violet decided.

'My husband wouldn't be sorry to see the back of him,' Violet said, 'but –' And she stopped. Whatever she had been going to say she bit off abruptly. An expression crossed her face that Christina remembered strongly from the days when she had been the kitchen-maid; it was what she had thought of as Violet's sly look. 'Violet is hiding something,' she thought instinctively. And again, 'But what does it matter?'

'It's up to you,' she said to Violet.

'He's been nothing but trouble,' Violet said. 'Jack'ld give him away for five hundred pounds any day of the week. But –' She caught herself up again. 'So would I,' she added. 'I've got more on my hands than I can manage, without him.'

There was another long, heavy silence. Christina said, because she felt she ought to, 'You should discuss it with your husband before you decide.'

'Oh, no. *He* would have the money, no argument. So would I, come to that. It's –' She paused. Another silence. Then Violet pushed her chair back abruptly and said, 'We'll go and fetch him, shall we? Or would you rather wait here?'

'I'd rather come.'

They went out into the rain, leaving the baby crying upstairs. The low clouds, mingled with smoke, made it seem like dusk, and the smell of the river came with the rain, and the smell of breweries and drains. Christina held her smart umbrella over Violet. All her smart clothes were left from the Hendon days, before she was married, when she had gone to watch Will give flying exhibitions. It seemed like fifty years ago. 'Whatever am I doing?' she wondered, avoiding broken flags, feeling the water splashing the backs of her legs. Nothing was real any more.

They came down into a busy street, waiting on a corner for the horse traffic to go past. Behind them, the Red Lion was doing a busy trade. Over the cobbles and down a street flanked with warehouses; then Christina smelt the familiar warm smell of stables, and Violet passed through high gates into a brewery yard. An empty dray followed them through, pulled by a pair of bay Shires, and they had to draw back against the wall; opposite, another dray was loading, the horses champing their bits impatiently. They were magnificent animals. Even now, with quite a different excitement inside her, Christina watched them admiringly, appreciating the work that went into such a turn-out. A warmth touched her, that the child was drawn to this place, and she looked eagerly for a sight of him.

'Is Tizzy here, Bert?' Violet called to the men loading.

The men, staring at Christina, shouted back, 'He's out with Charlie.'

Violet swore. 'Will he be long?'

'No. Short haul. Another five minutes, perhaps.'

'D'you mind?' Violet asked Christina. 'He's not back till dark as a rule. The men give him bread and cheese, he's not bothered with his dinner. And it suits me.'

'No –'

Christina drew back as another dray swung in at the gates.

'This is Charlie,' Violet said.

Up beside the driver sat a small figure with a sack over his head. Already, before the horses had stopped, he was scrambling down like a monkey, running to their heads.

'Tizzy's ma wants him, Charlie,' the men shouted, and Charlie swung round to Violet with a grin.

'What'll I do without my mate, then?'

Violet swore again, not amused. 'Tizzy!' she shouted angrily across the yard. 'Come here, before I come and clump you. We haven't got all day!'

The figure turned, dropping the traces that he had already unhooked, and came with obvious reluctance, glowering. In his expression Christina saw Mark, facing his father after some misdemeanour, clenching his hands as if he already felt the cane. The features were so alike, and with them the same strong similarity to Will, that Christina was taken off her guard. She pressed back against the wall, feeling that she wanted its solidity to hold her, and stared. Tizzy stared back at her with exactly Mark's candour, tinged with insolence. His eyes were the Russell almost-black, his hair black and curling with the rain. (A faint, faint memory of a sweetly smiling blonde girl-child stirred in Christina's mind and sank, for ever, without trace.)

'Who's she?' Tizzy said to Violet.

'Mind your lip,' Violet said sharply. 'You're coming home with us.'

Tizzy stuck his underlip out and glared. 'I don't –'

Violet's hand shot out and struck him smartly across the cheek, leaving red finger-marks. Tizzy's eyes filled with tears – physical, involuntary tears from the blow rather than emotional tears, for his truculence remained undoused. He went on glaring murderously at them both. Violet turned round and marched out through the gate with a sharp 'Come along.' Christina, after a moment's doubtful hesitation towards Tizzy, followed her, and Tizzy trailed behind, muttering. Christina's emotions were in a turmoil. She held up her umbrella and saw the traffic as if through a fog. A tram's jangle stopped her. She waited with Violet on the kerb, trying to gather her wits.

'We're lucky he wasn't out all day,' Violet said tartly, hauling the child across the road by the arm. 'All the men-folk in my family are the same – only in for meals. Bellies and bed – it's all they think a home's for.'

She kept up a tirade all the way home, holding Tizzy's wrist in a grip that whitened the flesh over the bones. When they got to the door she flung Tizzy inside ahead of her and stood back for Christina to go in. Seeing the velour table-cloth and the stale teacups, and the steaming washing, Christina felt a frantic desire to clutch Tizzy as tightly as Violet herself had done and run.

'I won't stay,' she said, trying to keep her voice normal, not to show that all her wits had proved ungatherable. 'If you agree, I'll write you a cheque, and take him home with me now. A solicitor will draw it all up so that it's legal.'

'Yes, I agree.'

Christina wrote the cheque, after Violet had gone to borrow ink, and left it on the table. Upstairs the baby was still crying and in the kitchen Tizzy was quarrelling with the two girls who had returned from their errand. Violet went in and hit him again, and stood him against the sink and scrubbed his face and hands.

'Go and fetch your best boots,' she commanded him, having rubbed him violently dry.

'Why? Where are we going?'

'You're going with this lady.'

'I don't want –'

'Do as you're told!' Violet's hand shot out again, but this time Tizzy stepped back in time, and ran for his boots.

Christina stood waiting, cold inside.

In a few minutes Tizzy stood before her, an incongruous

little object in his best clothes, his hair parted and flattened, his face trying to show defiance, but not succeeding very well. He looked very small and vulnerable. 'Whatever am I doing?' Christina thought desperately. The two girls stood staring, their fingers in their mouths.

'Where's Tizzy going?' the younger one asked.

'Tizzy's going with this nice lady,' Violet said. 'I've made a parcel of his clothes, ma'am. If –' Her rough voice trailed off. Tizzy was looking at her hopefully, two large tears swelling on his eyelashes. Christina thrust out her hand, and took Tizzy's.

'Come on,' she said. 'I've got eight horses. I'll show them to you.'

Tizzy came. Violet pushed the small parcel towards Christina and opened the door. Christina did not dare look at her.

Violet said, in a choked voice, 'His name's Thomas – Thomas Mark.'

'I will get in touch with you,' Christina said, 'as soon as –'

Instinct told her not to linger. Violet's haunted face seemed to follow her all the way down the street. Tizzy half ran at her side, his hand still in hers, and she could not tell whether the wet on his cheek was rain or tears. Nor on her own either. 'What have I done? What have I done?' she kept thinking. She walked very quickly, panic-stricken. Somehow there was a tram, and on Tower Bridge a passing hansom where Tizzy wanted to sit with the driver. At Liverpool Street Station, Christina showed him the trains but he preferred the cart-horses. Christina was comforted.

'What's your horses called?' he asked her.

Christina tried to remember, and made up what she had forgotten. 'And Pepper and Pheasant – they're riding-horses.'

'Can I ride Pheasan'?'

'You can ride Pepper.'

'I wan' to ride Pheasan'.'

'All right. But he's very –' She hesitated. What was he very? She had yet to find out.

'Is he a ——, like Tiger?' He used a terrible word, worse than Violet's.

'Yes,' Christina agreed. 'He's a ——.'

Tizzy sat on the train seat, his thin legs swinging. His nose was running, and he wiped it on his sleeve. When the train started to move he scrambled up and put his head out of the window.

65

'Mind your –' Christina started, but she was too late. The cap with the hard new peak had already fallen off and lay beside the track like a busker's appeal. Tizzy withdrew and cringed, a look of animal terror on his face.

'It doesn't matter,' Christina said.

'I didn't –' His voice was a wail. 'It fell – it –'

'It doesn't matter.'

He looked utterly bewildered. Christina watched him, shattered again by the familiarity of his features. The wind caught his flattened hair and it started to spring up. 'Whatever have I done?' Christina thought again.

Chapter 5

'Oh, my God!' said Mary when she saw Tizzy, and went as white as a sheet. Christina had to fetch her some of old Russell's brandy, which still stood in a decanter in the sideboard. Fowler, whose reaction had been exactly the same, stood in the kitchen, wiping his feet, grinning and agitated, turning his cap round and round in his hands.

'He's a right chip off the old block and no mistake, 'strewth. Eh, Mary?'

Mary started to cry. Christina, who was tired and had a splitting headache, wanted to shout at them.

'Have you got something for tea?' she asked Mary.

'It's in the oven.' Mary scrambled to her feet, dabbing her eyes. 'Oh, ma'am, how could you do such a thing? And him nothing but a little b——'

'Don't you dare say that!' Christina said, turning furiously on the old woman. 'Get the tea before I throw something at you! Don't you ever say anything like that again.' She felt close to tears herself, exhausted by the day's events. How ridiculous, now, if they all sat around crying . . . She straightened up firmly. 'Take your coat off, Tizzy.'

'Tizzy?' Mary repeated, not beaten. She slammed plates down on the table. 'What sort of a name is that?'

'His name is Thomas,' Christina said, dropping down on one knee to undo his coat buttons.

'It's Tizzy,' he said.

'Does everybody call you Tizzy?'

'Yes. I wan' to see Pheasan'.' He looked at Fowler and added, 'She says Pheasan's a –'

'Tizzy!' Christina drowned the word, hastily snatching his coat. 'Come and sit at the table now.'

Fowler was chuckling. 'Well, I'll be –'

'Get out,' Christina said to him. 'Get out!'

'You sit down, ma'am,' Mary said, reversing the roles abruptly. 'You're tired out, I can see. I'll see to the young brat. Come and sit here, what's-your-name, and mind your manners. You're in a lady's house now.'

Christina, not caring any more, sat at the table and watched Tizzy adjusting to this new person. A cautious appraisal of the situation seemed to come naturally to him; she guessed that he had learned, through an instinct of self-preservation, to judge the adult humour. He watched Mary with his bold Russell eyes, and Mary kept darting him unbelieving glances, clicking her tongue under her breath, and muttering every now and then. Tizzy ate loudly and enthusiastically, his head well down to the plate, elbows out.

'Like Marigold,' Christina thought. When he had finished he said, 'I want to see Pheasan'.'

'It's dark now,' Christina said involuntarily.

'You *said*.' Tizzy glowered at her.

'Yes, I did.'

They went out into the autumn evening, Tizzy holding Christina's hand. A great gold harvest moon, like something theatrical, hung over the covert, and an owl sent out its eerie, wintry calls, as if stage-managed for Tizzy's benefit. His hand tightened in Christina's.

'What's that?'

'An owl.'

'What's nowl?'

'Just a bird. You don't get them in cities.'

'Where's the lamps, then?'

'You don't have lamps in the country. The moon does.'

'It smells.'

Christina smelt the great autumn primeval smell of everything that was wet and earthy and dank, that smelt of leaves and dripping webs and trodden fungus and all the rotted, wet, decayed things of years, decades, and centuries back, and said, 'Yes.' A sense of time and inevitability, of becoming fungus in one's turn, as old Russell had done and his great-great-grandfather, as Will had and she would, and Tizzy, too, in his turn, went through her with piercing sad nostalgia. The owl and the moon were no help at all, nor Tizzy's trusting hand.

'Look, here are the stables.' She was glad to pass through the gates and take Tizzy across the yard and into the silent building. The moon shone through the windows and showed the row of empty boxes, the railed tops gleaming. But Pheasant and Pepper gave low, welcoming knuckers, turning their heads round from the hay-racks, and Tizzy went forward eagerly. Christina saw the look of surprise on his face.

'They're cab-horses. Little horses.'

Christina, remembering the brewery Shires, laughed at his disappointment.

'Not cab-horses! Not Pheasant, anyway. He's a thorough-bred – almost a thoroughbred, at least. Look at his lovely head.'

Tizzy looked. 'You said eight. Are the others big? Where are they?'

'They'll be over at the farm.'

'I want to see them.'

The day had been so strange Christina saw no reason why it should not continue that way. She bridled Pepper and led him out into the moonlight, beside the mounting-block. She got on him, astride, so that the legs of her drawers showed beneath the bunched-up skirts of her governess dress, and pulled Tizzy up in front of her, astride over Pepper's withers. He was warm and thin against her, sitting confidently, as he had obviously sat many times on the Shires.

'You can ride,' Christina said.

'Yes.'

They rode out of the yard, heading across the field for the track through the covert. As they passed through the gate a pied shape detached itself from the shadows and ambled beside them.

'That's Marigold, my foxhound bitch.'

Tizzy wriggled with excitement.

'Can I have her? D'you want her?'

'You can have her, if you want.'

'Does she chase foxes?'

'That's what she is bred for.' What did the child know about chasing foxes, Christina wondered? The moon shone above them like a reading-lamp, picking out every blade of yellow grass, every shrivelling oak leaf. It was quivering still, bright and strange. Pepper went obediently, and passed into the mysterious gloom of the covert, his hoofs making no sound on the peaty path. Christina felt Tizzy tense with nervous curiosity. Marigold ran backwards and forwards, casting, halting, and leaping through the undergrowth. Her cheerful hunting, rattling through the wood, was a relief to Christina, breaking the spell of the silent covert.

'There. You can see the farm, at the bottom of the track.'

They came out of the wood and the fields of abandoned barley spread like a silver sea before them. Tizzy, to whom the scene was as utterly incomprehensible as the sea itself would have been, said, 'What is it?'

'What's what?'

'It. All.'

'It's fields of corn. Barley. Barley is what beer is made from. What your horses carry on their drays.'

Pepper went down the track and Marigold ran on ahead, plunging in and out of the hedge. Webs of cloud passed over the moon, and cleared, and they came down to the farm buildings and saw the holes in the thatch and bulges in the walls as clearly as if it were daylight.

'It's old, your farm,' Tizzy said.

'Yes. It needs mending.'

But it was not so dead, now, as it had been before, with the six horses in the stable. The smell was of living animals, not just rot and mustiness, and as they went in through the door the steady sound of munching was comforting. Christina noticed that the moonlight shone in through the holes in the roof, outlining the motley half-dozen. Even before Tizzy said it, she saw that the horses were very humble compared with his Shires.

'You'll have to be my horseman,' she said to him, 'and make these horses all smart and shining.'

She had no horseman, she remembered. Neither Stanley nor Harry knew how to look after horses, and old Fowler was past keeping eight horses without help, even should he condescend to do the farm-horses at all. The tatty harness lay in tangled heaps on the floor, where the boys had dropped it. The leather was cracked and the buckles rusty. For a moment it was as if the merciless moon was picking out, spotlighting, her formidable problems, mocking the dusty, work-worn horses in the stable, and swilling the acres outside, right to the farthest corner of the farm, to show her how much work there was to do. Masters's mention of the word 'prisoners' came into her head. She stood there, her mind turned from Tizzy to this basic problem.

'I shouldn't have come,' she thought. 'I didn't have to remember all this tonight.'

There was enough without it. But Tizzy was happy. They rode home, Marigold running ahead, and Christina let Tizzy lead Pepper into his box, and take off the bridle. Pheasant whinnied over the partition, his white blaze gleaming in the dark.

'Will you feed the horses for me tomorrow?' Christina asked Tizzy.

'Yes. An' can Marigol' come back with us? Will that old woman mind?'

'No.'

It was almost too good to be true, that Tizzy was content to stay. Christina took him up to bed, with some bread and jam and Marigold, silencing Mary's protestations with a glance. Mark's bed had been made up and a hot bottle put in to air it – the only sign of comfort in the comfortless room, Christina noticed with a pang. Mark had never been one for frills; his room, exactly as it had always been, was decorated solely by mounted foxes' masks, snarling from the walls, and the solitary silver cup that Treasure had won in the point-to-point in 1913.

'What are them things?'

Tizzy, looking ridiculously small and lonely as he sat up in the huge, sagging bed, eyed the masks doubtfully.

'Just stuffed foxes.' Christina, aware of their unsuitability in making a small boy feel at home, tried to dismiss them as if they were of no importance. 'Look, Marigold will stay in your room with you. She can sleep by the bed, and you can talk to her. I'll leave this candle burning.'

'What's that jug?'

'That's a silver cup that was won by a horse called Treasure in a race.'

'Did you ride him?'

'No. Your –' She very nearly said, 'Your father rode him', but stopped herself in time.

'Can I ride him?'

'No. He's gone to the war.'

'Can I ride Pheasan'?'

'Perhaps.'

'Tomorrow?'

'We'll see.'

She backed to the door, shaken more than she could have imagined by the sight of Mark's infant in Mark's bed. Her plan had worked with diabolical success. She felt utterly exhausted, all her emotions used up.

'Hi, missus!' The voice called her back when she was half-way down the stairs. She went back.

'Can I ride Pheasan' in a race?'

'Yes.' She was more weary than he was. She went to bed and slept without dreaming, until an ice-cold hand laid itself upon her cheek and a hoarse voice said, 'I don' like them foxes.'

Standing in the white moonlight, Tizzy wept, the tears rolling out of his dark eyes. Marigold stood anxiously by him pushing her muzzle at Christina's face.

'Oh, Tizzy!' Christina lifted up her blankets, making a black, warm cave for him. He scrambled in and snuggled up to her, and Marigold put her front legs on the bed, wriggling with excitement.

'Get down!' Christina said to the bitch. 'Don't cry, Tizzy. You can stay with me.'

'I wan' my Uncle Dick,' he said.

'Your –' Christina started up, only to be instantly overwhelmed by the arrival of Marigold. One clumsy paw almost went in her mouth. She beat at the bitch, shoving her plunging friendliness aside.

'Get off, you brute! Down! What did you say, Tizzy? Who do you want?'

'I wan' my Uncle Dick.'

'But your Uncle Dick is –' Is what? Christina pushed Marigold off the bed. 'Tizzy, where's your Uncle Dick? I thought he was –'

'M'Uncle Dick's at home.'

Christina lay back, shaken. She was as much shaken by

her own lurching emotion at Tizzy's mention of Dick as by the news that Dick was at home.

'I thought he was in the Army. I thought he was abroad.'

'He come back. Can Marigol' come in the bed?'

'No, she can't. What does your Uncle Dick do now, then? Is he working?'

'He goes in the Red Lion.'

It was Dick, then, who wouldn't have sold Tizzy for five hundred pounds, the reason for Violet's hesitation. Of all the ironies in life, Christina considered the one revealed by Tizzy: that Dick and Tizzy were friends – and Tizzy was the son of Dick's great hate in life, Mark. It was because of Dick, not because he was his father's son, that Tizzy was drawn to the brewery horses, that he knew about foxhunting.

'Does your Uncle Dick tell you about horses?'

'Yes.'

'He used to be a groom here. When he was a boy.'

'No, not here.'

'Yes, he did.'

'He was a groom at Flambar's '

'This is Flambards.'

'Oh, no, it isn't,' Tizzy said. 'Can Marigol' come up? She wants to come up.'

Marigold came up, wriggling against them, all hard bone and sinew. Christina, pushed on to the far edge of the bed, heard Tizzy's breath lengthen into sleep, and thought of Dick. She thought of Dick all night, and slept when it was almost dawn.

The possibility that Dick, of all people, might come back to Flambards to help run the farm was in Christina's head constantly. Now that the horses had come, the farm was a reality, no longer just an idea. Immediately, there were the horses to be fed and groomed, the stable roof to be

75

mended, the harness got serviceable and the farm paddock securely fenced so that the animals could be turned out until the machinery was ready for them to use. All the machinery needed attention. The blacksmith and the wheelwright came up to look it over, and Christina drove over to the office of the steam traction company, whose address Masters had given her, to see about a gang coming up to plough up the Flambards weeds. The same day Fowler went to see Masters about buying cattle. 'We shall never do it all, with only Stanley and Harry,' she thought. They had cut back the ivy and hacked the garden away from the terrace, and now it was their turn to become farm-hands proper. There were the hedges to cut and burn and the cattle-yards made secure. Harry did whatever was asked of him, slowly, happily, and to the best of his ability, and Stanley appeared to work very hard, but in fact got very little done. Christina had the harness moved into the kitchen and worked on it herself with neat's-foot oil, evening after evening.

'I'm going to ask the Agriculture about getting prisoners,' she said to Fowler, having made up her mind. They were in the kitchen, having lunch.

'Prisoners! Huns!' Mary turned round from the stove, glaring. 'Here in Flambards? After the dirty swine killed your own husband?'

'It's highly unlikely that I shall be offered the dirty swine that killed Will,' Christina said, in a voice that silenced Mary.

'It'll be a sad day as sees a Hun set foot here,' Fowler said stubbornly. 'There's no one round here stooped to it yet.'

There was a silence. Christina would not argue, but her face was stony. She thought, 'If Dick would come and work here ...' She still had not discovered why he was no longer in the Army, for Tizzy did not appear to know.

She presumed he had been invalided out. Day after day she had almost made up her mind to go and seek him out, and day after day, for a reason she could put no name to, she put it off. She was frightened of what, in the past, she had done to Dick, and the thought of facing him again made her sick with panic. Worse than when she had gone to seek out Violet. 'But *that* was all right,' she reasoned with herself. 'Why not this?' And she knew she would never rest until she had seen him again.

'I will see if Dick will come, and if not –' She shrugged.

Soon, too, she would have to tell them why she was putting on weight. This would be a shock of a different kind; Christina reckoned that Mary would require the brandy bottle again.

Hammering noises came from the hall, where an ancient builder was slowly doing the repairs, helped by Tizzy and Marigold. Plaster and wood-shavings were trailed through the whole house; the dust lay in thick layers. And in what Christina hopefully thought of as her sitting-room the builder's grandson, a boy of twelve, stripped paintwork with an enthusiasm that would score the panelling for the rest of its days. The carpet was rolled up out of the way and the wormeaten floorboards gaped, half knocked out, the new timber stacked ready. Christina, worried and tired, listened to the noise that – a few weeks back – she had so desired, and longed for peace. With the child becoming a reality inside her, she now wanted to withdraw, to dream, to reflect upon this strange act of nature, so commonplace and yet so utterly uncommon in its effect upon her feelings, but because of the child she was committed to this turmoil. 'Never satisfied,' she said to herself. But at least she had overcome the habit of grief. The letters, the unofficial and the official, and the telegram which started, 'We regret to inform you that your husband, Captain William

Edward Russell, D.S.O., was killed in action ...' had been locked away.

Fowler, tuned to complaints, said, 'And you must decide what you want to do with that funny-tempered gelding, ma'am. He needs more exercise than you're giving him, or we'll have trouble!'

'Oh, Pheasant ...' Christina had found she could ride Pheasant, and he saw no ghosts, and went kindly. That and Tizzy were the two great slices of luck which had come her way, the two gambles that had come off. Fortune, after all, was not entirely against her.

'We can't ask anyone else to ride him, the way he is, and I'm too old to care for the likes of him. Old bones don't mend easy.' For Pheasant, who went for Christina, had seen enough ghosts when Fowler had ridden him to put the old man off for life. He had shied at a pigeon and bolted and Fowler had not been able to pull him up for over a mile; then, coming back, he had taken exception to a gateway and refused to pass through it. Fowler, after twenty minutes of coaxing and beating, had had to come back another way. 'And I've never given in to a horse before, ma'am, believe me. But I'd be out there yet with that devil –' The same afternoon Christina had ridden through the gateway without any trouble.

'He takes to you, ma'am.' Christina found more comfort in this fact than in anything else in her present life. When she rode out none of her problems loomed so large; there was a solace, and gleams of sunlight, optimism, the old quickening ... almost happiness. 'Sorrow doesn't last for ever,' Christina thought, and was almost guilty.

But she was less supple than she used to be and knew that her riding days were numbered. Not that she could tell Fowler this.

'I think you'll have to turn him out in the park, and he can exercise himself,' she said.

'But he'll be clipped out in a day or two, ma'am.'

'Don't clip him, then.'

Fowler was aghast. But Christina would not listen to his protests. 'Everything is different now. You told me that yourself. It goes for the horses as well. There is a war on.'

Apart from the occasional aircraft overhead, which turned her heart over, it was hard at times to remember this fact. From a life that had been lived entirely for Will's leaves, scanning the newspapers daily for news of his squadron, personally involved in every fluctuation in the fortunes of the British Army, Christina found it hard to believe that, with Will's death, the war had not ended. Death was no nearer now than a clean-picked carcass left by a fox, or the rabbit in a poacher's snare.

'Can I have a ride on Pheasan' today?' Tizzy appeared at the door, as if drawn by talk of the horse. After the first few days he had swopped his allegiance from the cart-horses to Pheasant, drawn unerringly to the best horse in the stable. He had demanded to own him, but Christina would not give away this possession so easily. She had promised him a pony of his own, but he didn't want a pony. He wanted a horse. Christina remembered that she was going to try to find Woodpigeon, and promised him Woodpigeon, but Tizzy wanted Pheasant.

'You and your Pheasant!' Fowler grinned.

'He's *her* Pheasan'.' Tizzy growled. 'She won' give 'im to me!'

'No, indeed! She gave you Marigold, didn't she?'

'I wan' Pheasan', too.'

'You've got more than you deserve already, young fellow-me-lad,' said Mary.

'Had he?' Christina wondered. He had transplanted well enough, but only to satisfy a stranger's whim; who was to say he would be happier at Flambards than in the rough and tumble of the brewery yard in Rotherhithe? Sometimes there was a look of bewilderment on his face, as if he didn't quite believe anything. He did not like his lonely bed at night and asked for his sisters, Iris and Amy, or whether he could come in with Christina, but Christina decided firmly that he would have to make do with Marigold. So he got Marigold in with him under the blankets, and talked to her in the dark. 'She keeps them old foxes off,' he said. Christina would not take the masks down, although in her heart she knew it would be kinder. But Tizzy was Mark's son, and not to be pandered to like a girl. He would have to live with the foxes; it was a part of his inheritance.

Chapter 6

Christina tried to convince herself that meeting Dick again was merely a business transaction, but when she actually alighted from the cab outside the Red Lion she was as nervous as the day she had knocked on Violet's door. The arrival of the steam ploughs at Flambards had spurred her to action. Shortly the land would be ready for drilling. The shining blades of the steam ploughs smashing through the virgin grass were merely the preliminary to the enterprise and when they left everything was going to be in her hands. She could not put off the problem of getting more labour any longer. If it was not Dick, it was going to be prisoners, in spite of what everybody said.

Having arrived at the Red Lion, she realized at once that she could not go into the public house on her own. Tizzy had assured her that the pub was Dick's day-time haunt – not in itself a good omen – so she was fairly sure of finding him. But it had not occurred to her, until faced with the door of the tap-room, that she could hardly enter such a strange place without an escort.

She turned and called to the cabbie, who was gathering up his reins.

'Just a moment!'

He looked fairly affable, a rather portly middle-aged man with a black moustache.

'Could you do something for me?'

'Anything for a lady,' he said gallantly.

'Will you take me into the saloon and buy me a drink? I'm looking for someone, and I don't like to go in alone.'

81

'It'll be a pleasure, ma'am.' He beamed down on her, unhooking his apron. 'It's not every day a drink comes in the line of duty, as you might say.'

Christina waited while he hitched on the horse's nosebag. When she had dressed she had considered herself, as on the previous expedition, inconspicuous rather than smart, but now she felt positively flamboyant. Even her dullest clothes were far more Hendon than Rotherhithe. She gave the cabbie a shilling and said, 'A small port, please. And whatever you wish. I'm very grateful.'

He opened the door for her with a cheerful bow, and she went in, trying to be casual. The bar was warm and fairly full, and the conversation loud, but nothing came to a stop when she entered; a few curious glances flicked her, but merely in passing. She slipped into a place at a table and let out a sigh of relief.

'A small port, m'm?' The cabbie turned the shilling over in his hand.

'Yes, and ask if Dick Wright is in here, will you?' She was amazed how cool she sounded, asking for Dick. But now it was done the panic subsided; a sense of the inevitable took its place, as it had before. Christina knew that she was no longer in charge of the situation. She sat very still, satisfactorily anonymous in this urban atmosphere, taking in the vulgar comfort of the leather-buttoned settles and marble-topped tables, the big fire burning in the polished grate and the lights reflected in the engraved mirrors that stretched up to the ceiling. It seemed very obvious that Dick should prefer the Red Lion to the bare provision of Violet's sitting-room.

When Dick came Christina realized that she had been expecting him to be just the same, as if no war, no violence had touched him. She had forgotten her original opinion when Dick had joined the Army, that Dick's whole nature, his kindness, his slow, considered ways and sensitivity towards other people's – even horses' – feelings, was the very antitheses of all the Army stood for. She remembered it now.

He came up slowly, and she watched him coming, and could find no words, easy words, to say. He looked ill. Where she remembered him brown, almost ruddy, he was now very pale, so that the golden-fair hair – which had not changed – made no contrast at all. He also looked – and Christina knew the word was novelettish, but it was the only one that fitted – haunted. His eyes, always rather cautious, were withdrawn with what Christina could only recognize as pain, but whether physical or spiritual she could not tell. His face was thin and drawn, and the unfamiliar, cheap suit he wore hung on his once stocky frame; the big brown hands, that had soothed so many horses (and, once, herself) were white and unmarked – ill hands. Christina looked up at him and tried to keep the shock out of her face. Only, with Dick, who was completely honest, one did not cover up for long.

'Dick, may I talk to you?' She spoke quietly, very matter-of-fact, to squash her emotions.

'Yes, ma'am.'

He had a half-filled glass of bitter in his hand which he set down on the table. Christina had her port, and the cab-driver, having produced Dick, melted away into the crush round the bar. Dick sat down. He looked at Christina without embarrassment, his expression very guarded.

'I came to see if you would come back to Flambards to work?'

Although Dick did not move, Christina felt as if he had flinched. And with the mention of Flambards came – to Christina as well as, she knew, to Dick – a swift vision of everything that had once happened there, so that it was as if the smell of beer and the fuggy, tobacco-laden atmosphere did not exist; it was replaced by the smell of horses' sweat and the damp wood where once Sweetbriar and Wood-pigeon had walked side by side. Christina looked at Dick, stricken.

'Oh, Dick, are you all right? What happened to you? When Tizzy said ...' And the mention of Tizzy did nothing to restore her calm, for she knew that, in taking him away, she had behaved as she always had towards this struggling family, using them to further her own interests. Even the offer of a job to Dick ... She was ashamed. The colour came up into her cheeks. 'Dick, I'm sorry if ...' She was sorry for more than there were words to say it, how sadly awry all their plans had worked out. She shook her head. She was lost.

'Is Tizzy happy?' Dick said.

She nodded.

Dick was silent, staring down into his bitter.

Christina, unable to bear the silence, explained: 'We've got eight horses to keep – six cart-horses ... there's only Fowler to look after them. The land is all being ploughed up, but we're dreadfully short of labour. I thought –' Her voice trailed away. She made a great effort to pull herself together, and said, 'I would like you to come.'

Dick said slowly, 'I can't take a job, Miss Christina. I'm not fit for anything.'

'Why, what has happened?'

'I was discharged with T. B.'

'But you're better now!' Christina, with sudden vehemence, could not accept that Dick could be threatened by this terrible disease. 'You must be, else you'd be in a sanitorium!'

'I came out of hospital six months ago.'

'How long were you in? How did you get it?'

'A shell splinter through the lung, at Ypres.' He shrugged. 'I'm alive, at least. I was sorry when Violet said about Mr William.'

84

He did not mention Mark. Everything that had happened between the four of them touched Christina again, and withered. The war had blasted them all.

'But what will you do?'

'I've got a pension for the time being, and there's Vi's place. I'm all right.'

He looked less all right than anyone Christina had seen for a long time. But his old manner, reserved, guarded, held Christina's concern at bay. Perhaps because he saw her feelings, he gave a sudden smile and said, 'The poaching's not much good in Rotherhithe, that's the only trouble.'

Christina smiled shakily. 'No trout in the Thames?'

He shook his head.

Desperately, because there was nothing else to say, Christina said, 'When you get better, in the spring, will you come? You'd improve quicker in the fresh air – that's what they say for chests, surely?' She could hardly tell him that she wanted him to come just because he was Dick, and someone she could talk to, and ask advice of, even depend on. She felt now that she wanted someone for that even more than someone to plough and drill and harrow.

'I can't promise anything, Miss Christina. I'll come if it's –' He hesitated. 'If it's right.' 'Right' covered a multitude of conditions, more subtle than Christina could divine. She knew that the visit was a failure. All she had done was to dredge up feelings best left undisturbed, and sadden herself by revealing possibilities that were not to be. The visit, as on the last occasion they had met, had probably not done Dick any good either. 'I learn nothing,' Christina thought. She told him about Pheasant, and how Fowler and Mary were, all the things it was safe to talk about, but not about Will or Mark or Tizzy. The safe subjects were so limited that, presently, she got up and said, 'I must go back.'

Dick came to the tram stop with her, hunched against the cold wind, in spite of her protest. It seemed strange to be with him in the ugly, urban setting. Dick must have sensed the same thing, for he lifted his head to a gleam of sunlight and the wild, ragged clouds over the river and said, 'Good hunting weather.' Christina could not bring herself to say anything.

Some days later the gang with the steam ploughs left Flambards, and Christina rode Pepper round the farm. Acre upon acre of turned earth stretched in every direction, gleaming in the rain. It was the wettest autumn anyone could remember. The choked ditches spilled their overflow into the new plough till it was striped with reflected sky, and the tracks were rivers and the ponds lakes. The moorhens and the mallards swam across the lawn of the empty farm-house; the foxes, their earths flooded, howled in the dusk and ran out of the coverts, heading for higher land.

'I shall never make anything of it,' Christina thought, appalled by her task. Nobody else cared, not even Fowler. Only that they got their pay and a square meal inside them. Stanley was taking oats home for his father's cob and Harry, solemnly teaching Tizzy how to lay a hedge, himself laid a few yards an hour, working with intense concentration. Christina remembered how one autumn, when Mark was seventeen, he had cut and laid the whole length of the park hedge in one day.

December came. Drilling would be impossible until the spring, Mr Masters said. He couldn't remember anything like it since he came to Mickleditch. 'Nineteen sixteen, hurry and go,' Christina said, looking out over the tangled, sodden garden from her bedroom window. 'You have been no good to me.' She was too awkward to ride any more, and no longer wanted to see the waiting plough. Christmas meant nothing, nor any time beyond.

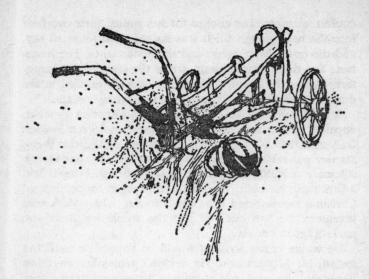

Chapter 7

'We'll turn your new pony out with Pheasant and Wood-pigeon,' Christina said to Tizzy, 'so that he'll exercise him-self if you don't ride him. And he'll be no extra work for Fowler.'

'When can I ride Pheasan'?'

'You won't be riding Pheasant. What do you think we bought you a pony of your own for? Pheasant is mine. I shall be riding him again soon.'

'You're too fat to ride.'

'I shan't always be as fat as this. What are you going to call your pony?'

'Worm.'

'*Worm?* You can't call him Worm! It's a horrible name.'

'Well, Pheasan's the same colour as a pheasan' an' Worm's the same colour as a worm.'

Christina laughed, in spite of her exasperation. It was true. The little Welsh pony was a strawberry-roan, not pure chestnut and white as old Sweetbriar had been, but more a mixture of grey and bay. He was a stocky, bold pony with a pretty head and a mass of grey forelock over his quick eyes. Christina secretly thought he would be more than enough for Tizzy to handle, but Tizzy, to her bitter disappointment, had not shown any excitement over his Christmas present. 'He's too li'le,' he said. 'I wan' Pheasan'. Or a Shire horse.'

'Well, I'm not going to call him Worm,' she said firmly. 'It's not fair on him to have a horrid name.'

'He likes it,' Tizzy said. 'He wan's to be called Worm. Like I wan'ed to be called Tizzy.'

Christina had tried to call Tizzy Thomas, but he had resolutely refused to answer to it, even after several bangs from a furious Mary.

'I'm Tizzy, Tizzy Bugg.' It was true that his unfortunate surname was Bugg, but Christina was having it changed in the legal papers to Russell. 'Tizzy Bugg on Worm,' she thought, and laughed. Tizzy looked up at her stubbornly, his underlip pushed out.

'What you laughin' for?'

'Worm.'

'It's not a funny name,' Tizzy said furiously. 'It's a good name. He *likes* it.'

'All right. Worm.' But in her mind she refused to call the pony Worm.

They let the little gelding go, and hung over the gate watching Pheasant and Woodpigeon cropping the yellow winter grass. Fowler had gone to buy Woodpigeon off the doctor, having to pay what he thought was a prodigious sum in order to tempt the man to sell. Woodpigeon had been, apparently, an exemplary doctor's gig-horse just as, in his earlier days, he had been an exemplary lady's hunter. Christina did not regret the money; Woodpigeon was a part of Flambards, the only survivor of the old horses, as she was the only survivor of the people. He was snow-white now. Both the horses were unclipped, covered in mud. Fowler, even now, never stopped shaking his head over their appearance. But all he had to do was bring them in at night and turn them out in the morning, and feed them. It was all he had time for. He had six cart-horses to look after and spent most of his time over at the farm, bullying Stanley, who could not be trusted to do the horses properly without supervision. There was a yard of bullocks to be fed, too. When the animals were comfortable, Fowler worked on the rusty machinery, oiling and sharpening and renewing bolts and fittings. But who was going to use the machinery when it was all in working order, Christina had yet to discover.

'Come on.' She held a hand out to Tizzy. 'Let's go and get our tea. Mary should have it ready now.'

'There's a man coming,' Tizzy said. 'On a bike.'

It was true, to Christina's surprise. She rarely had visitors, for her action in bringing Tizzy back to Flambards had so shocked the neighbourhood that few people could bring themselves to call. Christina did not care, for she was used to facing her problems alone, but she could not honestly admit that she was not hurt, and certainly she was astonished by the attitude. Having lived for so long amongst Will's crowd, she had forgotten how narrow-minded a small country village could be. Tizzy himself, so remarkably like his father, could not be passed off as any stray orphan, even had Christina wished it, and Christina realized that his history was known to every busybody in the parish. Only Mrs Masters, straightforward and realistic, came to see Christina; it was through her that Christina learned how much gossip she had provoked. 'But I wouldn't let it worry you, my dear,' Mrs Masters said. 'They've nothing else to think about, that's their trouble. And in a few years it will all be forgotten – there'll be some new scandal ... that's how it is in a little place like this.' And Christina, who had come to love Tizzy more than she sometimes thought was wise, was comforted.

They waited for the man on the bicycle, curious. He dismounted in a stately fashion, raised his cap, and said, 'Mrs Russell? I'm from the Essex Agricultural War Association. About your application for prisoners of war –'

Christina looked at him eagerly. 'Oh, yes! I was hoping to hear from you. Is it all right? Can you send me –'

'One hand, ma'am, as from next Monday morning. The truck will drop him here at seven in the morning and pick him up at seven in the evening.'

'One! Only one?'

'Yes, ma'am. We haven't got all that many available, just at the moment.'

Christina was bitterly disappointed. 'I want a dozen! What good is one? Oh, if only you knew –'

'Yes, it's the same all over, ma'am, I'm afraid.' The official was very official, standing beside his bicycle. Christina, her heart having leapt with anticipation, was dashed. She could have wept with frustration. The man rode away.

'Are we havin' a *Hun*?' Tizzy asked, with relish.

'Yes.'

'I'll shoot him.'

'I'll shoot *you*.'

'Stanley says if we have Huns he'll knock their teeth in.'

'If Stanley wants to knock Huns about, he can enlist,' Christina said crisply. 'I'll have a word with him.'

No farm, she thought, could have a more motley gang of workers than hers. Even herself ... for a farmer she was a strange shape. Dr Porter said the child would be born at the beginning of March, in another three weeks. Christina would gladly have passed her days merely eating and sleeping. She was glad to get indoors and sit by the cheerful log fire in her sitting-room – one of the very few plans concerning Flambards that had turned out successfully. The little gold sitting-room was her lair, her own private place where Mary and Fowler couldn't get at her (save by discreetly knocking), where she could curl up on the sofa and watch Tizzy marching his lead soldiers (once his father's) across the hearthrug, shoving Marigold's sprawl out of the way. This was where she felt she had the beginning of a home ... Tizzy marched his lead soldiers up over Marigold's warm, pale flank – 'Over the top,' he said, and Marigold growled softly in her sleep – and Christina felt the strange, anonymous stirrings inside her of the child Will had so surprisingly left, and thought how little she knew of what comprised both birth and death. She knew of nobody near to her who had had a baby. She knew it wasn't particularly constructive to lie and think about the baby, when there were the ledgers to do and farming manuals to learn from, but it was all she really wanted to do, all the time, just dream. And her dreams were more hopeful now. 'It is improving,' she thought, very careful in what she allowed her mind to dwell on. In the pretty bureau by the window all Will's letters and the photographs were locked away, and she had not looked at them for six months.

'This Hun,' Tizzy said, 'p'raps he drove a Zepp'lin?'

Tizzy was fascinated by Zeppelins, having once seen one in a searchlight over the Thames. From Flambards on a clear still night he could see distant searchlights weaving over the river to the south, and would stand on the window-sill, pressed avidly against the glass.

'Perhaps.'

When the prisoner arrived Tizzy had obviously forgotten all about shooting him, for he ran to meet him to find out if he had 'driven a Zeppelin'. Christina, huddled in a thick shawl, went out into the icy, dark morning, hoping to see a strapping young Prussian striding up the drive, but instead she found a small, gentle-faced, middle-aged man nervously waiting for orders. He looked so cold and ill and worn that Christina's heart plummeted yet again, and, because he was so much older than herself, she was at a loss suddenly, unable to give him orders. She did not know what to say.

'What is your name?' she asked helplessly.

But the man looked puzzled, and said something in German.

'Name?' Christina said again. 'Fritz? Er – Hans –' She couldn't think of any more.

'Wilhelm.'

Christina shivered, unable to help herself. She felt utterly dejected all over again, her disappointment flooding up. She told Tizzy to take the man to Fowler in the stable-yard, and turned indoors.

But Wilhelm, amazingly, was a farmer by trade, and when Fowler took him to the stables the German picked the best pair of horses without hesitation and harnessed them to the drill. Fowler took a wagon out to the first field and unloaded the sacks of seed along the hedge, and Wilhelm filled the hopper and started to drill the first stretch, the horses moving for him with a willingness that proved they recognized a master hand. When Fowler came in for his lunch his face twitched with excitement.

'Why, ma'am, he uses them horses like my own father used to do! You won't get a better man than that anywhere, Fritz or no Fritz!'

'Wilhelm,' Tizzy said.

Christina's eyes glowed. The news was almost too good to be true.

'Most of 'em don't know one end of a turnip from the

other, from what I've heard, let alone how to drill corn!
You've done well, ma'am! Dang me, I couldn't believe
my eyes when I saw him go up that field!'

'Perhaps we'll have something to harvest this year after
all!'

Wilhelm ate outside with Stanley and Harry. Christina
saw little of him, for she was too heavy to want to be seen
about much; she went for walks through the covert with
Marigold, where she knew she was on her own, and found
a marvellous content with glimpses of her newly drilled

fields from the edge of the trees. The land was drying out, and golden clumps of primroses were pushing up on the banks, their starred faces opening to the first soft hint of spring. Christina was full of optimism. 'It is beginning,' she thought, and there was a warmth in the air that went with her mood. 'It is going to be all right.' Marigold crashed through the undergrowth, her pink tongue grinning. 'Soon I shall be able to ride again,' Christina thought, and she quickened with excitement. 'And the *child*! Soon ...' and she was so grateful for having something to look forward to that she could not help sniffing with pure sentiment.

Four days later Christina, after a very restless night, decided it was time to send for Dr. Porter. She had said nothing to Mary about how she felt, for she could not bear Mary's fuss, having had enough to put up with the last few weeks listening to the fantastic tales of childbirth that the old woman loved to tell. Of course, now that the moment had arrived, Christina was alone in the house. Mary had gone shopping and Tizzy was out in the fields. Christina fetched her coat and went down to the stables to find somebody.

It was lunch-time, and the boys were sitting in the hay-shed eating their bread and dripping. Harry was eating, at least, but Stanley, having finished, was doing a charade with a truss of hay and a pitchfork, charging across the yard with the pitchfork in front of him like a bayonet and 'stabbing' the hay with vicious glee, shouting, 'Take that, you dirty Hun! Achtung! Achtung! Swinehund!' The hay truss burst its strings, spilling its entrails into the March wind, and Stanley roared with laughter. 'You dirty, blubbering Boche!' Obscene epithets spat from his lips, and his face was filled with a malicious glee.

From his seat on the horse-trough, the German prisoner sat watching the performance. He had finished his handful of boiled potatoes and was hunched with his back to the wind, the collar of his tattered field-grey jacket turned up. His expression was one of utter sadness, not of anger; Christina had never seen a human being look more forlorn. She stood, astonished, her mission quite forgotten, and saw Harry's vacant laughter crumble as he caught sight of her. Stanley turned round and dropped the pitchfork, the animation clouding into truculence.

'Stanley!'

Christina's burning indignation was interrupted at the first breath by a pain so sharp as to remind her of what she had come for. She leaned back against the wall, furiously angry, but unable to say anything. Wilhelm got off the trough and came towards her, his face full of concern. Christina recovered herself, and saw Stanley smirking.

'Get on your bicycle and go and fetch Dr Porter!' she said to him, her voice shaking. She was so angry she was nearly in tears. Wilhelm was talking to her in gentle, worried German.

'How dare he treat you like that!' Christina muttered. 'How dare he be – so – so –' She found she was trembling all over. She felt very strange.

Wilhelm took her back to the house, holding her arm. She sat in the chair by the kitchen fire and he made her a cup of tea, still talking in his anxious German. Every so often he made mimes, pointing upstairs, making a sleeping face, eyes shut, to suggest she should go to bed. He held up six fingers, pointing to himself with a shy smile. 'Kinder,' he said, tapping his chest, waving his fingers. He scrabbled in the pocket of his threadbare uniform and showed her a tattered, almost indecipherable photograph of a fat, smiling woman surrounded by children. 'Mein frau,' he said. He filled a hot-water bottle and pointed upstairs again.

'How strange,' Christina thought, not much caring any more, 'if my baby is delivered by a German prisoner!'

But presently Mary arrived, a torrent of consternation, and Christina lost track. People came and went and she lay in bed and watched Dr Porter sitting by the fire, reading *The Times*. She thought of Tizzy, and Pheasant. 'So this is what it's like,' she said to herself, amazed. It went on and on. 'Germans Evacuate Bapaume,' Christina read, across the room. 'Many casualties.' Dr Porter bent down and put another piece of coal on the fire, and leaned back, legs crossed, thumbs in his waistcoat pocket. He shut his eyes and dozed. 'How stupid men are!' Christina thought. It got dark and Mary brought the lamps. Christina saw the lights dancing, doubled up and multiplied across the ceiling as if the house were on fire. Dr Porter had got up at last and she saw his face over her, with big shadows for eyes. The child was born at midnight.

'It's a girl,' Dr Porter said.

They bathed it and gave it to her, and out of the shawls Christina saw two black eyes squinting with bewilderment, the reflections of the lamps flickering in them, and a tuft of black hair. She gazed and gazed at it, at the wandering, puzzled eyes, and was carried away on what felt like – no, it is impossible, she thought. Impossible to be so happy. But she was. She had never felt anything like it in all her life. She lay with the baby in her arms, and let this miraculous content lap her, hardly daring to believe in anything.

Mary, with her exceptional talent for saying the wrong thing, dabbed her eyes and said, 'And to think I did the same thing for the first Mrs Russell, in this very room, twenty-two years ago! And the baby then was this little darling's own father! I remember –'

'Go away,' Christina said. 'Leave me alone. I want to sleep.' It wasn't true. She just didn't want her happiness shattered. They left her and she lay awake until the sky started to go light over the covert and then she slept.

Tizzy came to see her at lunch-time, carrying a dish of rice pudding. He prodded the baby curiously.

'What you goin' to call it?'

'I don't know. What names do you like?'

'Boxer's nice. Or Ginger.'

'It's not a horse.'

'Marigol' then.'

'We'd get muddled, with two Marigolds.'

'Can Marigol' have a puppy? Can' you tell her to have one?'

'Well – perhaps.' It was a good idea. 'Yes. We must find her a good husband.'

'Who's your husband? Fowler?'

Christina giggled.

'Oh, ma'am! He needs a good hiding!' Mary said. 'The things he comes out with.'

Tizzy climbed on to the bed and flung his arms round Christina. He smelt of hay and earth and horses, and Christina hugged him. 'I don' wan' a good hiding,' he muttered into her hair. '*She* wan's a good hiding. I don' like that baby. What you wan' it for? It's not as good as Pheasan'. I'd rather have Pheasan' any day.'

'Yes. Pheasant's lovely. The baby'll be all right when it's older. You'll like her then.'

'It's not much good now.'

'No.'

'Why can' we call it Boxer?'

Christina did not waste much time in bed. The baby was strong and healthy and contented, but the ill-assorted farm-labourers were wasting precious time, larking about in the fields. Fowler looked after the horses, but would do nothing else – indeed, moving between the two stable-yards, he had little time to do anything else, so that Stanley and Harry were left unsupervised. They had their jobs to do, but whether they did them was doubtful. The bullocks looked poor even to Christina's inexperienced eyes; she dare not buy milking-cows until she could rely on someone to milk them. Wilhelm knew how to cultivate the fields, but could hardly be expected to do the work without any orders. Even those he was given, he did not understand. Christina's happiness was short-lived.

'I must have been mad,' she thought, staring out of her bedroom window. Everything was growing fast. The covert was a tangle of new green, the rooks and the starlings spinning against the dawn sky, the garden thrusting, unquenched, below, even the rosebuds growing, tight and mossy. out of the gnarled maze of the bushes. And beyond the covert the corn was showing in perfect, precise lines, not a furrow missed or doubled, not a headland neglected. The first hay crop would soon be ready to take. But Christina, instead of being proud and excited, was terrified by her responsibilities. There was only her to decide when to start cutting the hay, when to roll and harrow. No one else cared. Mr Masters and one or two neighbouring farmers had given her advice in passing, but all had too much to do on their own farms to bother much with her; she knew from the way they spoke that they both despised and pitied her for presuming to do a man's job. And if her corn grew, she did not see how she could possibly cope with a harvest.

'I wanted it to grow,' she said to the morning air, 'and now it is growing I'm more worried than ever.'

Suppose it hadn't grown, she thought? Suppose the baby had had a hare lip, or a crooked leg? But her corn was growing and her baby smiled at her, and she still worried. 'I am so stupid.' She plaited her hair into one long, thick pigtail, and went to the cot by the bed and lifted out the baby.

'My little Isobel, your mother is so stupid it's not true.'

She had called the child after Will's mother, not being able to find any female equivalent of William that was bearable. The baby was warm and wet and utterly adorable. She made Christina want to laugh and cry at the same time. But as she sat and nursed her she was thinking of the farm.

When she went down to the stable she found Fowler gibbering with frustration. Wilhelm, having been asked to fetch a load of hay up to the stables, had fetched straw. He stood by, uncomprehending, while Fowler cursed him. His sad, peasant face with the ragged greying moustache turned to Christina, puzzled, appealing, but Christina could not comfort him, for she knew no German. She told Fowler to be quiet, and conveyed to Wilhelm with vigorous mime what was wrong, and watched him turn the wagon round and start trudging back to the farm. His dejection depressed her in turn. It was another failure, that she could not even reward her best worker save by making more work for him.

'He does his best,' she said to Fowler. 'You shouldn't shout at him.'

The sound of an aeroplane engine made them both glance up. It was not an unfamiliar noise these days, for there was an airfield quite close by.

'I like to see them machines about these days,' Fowler said. 'What with those Gothas the Germans are sending over.'

The machine was a BE12; Christina registered the fact automatically. She had learned to accept now that aeroplanes still flew, although Will was no longer alive to fly them; she could watch them without her expression changing.

'A person isn't safe in his own home any more,' Fowler complained. 'I never thought I'd live to see such a thing.'

Christina didn't say anything. German bombers were the

least of her troubles, although they had passed very close on more than one occasion, following the rivers towards London. The thumping of the a.a. guns had sent the rooks wheeling in alarm, and old Mary diving under the kitchen table. Tizzy had leapt with excitement.

Back at the house Mary said, 'There's a letter come for you, ma'am,' and Christina took it from her curiously. Most of her letters were solicitors' letters or bills, or from Aunt Grace, but this one was from France, in an unfamiliar writing. She opened it and looked at the signature first. It was from Dorothy, the daughter of her old employer, the girl who had shared the excitements of the flying days before the war had turned flying into something quite different. Christina read it avidly, touched by the old relationship.

Dorothy was nursing in France, and was writing because she had heard about Christina's child. 'How lovely for you! I am terribly happy, after all your heartbreak. I would love to come and see you again when I get leave. There is nowhere to go now. The hotel is full of convalescing officers and Father let the house – it seemed pointless to keep it on. I cannot tell you everything that has happened. We work here until we fall asleep on our feet. You could not imagine the things I have learnt to take for granted! I have heard nothing from Mark and suppose there is no hope now? I last got a note from Seddülbahir, but the fighting there was said to be terrible. I have wept over so many people, sometimes I think it is all just a nightmare, but I am not the only one.'

Christina's memories were stirred up by the letter. That Dorothy, the girl who had everything, had taken on one of the most appalling jobs of the war impressed her, and made her even more impatient with her own attempts to do anything useful. She stood at the window of her sitting-room, the letter in her hands, looking out over the grazed park. 'If only I can make it work, this place!' Dorothy's grit strengthened her. 'I could get milking-cows and milk them myself, if there's no one else ...' Dorothy, surely, was doing more than milk cows? Dorothy, of all people, the girl who could turn any man's head, who could fly an aeroplane, who had worn the smartest clothes in London ... Christina was seized with a great restlessness. She nursed the baby, but her thoughts were all over the place and Isobel cried, her face crumpling into red rage, her little fists flailing.

'Oh, my little cross-patch, my little scarecrow! Are you so angry? Is it all my fault?' She sat the little hiccuping bundle on her knee and was rewarded with a wavering smile. The great dark eyes – Mark's, Will's, Tizzy's, and now Isobel's – regarded her with the habitual curiosity.

'You bad-tempered little Russell!' Christina murmured, charmed and soothed. 'You little bossy baby.'

Isobel laughed.

But later, when Mary had pushed the baby out in her perambulator – which she loved to do – Christina was still restless. Tizzy was away with Wilhelm. Another aeroplane whined in the sky. It was warm, June; the sun was hot. A swallow had built a nest in the porch by the front door and swooped in and out, endlessly busy. There was a smell of strawberries from the kitchen and grass and dust from outside: everything, in nature, that ordinarily made up happiness, but Christina could only remember that it was just a year since Will died. The swallows and the strawberries ... it all went on just the same, and so did she, but ... 'But what?' she said to herself. She went and stood in the shade of the porch, her cheek against the cold ivy leaves. It was as if her very feelings had died, sometimes. 'I was all right,' she thought, 'until I read Dorothy's letter, and it reminded me.' It was very quiet and hot and still. Christina did not hear anything, leaning against the wall of the house, until a voice said, hesitantly, 'Miss Christina.'

She turned, and saw Dick standing watching her.

She straightened up. There was no sense of shock, not even of surprise, only an uncanny sense of things happening that were quite inevitable, almost as if she had been waiting for Dick.

'Dick! Oh, Dick, I'm glad you've come.' Even her voice did not sound surprised.

Dick looked at her rather anxiously. 'Are you all right, ma'am?'

'Yes, of course I am! What about you? Oh, it's so hot! You must be worn out. Come into the kitchen and I'll get you a drink. Have you come from London?'

'Yes, ma'am.'

Christina felt as if she was waking up. It was almost as if Dick had appeared in a dream and, now that she was coming to, he was still in front of her. She led the way into the house, across the flagged hall and down the passage into the kitchen. The kitchen doors were open and the strawberry basket was on the table where Mary had left it. Christina fetched· Dick a glass of beer from the barrel that was kept for the men.

'Sit down. Have you eaten? There's some pie left in the pantry if you're hungry.'

'No, thank you, ma'am. The beer'll do me nicely.'

Christina watched Dick as he drank. He looked better than when she had seen him in Rotherhithe, but was still thin and frail-looking compared with the old Dick. She could not keep the anxiety out of her face.

'Are you better now?'

'Better than I was, ma'am.'

'You will stay?'

Dick said in a low voice, 'I couldn't turn down your offer,

Miss Christina. But I'm no worker, not any more. I'll earn my keep, that's all I ask.'

'But, Dick, the boys will do the heavy work. If you just watch them, and decide what's to be done, and run the place as it should be run, then you'll be worth all the gold in the world! You see, I don't *know*.'

'Well, horses are my trade, ma'am. I'm no farmer. But my father was first horseman on this farm all his life for old Mr Russell, and I worked with him ever since I could walk, so I know the work. I was brought up with it, until I got promoted to the hunters as a stable-boy, with a wage of my own. So I dare say I could tell you what needs doing and suchlike, even if I couldn't do it.' He paused. 'I've thought about it; I couldn't stop thinking about it, ever since you came. But I don't know if it's right now.'

'Oh, it is!' Christina said fervently. 'It must be! You don't know how badly we can do with you here!'

'I reckoned I could feed stock, and milk cows, do a bit of thatching and that. Enough to earn my meals. But if it's no good, then I won't stay.'

Christina leaned on the table, and felt the emotion catching up with her. She did not show anything to Dick, but she felt as if she had been plucked up by a surging flood of good fortune: the very thing she had most wished for had happened. She felt almost dizzy with it. She had to be very careful to show that she was not as demented as, at that moment, she felt. She straightened up and said, very casually, 'Would you like to come and have a look round? We'll go and see Fowler.'

'Very well, ma'am.'

He picked up his cap and they walked out through the side door into the drive. Nothing was said as they passed under the deep shade of the chestnut-trees and through the gates into the stable-yard. Christina was careful not to remember anything, only think of the welfare of her farm, and how it would thrive with Dick's sense behind it. Only when Fowler caught sight of Dick did she burst out laughing, because of his expression.

He dropped the bale of hay he had just taken from Wilhelm and stared. 'Why, dang me! If it isn't – God 'strewth, Dick, my lad! My old boy, Dick!' He came up, his hand held out, his cheeks bright red with excitement. 'What they been doing to you, then, boy? You don't look like the same Dick as left here, not by a long chalk. 'Strewth, Dick, you want to get some flesh on you before you drop down the drainhole here.'

They all laughed again, even Dick. Wilhelm, standing by the fresh load of hay, watched them, puzzled. Then, as Fowler went on chatting to Dick, he came up to Christina and asked her something incomprehensible, pointing to the hayload. Christina scratched her head. 'Oh, I don't know!' But Dick turned round and said something to Wilhelm in German, and Wilhelm's face lit up. He gabbled to Dick, the words tumbling out, his moustache quivering with relief. And Dick nodded, and said to Fowler, 'Do you want any more hay, he wants to know?'

'No, I don't, and if you can talk to that Hun I reckon you're worth your keep more than the rest of us on this farm put together, eh, Miss Christina?'

Christina's relief was almost as great as Wilhelm's.

'He's by far the best worker we've got,' she said to Dick, 'only we can never tell him what we want. It's ridiculous.'

She felt positively light-hearted. Fowler was chuckling, clapping Wilhelm on the shoulder and saying, 'We'll get through to you yet, old thickhead.'

'We'll go down to the farm in the wagon,' Christina decided. 'Wilhelm's got to take it back. It'll save us a walk.'

'Very well, ma'am.'

Wilhelm drove the wagon and Christina and Dick sat on

the side boards. Christina watched the breeze lifting the hayseeds into small eddies round her feet, and wondered if it was right to feel so optimistic, when half an hour ago she had been so miserable. Feeling happy, after all this time, disturbed her. She felt almost ashamed, guilty, of being happy. 'But it's a year,' she thought. She felt her hair blowing out from its untidy coil and the sun hot on her face.

When they got down to the farm they found Stanley still working on the stable roof, with Tizzy perched up beside him.

'Tizzy!' Christina shouted up to him. 'Look who's here!'

Tizzy stood up on the sloping, exposed rafters. Christina saw him against the sky, his little brown figure balanced without fear, his expression uncertain.

'It's Uncle Dick!' Christina shouted.

But Tizzy went on standing there, his underlip stuck out, looking very much as he had the first time Christina had set eyes on him.

'I don' wan' –'

'Come down!' Christina shouted sharply. She was hurt, for Dick's sake, by Tizzy's reluctance. But Dick was smiling. He jumped down from the cart.

'Come on, you little don' wanter! I'm not going to take you away!'

'I'm not goin' away!' Tizzy shouted. 'I'm not! I'm not –' His eyes sparked beneath his forelock of tangled hair. Christina stood up in the cart and shouted, 'Come down, you idiot child! Nobody's going to take you away. You belong here. Uncle Dick's come to stay!'

And Tizzy came, sliding down the thatch on the seat of his breeches. Christina jumped down and went to join them. Tizzy's face was now all smiles, and so was Dick's. 'Why,' Christina thought, 'it's like a family!' And the thought gave her the strangest of all the shocks she had received that day.

Chapter 8

It was arranged that Dick should live in the old farm-
house. He was not concerned over its condition, but Christina went in herself and cleaned it out. Dick said he would
use only the kitchen, which was a large room with a
door leading directly into the stable-yard, so Christina hung
curtains at the windows and got Wilhelm to transport a
few pieces of furniture over from Flambards in the wagon,
so that the place had a bed, a table and a chair, and mats
on the floor. 'Why, it's a palace!' Dick said. 'You shouldn't
have gone to all that trouble, ma'am.' And Christina, remembering Violet's living-room, supposed that it was, by
comparison.

Christina sent plenty of food down to the farm, with
whoever was going, determined to build up Dick's strength.
As she had foreseen, Dick's arrival changed the whole
tenor of life at Flambards: Stanley immediately started to

work, Harry seemed to gather his wits together, Wilhelm became more cheerful, and Fowler stopped grumbling. Christina, for the first time since she had come to Flambards, began to think that the miracle might actually happen : that there would be a harvest at the end of the summer. Already the hay was being cut, and Christina went up each lunch-time with the beer, and stayed to help. Tizzy was in his element with Uncle Dick in charge; he worked all day long leading the wagons to the stack and taking the empty ones back, and grew as brown as a gipsy. When he came home with Wilhelm in the evenings he would be furry with hay-dust, his eyes red-rimmed. 'Come on, my little hedgehog.' Christina would get his supper, and hope he stayed awake long enough to eat it. Even the baby's face was brown under her cotton bonnet. Mary pushed her up to the fields to watch the horses, and generally put up a few haycocks herself when the reaper came near her. 'It's a real farm,' Christina thought, watching. Even Marigold, panting in the shade of a wagon, was part of it. She was in whelp to an elderly foxhound Fowler had found pensioned off with a farmer a few miles away, one of the original Flambards hounds. 'There's the beginning of a new pack there,' Fowler would say, 'come the end of the war, and things are right again.' Tizzy looked after her with solicitude, even bringing a bowl from the kitchen 'for her beer' at lunch-time.

And Dick, if he grew no fatter, at least lost his Rotherhithe pallor and became the colour that Christina remembered him. He did none of the heavy work, as he had promised, and would only take five shillings for wages – 'If I take more, I shall do more; then it might all come to more harm than good,' he said, so Christina did not press him. But his presence resulted in more work being produced by Stanley and Harry than Christina had dreamed was possible, and the haystacks, built under his direction, were as perfect as Mr Masters's, as symmetrical as flower-pots. Christina could stand and gaze at them for minutes on end, entirely absorbed by their beauty. Dick thatched them himself, with Stanley to fetch up the straw. It was hot, and the men worked without shirts, and on Dick's back Christina saw the ugly sprawling scar that was his legacy from Ypres; Stanley saw it, too, and made no more jokes about bashing up the Huns. He had received his calling-up papers, and asked Christina if she would plead his case before the tribunal, on the grounds that he was doing essential work.

'You do essential work if someone's watching you,' she said to him rather bitterly, 'but you don't if there's no one to keep you at it.'

'Please, ma'am, you won't be sorry, I promise you.' Stanley licked his lips nervously. Christina, despising him, agreed to see what she could do. Dick said, 'If you just keep him until after the harvest, it'll be something gained.' So Stanley got his deferment for a further six months. At the same tribunal the youngest Masters boy was also exempted. Christina, saddened by the world's injustice, drove herself home and reported to Dick. He smiled at her indignation. 'People only do what's in their nature,' he said, as if it were very simple. 'There's no one to blame.'

'But it's not fair!'

'It's as fair as they can make it.' There was a pause, and he added, 'Ma'am.'

'Don't call me ma'am,' Christina said, irritated by its irrelevance. Dick said nothing.

'Come over and have supper. I'll take you and Tizzy back together,' Christina said. She had come straight over to the farm with Pepper in the dog-cart to report the tribunal's decision, and could see that Dick was finished for the day, and was about to retire to his kitchen to make his own supper.

'Mary's made rabbit pie,' she added. Dick, who usually had his shot-gun handy, kept the kitchen well supplied. Christina had yet to see him miss anything he fired at, and presumed – without joy – that he had trained well on Huns.

'Tizzy's already started back, with Willy,' Dick said.

'Well, you come all the same. You can ride back on Woodpigeon afterwards.'

Dick used Woodpigeon to travel backwards and forwards between Flambards and the farm, or to go to the village. Christina loved to watch Dick ride, not for any personal reasons, but for the purely aesthetic satisfaction it gave her to see somebody ride so well. Nobody she knew could handle a horse as Dick could. When there was time she wanted him to try Pheasant.

'Very well, m' –' Dick stopped himself, and smiled.

Christina grinned. She waited while Dick washed and fetched his jacket, and Woodpigeon, whom he hitched behind the cart. The exchange of smiles had given Christina a small jolt, for no reason that she could exactly analyse. Waiting for him, being very honest with herself, she knew there was nothing about Dick that kept her awake at nights (the first symptoms of her love for Will), but, equally well, she knew that she had asked him to supper because she wanted him to talk to; she wanted his company. Every night she ate with Mary and Tizzy. She was not lonely in the accepted sense of the word. But for someone to talk to at her own level she was as lacking as a blade of grass in a desert for water.

Dick joined her in the cart, sitting with his elbows on his knees as he usually did, as if he wanted to ease his chest. Glancing at him, with a slight anxiety, Christina thought that he looked very tired, yet better than the day she had met him in Rotherhithe. Against the brown skin of his neck his hair was pale, the colour of barley, as she had always remembered it (only a good deal longer now, like that of all the men in the village, for the barber had been called up).

'You're all right?' she said. 'You're not overdoing it?'

'No. I feel better than when I came. I get a bit tired, that's all.'

The cart bounced over the rutted tracks. On the far side of the covert they met Willy and Tizzy coming out of the ride, and they sat in the back and Pepper took them all up to the house together. Christina, listening to Tizzy's laugh, and the few words of German exchanged between Willy and Dick, was happy, happier than she had been for what seemed a very long time. The evening sun, touching the oak-trees beyond the house, cast long shadows across the drive. Willy went down to meet his truck and Christina went into the kitchen with Dick.

'Where did you learn your German?' she asked him.

'There were German orderlies in the hospital – prisoners of war. One of them – I got quite friendly with. He taught me a bit of German, and I helped him get on with English.'

Mary had the table laid, and set another place as she saw Dick. A rich savoury smell came from the range, and on the sideboard stood a row of freshly baked loaves. Christina took Isobel upstairs to feed her, very content, conscious of the evening sun, mellow and gold, flooding the landing, very peaceful: the feel of people in the house, of things to look forward to, the smell of hay that came in through the open window. And the baby . . .

'You're a picture-book baby, if I say it myself,' Christina said to her, with utter satisfaction. Isobel's cheeks were the same golden brown as Mary's bread, her eyes very large and dark. She smiled very easily, and cried very little. Strange, Christina thought, that she was Will's; the only offspring Will had ever contemplated were mechanical, the fruits of his drawing-board, his darling machines. 'You should have had wings, my Isobel. He would have understood you then.' Save that he never had the chance.

Christina put the baby in her cot, and went downstairs. Tizzy was washing noisily, having put the horses away.

'We saw the Gothas today,' he told Christina when he came to the table. 'Did you see them?'

'No!' Christina looked anxiously at Dick. 'Did they come over? I heard the gunfire, but it sounded a long way away.'

'Yes, it was. They weren't very close. Over the Thames, I should imagine,' Dick said.

'I saw them,' Tizzy said stubbornly.

'You saw crows, and perhaps a British fighter,' Dick said.

'Gothas,' Tizzy growled, scowling into his pie.

'We'll have to try shooting them, instead of rabbits,' Dick suggested.

'And have Gotha pie!' Tizzy's face lit up. 'Can you shoot an aeroplane down with a rifle?'

'Yes, if you're lucky.' Dick looked warily at Christina, but she said, matter-of-factly, 'Below six thousand feet an aeroplane can be hit by rifle-fire.'

'Can I have a gun?' Tizzy asked.

'No, you cannot!'

When the meal was finished they drank cups of tea, and Christina took the yawning Tizzy up to bed.

'Why can' Uncle Dick live here?' Tizzy asked. 'That ol' farm's dirty.'

'It isn't! I scrubbed it out myself.'

'I wouldn' like to live in it.'

'Oh, you –'

'Uncle Dick could sleep in the room with the aeroplanes in. He could lie in bed and shoo' them down with his gun.'

'Oh, don't talk rubbish.' Christina, disturbed, was short.

'I've told you not to touch those aeroplanes. I hope you haven't been in there, meddling?'

'Jus' looking.'

Christina looked into Will's room on her way downstairs, and saw the model machines still hanging from their cottons over the bed. Made by Will when he was small, they were very quaint now, with the old-fashioned elevators stretched out in front like the antennae of antediluvian insects. They were covered in dust. 'It doesn't matter,' Christina said to herself, determined not to be feeble. 'It's not a museum. Tizzy could play with them if he wanted.' But she knew she wouldn't let him. She went downstairs, carefully not thinking about anything at all.

In the kitchen Mary had cleared away and lit the lamps and was now cutting Dick's hair.

'You men are like a lot of sheep round here these days,' she grumbled. 'I can't stand the sight of you.'

Christina smiled to herself. She sat on a wooden chair in front of the range, and propped her elbows on her knees and stared into the fire, listening to the click of the scissors and the hiss of the lamps. The domesticity of the moment charmed her: she could enjoy it merely for what it was, and not for any significance it might or might not have. 'I can't complain,' she thought, 'not any more. Not with all this. Even if –' And she would not think about the gap, the abyss, the cold bleak pit, watching the fire and Tizzy's dusty boots lying where he had thrown them.

'You'd get a job with the Army any day,' Dick was telling Mary. 'Even they don't crop it any closer.' He stood up, running his hand over the bristles that had been his hair.

Christina laughed. 'You look like a Prussian.'

Dick clicked his heels, Hun style, and barked something in German. Mary sniffed dourly, sweeping up the hair. 'You look like a man, at least.'

'Yes. Thank you very much, Mary. It's a lot better.' He said to Christina, 'I'll go back now. It's getting on.'

'Very well.'

When he had gone Christina went up to bed. She stood at the window, brushing her hair, and in the deep blue dusk she saw Woodpigeon go up the newly cut hay-field towards the covert. He was cantering, a white ghost in the evening, like the white barn-owl flying. Christina watched until he disappeared into the trees.

Christina was frightened. She reined Pheasant into the shade of a big elm-tree in the hedgerow, and stroked his shoulder, but she knew he could feel her fear. The gunfire burst across the sky, looking very pretty – if one felt able to appreciate it. But the thumps of it in her very own fields turned Christina's stomach. The ground shivered, and the sky was full of this unnatural noise. The Gothas were there this time for all the world to see, not only the avid Tizzy. And Christina had no idea where he was just at that moment. She cursed, worried for the children, watching the hideous, clumsy bombers against the bright sky. This was the first time they had come so close, and there had been no warning, only the thumping of the guns.

They were flying in formation, harried by two or three British fighters. Christina, watching, tried not to feel anything but righteous anger and fear, but she was aware of a third dimension, which made the sweat come up on the palms of her hands, feeling the gunfire as it rocked the bombers' wings, the explosions in her own ear-drums, as if it were herself up in the sky. 'It's horrible,' she thought. And above it, the chatter of machine-gun fire from the fighters, and the whining of their sharp, diving attacks, shrill above the heavy German engines. A white sweat broke out on Pheasant's neck, which the reins carved off as he flung up his head. Christina could feel him trembling.

'It's all right, my beauty . . .' Christina hoped very much that it was. If only she had been with the others!

Two of the fighters had chivvied one bomber out of formation and, as she watched, Christina saw the machine stagger. One wing dropped, and it started to fall in a side-slip, a small eddy of white smoke trailing it. Christina felt very sick. She looked away, at Pheasant's gleaming coat with its strange rocking-horse dapples. She found she was praying very hard: 'Please, God, don't let anything happen!' But she could hear the noise of the bomber, a shrill, falling, exhausted crescendo, punctuated by machine-gun fire. It was coming down, but under control now, the thin smoke spiralling behind. It was as if it knew she was there, watching, because it started to make a big circle to miss the covert; Christina knew that it was going to land in her hay-field, if it were lucky, if it kept ahead of the smoke. She stiffened in the saddle, hands clenched in anguish.

'Don't let this happen to me! Please, God, don't let it happen here!'

But she knew that it was going to, and she could not keep her eyes away now, hypnotized by the labouring machine as it cleared the edge of the covert only fifty feet above the highest trees. It was a vast machine, its wings almost eighty feet across, uglier in its extremity than anything Christina had ever seen, trailing torn fabric and mashed spars and the insidious smoke. She saw the letters on its side and its big German crosses, the pilot's face peering, the sun flashing on his goggles. She felt Pheasant's terror, like a current, but he did not move; she heard the whine, like a summer insect, of a fighter far above her, and smelt the sickening, burning smell of oil as it sprayed the field. The machine passed right over her head, blotting out the sun. It weaved in its death flight and went into the ground out of control. Christina watched, rigid, unable even to shut her eyes, and saw the great belly tear into dry earth, scattering clods and bits of metal in all directions. A stench of dust and burning fuel went up in a cloud and into it the splitting and groaning and cracking of every broken part as it came to its violent rest splayed and spattered and spewed all over the July grass. When it was still and silent, Christina heard herself moaning. It was quite unreal, as disasters had always been to Christina in the first instant; her brain could not accept, even with the evidence, until the minutes had gone by, and nothing had proved otherwise.

But an instinct moved her, completely without her wanting to do anything, and she found she was urging Pheasant out of the shelter of the elm and galloping towards the wreckage. When Pheasant's courage failed him, and he wheeled away, half-rearing, she slid off him and ran, sobbing and cursing, spurred by a rage and a pity that was near hysteria. Even the smell of smoke did not stop her.

The pilot was struggling to free himself from an entanglement of crumpled metal. He shouted something to Christina and pointed behind him to the rear-gunner's cockpit. Christina, suddenly very sane, climbed up over the wreckage of the wings and came to the cockpit just as the pilot freed himself and scrambled clear. Christina looked, and saw a dangling arm, a boy's face as white as a daisy petal, and more blood than she knew the human body possessed. She just stood, as if it were her own blood drained, and looked. She thought, strangely, 'Why, he's got a haircut like Dick's!' And then, her petrified brain moving out of its shock, she turned away and saw the whole hay-field start to turn upside down before her very eyes. Someone shouted at her. She heard the voice, sharp and furious, 'Christina!' and a hand on her arm, dragging her brutally away out of the wreckage. 'Get away, you fool!'

Across the hay-field people were running in a ragged stream. She saw them, far away, coming from the village. And close to, Dick's face, very intense, turning away. She heard the German shouting, and Dick left her and went back into the wreckage with the pilot. 'But he's dead!' she screamed after him. 'It's no good! He's dead!' The smoke was thickening out of the twisted wreckage, and darkening in colour, hanging against the blue sky. She saw the first bright thread of flame. She knew all about aeroplanes; she knew what would happen. And she remembered that Gothas had a crew of three, and there was another man in it. She started to cry, standing there, not going forward or back. The pilot was tearing at something in the smoke, and Dick was holding something, bending over. She heard the sharp exchange of words, the urgency, and saw Dick kicking holes in the wreckage and rending away splintered wood, pulling at something. The smoke billowed on the summer breeze and covered them up.

The people coming from the village stayed away in a big semicircle. Only the little grey figure of Wilhelm came running, his face contorted with fear. Christina, seeing him, started back for the machine, remembered Tizzy and the baby, and stopped, wavering. The flames were taking hold, but now the huddle of figures emerged, dragging, half carrying the third man, stumbling over the grass. Although they were hurrying, they seemed to Christina infinitely slow, weighed down by the inert bundle. Christina started to back away, watching, converging to meet them, and two bolder men came out of the bunch of spectators, and reached out for the stupid trailing limbs, so that the pace quickened: the little knot of men was running, and the flames started to leap up behind them, running out in small tongues across the gleanings of hay. Christina turned round then and ran, too, and some of the villagers, not knowing what was going on, started to move away, still staring – for all the world, Christina thought, like a herd of bullocks. But some of them went up to Dick and the Germans, and the injured man was laid in the grass, and Christina joined them.

Dick said something to her. She didn't know what, the words were drowned in the explosion from the burning Gotha. A hot blast swept the field and bits of wood and metal spat past in all directions. Christina ducked in-

stinctively, covering her face with her hands. She did not take them away in any hurry, because she felt she had seen enough. She wanted to go away. She heard some women crying, and the little boys shouting with excitement, running for souvenirs, and all she wanted now was Pheasant, and the quietness of the covert, and to ride home, not seeing any more.

'Christina.'

Dick was beside her. 'You shouldn't have gone,' he said. 'Not for a German.'

'They're all the same,' she said, remembering the boy's face. Dick had gone, but she did not say so. She didn't want to say anything.

'I'll come home with you,' he said. 'You shouldn't have looked. You shouldn't have gone.'

The local policeman had taken charge behind them, and the whole village was there to help him. They walked to the edge of the covert, where Pheasant was grazing, and Dick went to catch him, while Christina waited. The excitement was a field's length away now, quite insignificant, the smoke dying, the people picking round, little black crows. A rabbit ran out of the covert. Between Christina and the dead boy's funeral pyre there was an expanse of summer grass, her own grass, with skylarks nesting in it. But even the skylarks, she thought, had the reaper, and the rabbits had Dick's gun. There was no point in getting sentimental.

Dick came back with Pheasant.

'I don't want to ride,' Christina said. 'Just walk. You can never just *sit* on Pheasant, and I don't feel like coping.'

Dick led Pheasant and they walked back in silence. Christina could feel tears falling down her cheeks, and yet she was not aware of crying. The woods were cool and quiet, with only the rattle of pigeons flying away and their soft throaty calls. But the village people were like vultures picking, Christina thought.

Dick put Pheasant in a loose-box and unsaddled him.

'Come up to the house,' Christina said. 'Mary will get you a drink. You don't look too good.' The smoke had affected him, and he was coughing, and walked hunched, as if his chest was hurting him. Christina was glad he didn't talk or fuss; she knew that she would not be able to stomach Mary's fuss. She left Dick in the kitchen to cope with the excitement, and went into her own sitting-room and locked the door.

Everything she thought she had put behind her, that she thought time had softened, came back as if not even one day had passed since she had had the telegram from France.

She knew now what it was like in fact, not merely in her imagination. She went to the bureau and got out the little bundle of letters which she still remembered word for word, although she had not looked at them for months. She was past being cool now, and rational; she was going to give in, she was defeated. 'Today,' she thought, 'just today, I can't help myself.'

Besides Will's letters there were the bits and pieces, the citation out of the newspaper for his D.S.O., the little oily scrap of paper with 'I love you' written on it which he had given her when they had flown the Channel (and nearly fallen in it), the awful telegram, the description of their wedding which Dorothy had kept for them, out of the local newspaper, and the letter from Will's C.O., the letters from his friends, and the letter from Sergeant Andrews, whom she had never met. She smoothed out this blotched and painfully composed message and read it.

'I am writing to you because the C.O. said to write to you, to say what happened. First I am very sorry what happened also that Captain Russell saved my life –' (Having pondered on this before, Christina had come to the conclusion that Sergeant Andrews's grammar was at fault, rather than that he was sorry that Will had saved his life. She thought he meant exactly the opposite.) 'No one except him could got the plane down in one piece even if not wounded but he did and mortally wounded so you understand what I think about him also everyone here.

'We went to take photos of a bombing raid on Wervicq we took photos at 6000 feet the bombs dropped all round us and the archie (guns) was very bad but Mr Russell did not take evading action because of getting the picture. We got the pictures but an archie got us it broke a wing spar and knocked up the tail boom so the tail was only on by a bracing wire it was very tender I thought Mr Russell would have to land but he made for the lines I thought the machine would break up any minute. He got down in a field the right side of the lines I got out and I saw then Mr Russell was very bad I did not know. A shell splinter gone right through him I knew it was no good. Some Tommies come up and got him out and a M.O. he said it was no good he went to fetch something but Mr Russell died before he come back. He did not say anything or leave a message I am sorry I know you would ask but he did not. I am sorry to write you this and hope you will get over it as quick as can be expected everyone is sorry there was nobody better than Mr Russell and you can see any other pilot I would be in in the same place now.'

So now Christina saw it all very clearly, right to the breeze in the grass, and the people converging, the smell of scorched fabric. And why he had not left her a message, although he had been conscious, for she could see now that in such a bloody extremity one did not easily compose a dying message. And if she felt so bitter now, why had she been so thrilled when Will was alive, singing his brave songs about the 'poor aviator'? She had been proud of him, fighting for his country – it was the thing to do; she had been as stupid as all the girls, thinking it was so marvellous. And when it was ended so disgustingly, with all that blood, and he had been given another medal, for dying, what was there left to think then? Did one censor the mind, adoring the courage, ignoring the ignominy of the physical fact of dying, of jerking out the last searing lung-fuls of breath beneath the hardened gaze of a handful of Tommies who would shortly – as in the song – 'carry the fragments away'? Where was courage then, in exchanging life for a few photographs of destruction for the Army files? It was mere foolishness, the same as Dick bothering to get the German. When you were dead, what then?

Christina sat on the floor, with all the letters scattered around her, and wept, as much from anger as from anything else. She wanted these things to make sense, and they didn't. Most of all she wanted Will to come back, and he wouldn't. She wanted, *wanted* Will ... wanted the fading image to come into focus so that she could see him again clearly, sprawled in the Surrey heather with the sun in his eyes, laughing, teasing her, trying to teach her the aerodynamics of a bee ('Oh, you fool,' she had said, 'as if it matters!') – even to see him preoccupied, not thinking about her at all, his face tight, almost scowling, as he considered some problem of design. But it was blurred: the phrase 'passed away' seemed suddenly to have a specific meaning. In its hackneyed syllables it held the irrevocability of this gradual fading in a way that Christina only now appreciated.

She read his letters all over again. 'I am wallowing in it,' she thought, and then she didn't even care about that. She lay on the floor and cried without restraint, until she was too exhausted to cry any more.

Chapter 9

Tizzy's souvenir from the Gotha, a large fragment of propeller blade, was his most treasured possession. He propped it up on the mantelshelf in his bedroom, beside Mark's point-to-point trophy, and admired it every night. Christina, forced to admire it, too, found the exercise good for her sensibilities, dulling the raw nerves by sheer boredom, eventually.

'You and your old Gotha!'

Tizzy leapt up and down on the bed, arms outstretched, making whining, bomb-dropping noises. Christina sat patiently, dreaming. It was impossible to get cross with Tizzy; if only he had known it, she could deny him nothing. Even Pheasant was going to get schooled by Dick – when he had time – so that Tizzy could ride him. Christina's excuse was that Pheasant should be more than a one-woman horse – 'What if I had to sell him?' – but her argument would not convince Dick. He teased her gently: 'It's so that Fowler can ride him? Or we can use him on the farm? So that Harry can go down to the village on him when there's a message to be taken?'

'Of course,' Christina replied, very solemn.

But just now there wasn't time. The barley was silver, waist high, and Dick said the South Field was ready to cut. So it had started, this harvest that Christina had thought would never happen. 'It's the miracle of the century,' she told Dick, and Dick now referred to the operation as the Miracle of the Century. Christina, watching the first circle of the binder, felt that she was surfacing again, after the Gotha. The corn had grown, and Isobel was sitting up in the baby-carriage, laughing. 'What more do you want?' Christina asked herself.

Tizzy, the Gotha, nearly went through the springs.

'Tizzy, stop it! I thought you were tired!'

He had been out in the fields all day, staggering with barley traves in his arms as big as himself. His thin, agile body was all weals and pricks from the barbs. How like Mark he was! Christina, catching a certain expression on his face as he at last collapsed between the sheets, was pierced again by his uncanny reawakening in her mind, so that Mark was quite close, alive, grinning in his old careless way. 'He is like Mark in his ways,' she thought. Not only the looks. It was not a thought that made her particularly glad. Mark had been arrogant and brutal, as well as gay and bold and extremely handsome. The last time she had seen him, before he went to France, she thought he had mellowed a little, perhaps become a little more sympathetic, and he had told her himself that he had 'grown up'. But as she looked at Tizzy she remembered Mark lying in the

125

very same bed barely conscious the night Dick had beaten him up. She had had to sit with him nearly all night, on the same chair she was sitting on now, and she remembered that most of that night, holding Mark's hand, she had thought about Dick: Dick appearing out of the gloom of the winter evening, months after he had been dismissed from Flambards, to inflict that awful damage on Mark, Dick who – until that moment – had always been to Christina the embodiment of kindness. And the reason for Dick's onslaught had been – and how could you not laugh, Christina thought, the way things turned out? – the same child she was now kissing good night. Dick had beaten up Mark for getting Violet 'into trouble'. And the trouble had been Tizzy. And now Tizzy was Dick's favourite human being. Life's surprises never stopped.

Christina drew the curtains against the summer dusk. How complicated it was going to be, she thought, when Tizzy asked who his father was. And, even, who she was. He called her 'Ma' now, in a friendly, casual way, and Christina accepted it quite happily, although Mary said it was vulgar and he wanted a clip round the ear. He called Isobel his sister, Dick his uncle (which was true) and Mary 'that old woman'. And Fowler was the only suggestion he had come up with for her own husband. Dick, Tizzy said, should live with them at Flambards. Tizzy did not understand the ramifications involved, the tangle of law, tradition, and emotion that the prospect invoked. But Christina, listening to the blackbirds in the chestnut-trees, did not think Tizzy's idea out of place. She realized how very much she had come to depend upon Dick. But she did not want to think further about this now. She was not ready.

She went downstairs. Since the builders had been in, the wide hall with its tiled floor repaired, and ornate doorways painted, and the plaster renewed and whitewashed, looked almost gracious (which she had always believed was possible). She had polished the chairs and the oak chest and the mahogany table herself, and put a bowl of the tangled garden roses on the table. Their scent was heavy in the dusk, their pink faces opened out showing stamens bowed with thick pollen, shedding petals and gold-dust – untidy, blowsy perfection. Christina remembered her dreams; she remembered the children's voices and the groom waiting at the door with the ponies. She had it all. 'Only the groom is in the kitchen,' she thought, 'waiting to dine with the mistress of the house.' That had not been in her dreams; it did not conform to the *Ladies' Journal* influence that had inspired her picture in the first place. In the *Ladies' Journal* the working man kept his place and the lady hers. Christina frowned.

There was a letter on the table. Christina scooped it up. It was from Aunt Grace. 'I hope to come and see you and stay a few days very shortly. I cannot wait to see the dear baby ...' Aunt Grace had been ill when Isobel was born, and had been convalescing all during the summer months at Broadstairs. Christina's frown deepened: she had yet to tell Aunt Grace about Tizzy. She knew Aunt Grace would be horrified, and had reasoned that the state of the woman's health was a good reason for delaying the shock. And what would Aunt Grace think of the groom in the kitchen? Christina's mouth tightened ominously. Seeing her ménage as she knew that Aunt Grace was going to see it, she was not surprised that the mahogany table had received no calling-cards, to go with the bowl of roses.

Dick was sitting at the table with a tankard of beer. He had been driving the binder all day and was covered with a fur of dust, fine as the rose pollen. He no longer stood up when Christina came into the room.

'Aunt Grace is coming to stay,' she said with a grimace.

Mary, fetching a leg of boiled ham and a big dish of

potatoes to the table, said, 'God save us! What shall we say about Tizzy?'

'She'll have to know some time. She's very kind really. Only old-fashioned,' Christina said.

'I'd best keep down at the farm,' Dick said.

Christina said, 'We've nothing to hide.'

Dick looked at her, not smiling at all. 'No,' he said. And Christina knew that there was a good deal of meaning in the one word, and she felt a slight stir of misgiving, and a pleasure beneath it that surprised her. To cover it she said, 'I hope she waits till we've completed the Miracle of the Century.'

Dick smiled then, and said, 'She won't, I dare say.'

They all worked now, even Mary in the afternoons, and some women from the village, while the weather held fair. Aunt Grace would get little attention if she came now.

'Well, she was born here. She understands the harvest won't wait.' Christina picked a barley barb out of the sleeve of her dress while Mary carved the bacon. She knew now that she would miss Dick at supper if he didn't come. She had come to take his presence for granted, his unassuming way, taking no liberties, yet without deference, merely honest – as he had always been. He had had no formal education, but his native intelligence was greater than her own. And Christina remembered, from long ago, Will saying that it was luck, what you were born into, and Dick's bad luck that he had been born without advantage, his own good luck that he had been born with. Only Will had divided it into 'slaves and slave-drivers'. But the war, Christina thought, made no such distinction, killing them in equal proportion. The war, she thought, by neglect of respecting one's station in life, had made such arguments superfluous. Will had seen it then, before the war made it plain.

A week later, when Christina was just about to take the

beer down to the fields for the break, a village boy came to the front door with a telegram. It said, 'Send transport to meet the two-thirty from Liverpool Street.' There was no signature, although she inquired of the boy. And it was addressed merely to Flambards. 'Oh, bother Aunt Grace,' Christina thought. And then, remembering that Aunt Grace had harboured her kindly when she had run away from home, she was ashamed, and gave the boy twopence. 'She can take Isobel for walks. She'll love that,' she thought. 'She can ride Woodpigeon.' This made her laugh out loud.

Fowler was of more use to Dick in the fields than she was herself, so Christina harnessed Pepper to the trap and drove down to the station on her own. 'She's bound to love Tizzy when she meets him,' she thought. Or was she? Tizzy was not invariably lovable, not when his underlip went out and his eyebrows came down like his father's.

It was warm and Pepper was in no hurry. Christina saw the train huffing away across the field before she came into the station approach. An unhitched van of heifers was bellowing in the siding and a small trickle of afternoon shoppers straggled away with their bags and bundles. Christina could not see Aunt Grace, although she could picture her waiting, her luggage beside her, pursing her lips. Christina pushed back her untidy hair, and pulled Pepper to a halt outside the station entrance. There was nobody there, save a soldier talking to the station-master. He turned round as Christina went through the doorway.

'Hullo, Christina,' he said.

It was Mark.

The shock to Christina was so great that her mind blanked out. She would have fallen if the station-master hadn't had the presence of mind to leap forward and divert her on to the station bench. She saw the oil lamps and the prices of the return tickets to London making parabolas

129

round her head, and Mark laughing. She heard the blood singing in her ears. Mark came towards her and she stood up and put her arms round him, burying her face against all the sharp little insignias that decorated his uniform. He had to hold her, or she would have fallen. She could not think ... She felt his hand stroke her hair, felt the roughness of his chin on her forehead, and heard him laughing.

'Here –' He scooped in his pocket and tossed a coin to the station-master. 'Fetch her some brandy from the Arms.'

'They're shut, sir. It's the new law. But there's some in the first-aid box in the office.'

'I'm all right,' Christina said faintly.

They sat her on the bench and made her drink the brandy. She watched Mark, unable to take her eyes away, her face bluish-white, cold as ice. Her mind was quite numb. She took in his amused face, the dark eyes with the hint of scorn, his easy, lithe figure, thinner than it had been, impatient as always.

'Don't look so pleased!' he was saying, teasing. 'It's not at all complimentary!'

'Mark, I – oh! I can't –'

'Come on,' he said. 'Let's get home.'

He pulled her to her feet, and they went outside. The sunshine hit Christina like gunfire. The station-master loaded the luggage and Mark helped Christina up into the cart. Then he got up beside her and took the reins.

He said, 'I've waited a long time to see all this again! How is the old place? Any horses to ride?'

Christina looked at him again. She could not believe it. And the brandy warmed her blood, and her mind lurched.

'Mark!' She put her elbow on her knees and leaned her head in her hands. 'Mark, it's eighteen months since –'

'Oh, you knew I'd turn up, surely? They sent you "Missing", I suppose? They were damned right – "Missing" covers a whole lot of nasty eventualities, believe me!'

'But why didn't you write?'

'You can't write from a Turkish prison.'

'But –' Oh, she would learn later – but how typical of Mark! Christina's emotions, struggling to life, were the same mixture that Mark had always aroused in her, with indignation taking an upper hand. And she was appalled. The joy she should feel at seeing him was eclipsed with petty rage at his thoughtlessness, and with a further horror that she should not feel unabated joy.

'Does Aunt Grace know?'

'I called on her when I got into London, but they said

she was in Broadstairs. I went down there and saw her, and then came on here.'

Christina pictured Aunt Grace, in her convalescent state, keeling into insensibility on her boarding-house doorstep.

'Oh, Mark, you should – oh, I don't know! It's like seeing a ghost –'

'I asked around a bit, to find out what was going on. Someone at your old address said you were down here – I called at that place in Kingston. Thought I might see Dorothy, but no luck. And they told me Will had copped it, which was no great surprise, seeing what he did for a living.' He leaned forward and gave the amiable Pepper a clout with the doubled ends of the reins. Pepper snorted with surprise and plunged into a rapid trot from his normal steady jog. 'These the only sort of nags you can get at home these days?'

Christina was silent. His casual mention of Will had speared her, made her feel physically sick. If it had been Will – she wanted to cry out. Yet she loved Mark with the loyalty of family; he was her brother, in a sense.

'Tell me what's been happening,' he said. 'What's going on at Flambards? Old Fowler still there? The place still falling down?'

Christina almost swooned at the prospect that loomed ahead. Three miles further on, to be precise. How to say to Mark about the people that now inhabited Flambards, including his own son? And Dick ... Christina licked her lips.

'You'll see some changes.' She was hardly able to make words pass her lips.

She watched him, scarcely aware of what was happening, only of his figure beside her, cap pushed back, lips clicking to Pepper. There was still the broken tooth that Dick had knocked out, and the scar through his eyebrow, the Romanesque emphasis on the broken nose. God in heaven – and she had gone to meet Aunt Grace! Old Mary and Fowler would die of shock.

'Mark, I must warn Mary, at least. It might kill her, if you walk in – and Fowler. They're old now, you know –'

'They'll love it!' he laughed. 'But if you like, if you think so –'

And Dick, Christina thought. Her heart gave a wild, involuntary swing. And Tizzy ... 'Meet your father.'

'Mark, I ought to tell you –'

'I'd give anything to have Treasure back with me. I last saw him at Gallipoli. And that chestnut, Goldwillow. He was a goer. What is there to ride?'

'Only Woodpigeon.' And Pheasant. Christina did not want Mark to ride Pheasant. 'And a bay – too small for you. I ride him.'

'I wish cubbing had started!'

'There's no pack now. It was split up. There's been no hunting the last three winters.'

'Oh, God, and I always thought that was what I was fighting for! I can tell you, I thought about this old place a good deal when I was out there – it's the only thing that kept me going at times. Most of the chaps thought about women, but if I wanted to cheer myself up I thought of hounds running. They used to think I was a bit touched.'

Christina could not say anything. At Pepper's enlivened pace they were now already half-way to Flambards, where the oblivious harvest would be progressing; Mary would be on her way back from the fields with Isobel, Tizzy setting up his traves, Dick watching his machine, keeping the horses in just the right place. Dick ... Christina clenched her hands, a sense of panic rising up in her. The thought that Dick might go away made her feel physically ill. She shut her eyes, feeling the shock again, Mark's elbow against hers. She was listening to Mark, and seeing Dick on the binder, Dick in the kitchen drinking beer. Dick had become a rock in her life. The sense of shock almost overcame her. In five minutes they were up to the Flambards gates.

'It's just the same as ever,' Mark was saying, with enormous satisfaction.

Christina was unable to contradict.

'I do believe you've tidied the old place up! I've never seen the park so neat for years. Whose money did you use?'

'My own. If you left any for the purpose, you certainly took pains not to tell anybody where you kept it.' The sharpness was instinctive, the old sharpness that Mark had always pricked off in her. She was amazed to hear herself talk so bitterly – and Mark out of his grave for scarcely half an hour. But he laughed. And Christina was ashamed. Her feelings were so shredded, she was unable to make sense of anything.

She said, 'You'd better drive round to the stables. There's no one to take Pepper.'

'Where's Fowler, then?'

'He's in the fields, helping with the harvest.'

'Whose fields?'

'On the farm. Your farm.' Christina's voice shook. She thought: '*Your* farm, *your* son, *your* house, *your* employees,' and she was so ashamed of her feelings she could not make her voice say anything else.

Mark was surprised. 'It takes a war, then, to make a farm pay. Whose doing was this, then? Yours? Who is farming it?'

'I started it off. The men do the work now.'

They got down from the trap. This was her opportunity to mention Dick. Mark was looking at her, not bothered with the horse, who moved off to help himself to a drink.

'You're a goer, Christina, aren't you? You always were.'

Christina could not mention Dick. It was impossible.

'I never could understand why you married Will when you could have married me and had all this.'

'I didn't love you. Is that such a detail?'

'Is that why you don't look particularly pleased to see me again?'

'Mark – please!'

'Aunt Grace told me you had a child. That surprised me.'

'Yes.' It had surprised her, too, she remembered.

'Pity it was only a girl.'

'I don't mind. I'm only a girl, too.'

Mark laughed, not unkindly. 'Come on, Christina, let's not fight already.'

'Oh, Mark!' She was half laughing, half crying, completely at a loss. 'I can't take it in! I –'

'Cheer up. I wanted to make you happy, coming home.'

'Yes – oh, I'm sorry! I am. I just feel – oh, dizzy. Stupid. I can't help it.'

'I suppose you'd rather I was Will.'

'Will won't come home. They buried him.'

'Oh, I'm sorry, Christina. My turn now. We seem to be saying all the wrong things. Let's put this nag away and go up to the house. What a ruddy ghost of a stable! This is the first time I've seen it empty.'

'Yes. I hated it when I came home. It seemed the worst thing of all.'

They put Pepper in his box, stripping his harness and hanging it on its pegs, amicable suddenly. Mark had always said outrageous things; he was utterly insensitive, but he was not given to brooding and rancour; he was usually laughing half an hour after the most bitter quarrel. They walked back to the house, arm in arm, suddenly in accord. Christina, still white, found she was laughing. She had wanted people, she remembered. And had the people that belonged to Flambards ever lived amicably together, like a normal family? No. From the very first moment she had entered the place she had been conscious of the discord. So why should it be any different now, merely after a period of time? They were the same people. The would pick up where they left off. She had forgotten all these basic truths in her own emotional home-coming last year. Wanting the people, she had forgotten how they had all hated each other when they had been alive together in this place.

They went into the kitchen.

Mark threw his cap on the table and unfastened his belt, pulled at his tie. He had grey in his hair, Christina noticed. His hair was exactly like Will's. She sat down aware that her legs were shaking. He was a captain, the same as Will.

'Tell me –' she started.

'Uncle Dick sent me for the beer,' said a familiar voice from the doorway. Tizzy stood there, four-square, the harvest dust powdering his brown face and untidy hair. He looked at Mark, lowering his brows suspiciously.

'Who's that man?' he said to Christina.

Christina looked at Mark. He was grinning at Tizzy, slightly puzzled, but not at all thunderstruck. 'Can't he *see*?' Christina thought. And then, because Mark had surprised her all but into insensibility, she turned to Tizzy and said deliberately, 'He's your father.'

'He's not,' said Tizzy, without much interest. 'Uncle Dick is my father.'

Christina had not up to that point realized just what a tangle Tizzy's mind was in as far as relationships were concerned. But she ignored this fact for the time being and watched Mark take in the significance of her remark. He was watching Tizzy reach up for the beer cans that stood on the dresser. His eyes narrowed and he stopped pulling at his tie and said to Christina, 'What did you say?'

'I said you are his father.'

'Who the hell is his mother, then?'

'Violet.'

'Violet!'

Christina's revelation had all the effect she had desired. Mark sat back as if he had been winded, his hand falling down on the table. He watched Tizzy, who carried on filling the beer cans out of the barrel. Christina saw the amazement, the disbelief, change slowly into genuine interest. He sat up again, never taking his eyes off Tizzy.

'What's he doing here, then?' he asked softly.

'I've adopted him.'

'Come here,' Mark said to Tizzy.

Tizzy looked at Mark dubiously. 'Have you killed a lot of Huns?'

'Yes,' Mark said. He laughed. 'Why, is that what you'd like to do?'

'Oh, yes! Only not Wilhelm. We got a Gotha come down, an' one of them was killed, wasn't he, Ma? It come down in the hayfield and set on fire, an' I got a piece of it in my bedroom. I'm going to be a soldier.'

'Good for you.'

'I got to take the beer.'

'Yes. Very important.'

Christina said to him, 'Tell Fowler that Mark's come home.' She wanted to say, 'Tell Dick.' She wanted to endow Tizzy with the power to convey her feelings to Dick, but it was impossible. He would learn what had happened, and his feelings were his own affair, no concern of hers. (Only she was concerned.)

Tizzy picked up the beer cans. 'How many Huns you killed?' he asked Mark.

'Oh, dozens. And scores of Turks.'

Tizzy hesitated. 'I must take the beer,' he said regretfully, and retreated out of the kitchen.

Mark watched him go, grinning. 'Well,' he said to Christina, 'I thought of all sorts of things that might have happened while I was away, but he wasn't one of them. A ready-made son.'

He did not inquire after Violet. He sat looking very pleased with himself, slightly bemused. 'He must have been born the year Treasure ran second to Allington's Mayflower. That would be nineteen eleven. So he's – what? – six. Well, there's not many fathers I know of who get delivered a six-year-old son. Any more surprises, Christina? Let's have them all while we're about it.'

Christina steeled herself. 'There's Dick,' she said. 'He works here. He runs the farm.'

Mark's expression changed abruptly. He looked at Christina sharply. 'So! That's how it is!'

Christina, very controlled, said, 'I employ him. He lives in the farm-house. He comes here for his supper some nights, that's all.'

'How did he manage to get out of the Army?'

'He was wounded, and got T. B.'

'So he came whining back here for a job?'

Christina's eyes took on a different expression. 'Did Dick ever whine? In spite of all that happened to him? Be fair, Mark. Be careful what you say.'

'All right. Let's put it that he knew Will and I were safely out of the way –'

'He knew nothing until I went to Rotherhithe to ask him to come and work here. And then he refused.'

'Oh, I can believe that! And you pleading with him!'

'He said he wasn't fit enough to take a job. He came six months later, and since then the farm has never looked back. You can ask Fowler or Mary, or any of them, what the truth is, and they will tell you.'

'He was always sweet on you, right from the start. I bet I know what his game is!'

'Oh, Mark, grow up! A lot has happened since we were children together. Haven't you noticed?'

'What was I supposed to notice locked up in a Turkish prison camp? How was I supposed to know what was going on? If I can come back here and find I have a son six years old –'

'Mark, you knew you had a child before the war ever started. Don't tell me *you* didn't know why Violet was dismissed!'

His abrupt reversal from attack to self-pity made Christina despair. She had never been able to have a coherent argument with Mark because of his wild, illogical switches of reasoning; they had bickered all through their childhood, through most of their subsequent meetings, and now they were at it again within an hour of Mark's miraculous resurrection. And always Christina had been infuriated by this inconsequence of Mark's, his childlike switches away from the point of the disagreement.

'You're impossible to argue with! You distort everything out of focus. You always have done.'

'Oh, well, let's not argue,' he said, switching again. 'Get me some of that beer and something to eat. I don't want to spoil everything by thinking of that swine Dick. Just let him keep out of my way, that's all.'

Christina, with the biggest effort of self-control she had ever made in her life, fetched Mark a glass of beer.

Chapter 10

'I don't think there is room at Flambards for both of us –
Captain Russell and me,' Dick said. 'I'll see the harvest
through, and then I'll get another job.'

He was harnessing up the horses in the farm stable,
ready for another day's work. Stanley and Harry were in
the yard ready to take the wagons out to the fields, surprised by Christina's early appearance. Christina, after a
sleepless night torn by the most painful confusions, leaned
against the partition watching Dick. She was trying to
guess how he must have taken the news, carelessly an-
nounced by Tizzy out in the field. She realized that she
had been thinking of him most of the time since then,

all during the evening when people had kept calling from the village – the Vicar, Dr Porter, Mr Masters, and several of the old hunting people – when Fowler had been drunk in the kitchen and Mary had been weeping over the festive supper, when she had gone to bed and heard Mark stumbling uncertainly up the stairs, falling over Marigold and swearing. She had thought of Dick eating his supper in his own kitchen, and Dick lying on his bed, staring at the moonlight on the walls, marked into patterns by the lacework of pear twigs across the windows.

'Don't go away,' she said.

'I don't want to go away. But you know as well as I do that Mr Mark and I don't mix.'

'He's still in the Army. He's only home on leave.' Christina's voice quivered with disgust at her own disloyalty. Was she suggesting that when he had gone back to the front, possibly to get killed properly the next time, everything at Flambards would be back to normal? She knew that it could never be the same again.

'I will work for you, but not for him,' Dick said. 'If he is the owner of Flambards now – well, you can see that, Christina.'

He had never called her Christina before, except during the crisis beside the crashed Gotha. Christina leaned her head back against the partition, against the cushion of her hastily pinned-up hair.

'It will work out,' she said, with a conviction she did not feel. 'Please wait before you decide anything. Please don't go away.'

Dick looked at her over the horse's back, not saying anything. Christina, aware that she was not acting the part of an employer, straightened up angrily. What she really wanted to tell Dick was that she did not, nor ever would, love Mark enough to marry him, even for the sake of possessing Flambards, but this was not a thing an employer said to an employee.

'Does he know who Tizzy is?' Dick asked.

Christina nodded. Dick's face seemed to tighten in a curious, blank way. He pulled the horse's tail through the crupper and bent to do up the girths. 'Will you tell Wilhelm to come straight down to the bottom field? The boys are taking the wagons.'

'Yes.'

There was nothing else to say. Christina went back to Flambards and breakfasted with Mark. He looked more familiar in a white shirt and dirty old breeches, and was in a very amiable mood, regaling Tizzy with extremely tall stories about Army life. Christina could see that the two of them had taken to each other in a big way. Tizzy's directness appealed to Mark, and Mark reacted by speaking to the boy in an easy, man-to-man way, obviously amused by his new role. Tizzy, who usually darted from the table as soon as he had finished his last mouthful, lingered today, hanging on Mark's words. Christina, remembering Dick's expression, said, 'Go along, Tizzy, if you've finished.' She saw immediately that the difficult relationship between the three of them was going to be infinitely complicated by the child.

'What is there for me to ride, then?' Mark asked Christina, turning from Tizzy. 'I'd like to have a look round all the old haunts.'

'There's only Woodpigeon and Pepper. And Woodpigeon's up at the farm – Dick uses him.'

'There's Pheasan',' Tizzy put in. 'Pheasan's the best.'

'Pheasant is too small for Mark. Run along, Tizzy.'

'Is that the bay turned out in the park? That's a nice beast. Where d'you pick him up?'

Christina explained. She felt a fierce possessive spark burn in her. She would not have Mark riding Pheasant.

'Pity he's not a hand higher,' Mark said. 'I'll have to borrow something while I'm here. Masters got anything these days? Or Lucas? What a pretty pass things have come to here!'

'We could ride over to Masters' place and see.'

'Yes. that's an idea. Let's have a lazy day or two, before we bother our heads about business. I'll send off a wire to old Perkins' – Perkins was the family solicitor – 'and ask him to come down, but no hurry. I want to know how much money I've got – better not get depressed too early on.' He grinned at Christina, and said, 'I suppose this upsets the apple-cart for you rather? You must have thought the old place was all yours? Have you seen Perkins about it?'

'Naturally,' Christina said, very cool. 'He applied to the Probate Court six months ago, and got the Letters of Administration.'

'Did he now?' Mark said. 'We'll have to undo his good work again then, won't we?' He paused. 'There's one way you could have it, you know. Even now.'

'How am I supposed to interpret that remark?'

'You know perfectly well. I said all along it was the obvious course of action to take, only you had to go and get infatuated with Will. How much good that did you, I don't know, fastening yourself to the world's only human flying-machine. But you've not missed your chances altogether. I'm still willing.'

'What are you trying to do? Insult me or propose to me?'

'Propose.'

'Why do you think anything has changed?'

'But of course it's changed. Will's out of the way for a start. Be practical, Christina. It's such an obvious solution to everything – my property, your money. We both like the same things – we can carry on just how it always was. The war won't go on for ever. As soon as it's over there'll be hunting again, and we can do the old place up, have lots of children. What's wrong with it for an idea?'

'It would be convenient, I grant you.' Christina's voice was low and angry.

'Well, then? If we don't marry you'll have to clear out, I'll be left with the old place falling to pieces round my ears, and you'll be starting from scratch, looking for a home. I suppose you'd find one all right, but you'd never find a place you'd love like this one. This *is* your home.'

'I don't deny that. I do love this place. But I don't love you.'

'No. Look, I'm not such a fool as you think I am. There's nothing between us like there was between Will and you, I know that. But we know each other, Christina – all the worst bits as well as the better bits. We'd know what to expect.'

Christina's anger fizzled out in an exasperated sigh. Everything Mark said was perfectly true; how could she possibly be angry with such a frank appraisal of the facts, such a lucid, clear-cut proposition? And, certainly, it would be convenient.

'It's impossible, Mark. I wish it wasn't impossible, but it is.' She wasn't brutal enough to explain the simple fact that Mark wasn't the sort of man she wanted as a husband. His father shone through him, and she remembered his father too well. She was quite clear-headed enough to know that there would never be anything for her again like there had been with Will, but to marry Mark for sheer convenience would be carrying convenience to extremes.

And Mark, infuriating as always, now chose to exhibit the undeniably charming side of his nature by laughing in a perfectly friendly fashion, without any ill feeling at all.

'All right. It'll work itself out, I dare say. Let's not think about it again. Let's go and see Masters, eh? I'll ride the carriage nag and you can show off on that smart bay.'

The smart bay gave her an exhilarating ride to Mickle-ditch, so that she was in a very good mood when all the Masters household came out to greet Mark, the boys even coming up from the rick-yard to drink to the occasion. Amy did not take her eyes off Mark, reminding Christina that Mark attracted nearly every girl he met. 'Perhaps he'll fall for Amy,' she thought, but the moment's optimism gave way instantly to a positive dislike at the idea of Amy usurping her own place at Flambards. A strong feeling of jealousy reminded her of her new insecurity. Her own future was now completely uncertain; the precious roots she had managed to put down had been ripped out. Even her social situation – judging from a remark Mrs Masters made to her – was indelicate, the bored gossips of the neighbourhood avid to know the relationship between the officer and his widowed sister-in-law, living together at Flambards.

Masters senior offered Mark the use of his own horse for the length of his leave: a champing, heavyweight chestnut called Hannibal.

'I'm afraid he's not fit, but I think you'll find he's got plenty of go.'

Mark was pleased with the horse, and rode him home with Christina, leading Pepper by his side.

'We'll go back through the home farm,' he decided. 'I want to see all this corn you've managed to grow.'

'So this is it,' Christina thought. The confrontation of Mark and Dick ... She felt her pulse quicken, agreeing by a nod of her head. The day was warm and sunny. The men were taking the corn out of the fields and unloading it in the rick-yard just behind the farm-house. It was all going according to plan, just as it had been at Mickleditch, save that the Flambards wagons were rather more rickety and the horses a wearier breed. Dick was supervising the rick-building, standing up in the middle of the layered traves with a pitchfork, Stanley beside him. Wilhelm was pitching up and Tizzy was sitting on one of the cart-horses, waiting to take them back to the field. When he saw Mark and Christina he turned and waved, full of excitement, and shouted something to Dick. Christina saw Dick toss a trave down into place, very deliberately, and then stand waiting. The rick was half built, and Dick looked down on them as they came to a halt beside the wagon. Christina was glad about this small physical point, remembering Dick on the ground, tightening Treasure's girths for Mark, and Mark looking down on him.

'That's a new horse!' Tizzy called out. 'Where d'you get him? Is he your horse? Can I have a ride?'

'He's Mr Masters' horse.' Mark's eyes went past Tizzy and rested on Dick. He gave a curt nod.

'Good morning, sir.' Dick's voice was expressionless.

The last time they had met, seven years ago, he had beaten Mark into unconsciousness. There was nothing in his face to give anything away, the eyes very blue, narrowed against the sun.

'Can I have a ride?' Tizzy had slithered off Ginger's broad back and was looking eagerly up at Mark. 'Will you give me a ride? She won' let me ride Pheasan'. She never will.' He gave Christina his indignant glare. Mark looked down on him, grinning.

'She won't let you ride Pheasant? Why not?'

'Because he's not fit for a six-year-old,' Christina put in quickly. 'He's very funny-tempered. Ask Fowler. Fowler can't do anything with him. That's why I got him so cheaply.'

Mark looked at her with a faint derision in his eyes. 'You mean no one can ride him but you? Not even your ex-cavalry man here?' He jerked his head in Dick's direction.

'Dick has never tried him. He works here on the farm, not as a groom.' Christina's voice was sharp.

'Can I have a ride?' Tizzy insisted.

Mark leaned down from the saddle and pulled Tizzy up in front of him on the big chestnut.

'Can we canter?' Tizzy was wriggling with excitement.

'Why not?'

Christina looked uncertainly at Dick, and saw that the expression had come back into his eyes. He was watching Tizzy's display of admiration and affection for Mark with his feelings written quite plainly on his face. She had always guessed that he loved Tizzy dearly, although he had never made any obvious gestures to indicate the fact; now was the first time Christina had seen it proved. His expression moved her to despair, and she knew perfectly well that she could do nothing about it. She saw Mark nudge the chestnut with his heels and start moving away towards the gate. Dick started to work again, calling down to Wilhelm to carry on pitching. He did not look at Christina.

Christina followed Mark and when Hannibal started to canter she put Pheasant into a canter, too, and followed them up the cart-track beside the stubble. She sat still and tight in the saddle, holding Pheasant's eager mouth, her feelings in a turmoil.

Tizzy had lunch in the house and was in no hurry to go back to the fields. He sat with his elbows on the table, listening to Mark's story of skirmishes with the Turks, the evacuation of Suvla Bay and of riding across the Sinai Desert. Christina, whose geography was vague, acceded that there was possibly good reason that they had not heard from Mark. He had been reported missing after fighting near Gaza, where he was taken prisoner; later the prison camp had been retaken by the Allies, and Mark had been repatriated. He obviously liked Army life; he was physically very hard, and mentally callous enough to be unaffected by the suffering involved. He had no nerves, as Christina knew from their hunting days. Tizzy was entranced.

'Go along,' Christina chided him at last. 'What will Wilhelm do without you to lead the horses?'

'I don't like seeing that Hun b—— on my land,' Mark said, picking up the reference to Wilhelm.

'We wouldn't have anything to harvest if it hadn't been for him,' Christina said. 'He's a marvellous worker.' She decided to change the subject. 'Does Dorothy know you're still around?'

'Dorothy? No, I don't suppose so.'

'She wrote not long ago, and asked after you.'

'Did she now?' Mark grinned, and eyed Christina thoughtfully. 'You match-making?'

'I wouldn't have thought you needed anyone for that. It's just that you're so bad at writing letters, I thought – if you haven't bothered to tell her you're still alive –'

'She ought to know? A good point. She's all right, is Dorothy.' Mark tilted his chair back and yawned. 'What is there to do – apart from writing letters? Come for a ride?'

'There's plenty of work out in the fields. I shall go up there this afternoon and help. I usually work up there all day.'

'Making eyes at Dick?'

Christina did not reply. Mark tilted his chair again, and laughed.

Chapter 11

Tizzy was riding Hannibal round the park. Christina watched from her sitting-room window, frowning. Tizzy looked tiny on the big horse – lonely, Christina thought – steering it with intense concentration in a big circle round Mark, who stood shouting at him, slapping a cane into a patch of thistles, impatient as ever at standing still. Tizzy was excited, and frightened, too – not so much frightened of Hannibal as of disappointing his impatient instructor. Christina, from her own experience, knew that Mark was an abominable teacher, intolerant and scornful.

'If he is going to be taught at all, Dick is the person to teach him,' Christina said to Isobel. Isobel grinned at her, swaying drunkenly from her seat on the floor. Isobel was brown and firm and fat, all smiles. Christina could not understand how so much contentment could have been born out of a year of such agonizing misery: not a mark of it had been left on the baby. Every time she looked at her, even now, Christina wanted to laugh, and forget all the things she had to worry about. She lifted Isobel and held her up in the air, waggling her so that the baby laughed out loud, all waving arms and legs.

'Phew! You're a heavyweight! Hannibal will be just your mark when you start riding, tubby!'

Mark loved Isobel, too, with a careless, demonstrative affection that made the baby's face light up every time she saw him. Christina was torn by these conflicting relationships: there were so many reasons why it would be a good thing if she were to marry Mark. When Isobel laughed, and

Tizzy adored, she almost forgot the other side of Mark, the inconsistency, the cruelty. She had to make herself remember that the children would grow up, and would no longer amuse Mark when they wanted to do things he did not approve of, and then he would be as intolerant as old Russell had been. Isobel and Tizzy wouldn't laugh then. Already Tizzy, with his Rotherhithe instinct for self-preservation, had discovered that Mark was not invariably approving. Christina had seen the first flicker of astonishment in his eyes one morning when Mark woke up with a hangover and returned Tizzy's devotion with a sharp clip on the ear and a quite unjustified reprimand.

Christina was finding the situation in the house something of a strain, and it showed in her face. The legal tangles did nothing to help either. The first session with Perkins showed that she now owned nothing, save her money and her daughter. There might even be some doubt about her claim on Tizzy, if Mark chose to dispute it and make Tizzy his heir. Mark owned every brick and every sod of Flambards, even including the corn crop that was now harvested and stacked in perfect order down in the rick-yard.

Christina put Isobel down on the floor again, and opened the door to the scratching of Marigold, who visited her occasionally when she wanted a rest from her puppies. There were six of them, and they lived in the kitchen. Mark called them the Flambards pack. 'We'll keep every one of 'em, and hunt them ourselves as soon as this ruddy war is finished.' The bitch came in, followed Christina to the sofa and laid her muzzle on Christina's lap. Christina caressed the floppy ears thoughtfully.

If only there was somewhere she could go to, she was thinking, she would go. But there wasn't. Mark had another month of leave still due to him, and in another month Christina thought she would go mad. She could not sleep, worrying over the future; while Mark's presence in the house seemed to infect the whole place with his own restlessness. Tizzy no longer took any interest in what went on on the farm; Christina, with a larger household to feed and look after, rarely had time to ride out and see what was happening. She thought of Dick constantly; his face as he had watched Tizzy ride away with Mark haunted her. She knew now that – apart from the children – Dick was the only person in her life whom she cared for. She did not want him to be hurt, and he was hurt. She could do nothing about it.

She spent the afternoon doing chores at her desk and watching Isobel, then went into the kitchen to make the customary pot of tea for Mark. Mary was baking; the smell of pastry and bread was wafting out of the open door and windows; a wasp droned over an open jampot.

'Oh, ma'am, I think you'd better come!' Fowler appeared at the kitchen door, panting, all agitation. 'It's young Tizzy – he –' Fowler could not get his breath.

'What is it? What's wrong?'

'He – he went for a ride on Pheasant, ma'am, and now the horse has come back without him.'

'He *what*?' Christina's voice shook with anger. 'He took Pheasant?' She knew instantly what had happened. 'He asked Mark? And Mark let him! Is that it?'

'I wouldn't know, ma'am, but I dare say you're right. Mr Mark has gone to look for him on Hannibal.'

'How long has Pheasant been back? Watch Isobel, Mary – I must go and see what's happening. Has he just come back?'

'No, ma'am, he's been back nearly an hour. That's why I came to fetch you. The lad would be back by now if he'd come to no harm.'

'Oh!' Christina was shaking with rage. Only Mark could do this to her, set her boiling with indignation; her anger

with Mark was greater than her fear for Tizzy. 'Why didn't
you stop him? You *knew* –'

'I wasn't there, ma'am, else you know I'd have tried.
But with Mr Mark you never can tell him much –'

'The *fool*! The fool –' She remembered, with a cold
spasm in her stomach, how Mark had made her ride
Treasure when she was just learning to ride, and how
Treasure had taken off with her. She remembered his terrifying strength; she saw Pheasant's strength flooding thin
Tizzy, and the brightness of fear in Tizzy's eyes. She remembered the incident vividly, as if it had happened an
hour ago.

'Did Mark say which way Pheasant went?'

'Through the covert, ma'am.'

'Put my saddle on Pheasant and I'll ride out. And go and
tell the boys to look over on the other side. I'll go down
the ride and find Mark and see where he's looked already.
It's no good us all going to the same place.'

She waited impatiently while Fowler got Pheasant, trying to make herself believe that Mark was already on his
way back with Tizzy. But there was no comforting thud
of hoofs to be heard, only the skylarks twittering over
the home fields and the woodpigeons calling from the
covert. The late afternoon sun was warm, some sparrows
were taking a dust-bath in the doorway of the hayshed:
hard to make one believe that there was anything wrong.
But as she waited Christina was conscious of the sort of
fear she had once felt for Will, a clammy, sick impatience
that needled her into action. She paced backwards and
forwards, and went to fetch Pheasant while Fowler was
still girthing him up.

'Damned horse,' Fowler muttered.

'Blame Mark, not Pheasant,' Christina said shortly.

She mounted from the block and went out of the yard
at a canter, across the wide home fields. The horse was

easy and bold, unaware of his sins, raking out with the smooth stride that Tizzy must have loved – until he found he was not its master. He would have been back immediately if he had not been hurt; he would have been all excitement, his brown gipsy face lifted with pride at achieving his great ambition in life. 'Little devil –' He would have known that it was wrong, and Mark would have laughed and urged him on, pleased with the child's courage. Mark had never known prudence.

'Where did you take him, Pheasant? What did you do with him?'

She thought Pheasant would probably have gone down to the farm, out of habit, for he often got a feed in a loose-box down there, when Christina stayed to do some work. But then, surely, the boys must have seen him? When she got to the covert she pulled Pheasant up and went into the shady ride at a walk. A jay flashed across the path, shrieking, then there was silence, the deep, waiting silence that is peculiar to thick woodland. Far away, the sun was still shining. Christina stopped.

'What have you done with him?'

Pheasant twitched back an ear, and shook his head against the bit. Christina felt anxiety biting, her hands cold, her heart thudding into the silence. She could not bear to face what might have happened. 'Not after everything else,' she thought. 'Not Tizzy.' She would not let it into her mind, nudging Pheasant forward to break the desolate silence, to hear his hoofs on the peat and the twigs breaking. It was no good thinking. The stillness of the covert was terrible.

'Up, Pheasant, come on!'

She trotted quickly on into the ride and then cantered, the panic rising, the images pressing into her mind. She wanted Dick, and then she would look for Tizzy. She could not wander through the golden evening with her brain trembling, teeming with these awful pictures. She had been brave enough over Will, but now there didn't seem to be anything left; she felt that calm and reason were qualities she now knew nothing of. She wanted Dick's calm desperately.

Pheasant came out of the covert into the barley stubble, and Christina saw Dick and Wilhelm in the bottom field, each of them marked by the trail of turned earth behind their horses. She had not even been aware that they had started ploughing. The first furrows gave her a jerk of surprise. She urged Pheasant on and went down over the stubble at a gallop.

'What's the matter? What's wrong?'

Dick had pulled his horses up and was waiting, leaning on the plough handles.

'Oh, Dick. it's Tizzy!' Christina explained what had happened, holding Pheasant in as he pranced round the stolid farm-horses.

'Will you come and help look for him? Mark is out looking, but I'm sure the whole thing is just a joke to him. And if the boys aren't doing anything, perhaps they could come? It will be going dusk before long – he could be lying anywhere.'

Dick straightened up, not making any comment. Christina sensed his restraint, the distance between them that had grown so disastrously since Mark had come back. But his merely being there made her feel very much better, as if everything was under control again. He turned and shouted something to Wilhelm, who was coming back down his stretch some fifty yards away, then he took one of his plough-horses out of the traces and stripped it of its harness, save for the bridle, and mounted it with an apparently simple vault. Even a plough-horse would canter for Dick. Christina was charmed, in spite of her distress, to see it go ahead of her up the field, Dick sitting easily, one hand dangling by its side, one on its neck. Pheasant caught him up, and they cantered together, and Dick turned and smiled at Christina.

'Don't worry! Tizzy is tough. It'll show him you weren't warning him off for nothing.'

'Mark should have known! It's not as if I haven't told him – Fowler told him, too.'

Dick did not reply, his opinion of Mark too well known to need reiterating.

As they went back into the covert they saw Mark coming down the ride on Hannibal. He looked worried, and Christina immediately sensed that all differences would be forgotten until Tizzy was found. He even looked slightly remorseful, which made Christina feel worse than if he had been cocky.

'I can't understand where he can have got to. Pheasant came this way, the last I saw of him – although I suppose he could have taken any of the rides.'

'He didn't come out this side, else we'd have seen him,' Dick said.

'No – well, I suppose he could have circled round and back into the home fields, or even gone out towards Hall Farm, through the Lower Wood. Tizzy might have managed to steer him a bit before he fell off.'

Christina thought of the tangled undergrowth and overgrown tracks through the Lower Wood, and her fear jerked again. They separated and each took a track out into the neglected fingers of the covert, looking for hoofprints. Mark had searched all the obvious places, and the fields between the stables and the woods. Pheasant went innocently, playing with his bit, bored now with all this standing and walking. Far above their heads the trees bowed and tossed in the evening breeze and wisps of cloud were glowing pink with the fading sun, but in the wood it was sombre and close.

'Tizzy! Tizzy!' Their voices echoed, and the pigeons wheeled up. Christina's mind began to linger on the possibilities again, so that she started to shiver until a sharp whistle from somewhere ahead made her pull herself together. She called out, and the whistle replied. She put Pheasant into a trot, ducking to avoid the branches.

'Over here!'

Pheasant came out into a clearing, and Christina saw Dick's plough-horse grazing.

'Dick! Where are you?'

'He's here!' Dick's voice came from the trees across the gap. Christina cantered across the grass and Dick came out of the trees with Tizzy in his arms.

'Is he all right?'

Tizzy was conscious, but looked very strange – un-Tizzy-like, Christina thought. She was shocked by the wandering of his eyes, and the fact that they looked at her and seemed to register nothing. He did not say anything, and his eyes went to Dick without any expression, and up to the trees, and he smiled.

'Tiger ran away and hit a brick wall,' he said. 'Charlie was mad.'

'Oh, Dick!' Christina was petrified. 'What's wrong with him?'

'He's had a bang on the head. Don't worry. He's wandering a bit. He seems all right otherwise. He needs a good rest, then he'll wake up with a headache, but that's all.'

'Are you sure?'

'Yes. I've seen it dozens of times. A spot of concussion.'

Tizzy's skin, in spite of the sunburn, had a ghastly greenish cast. Christina let out her breath in a sharp sigh. 'Oh, I wouldn't know – I'm glad you're here ... I couldn't ...' She could feel herself shaking, feeble as Tizzy. She despised herself, and the effort it took her not to cry.

'It's all right, Christina,' Dick said.

She led the horses, and Dick went ahead with Tizzy. She thought, 'Dick is no longer just a farm-hand for me. Everything has changed.' She thought now that all the time she was asking Dick what to do, depending on him, and not just for when to start ploughing, and when to turn the hay. It was for everything, even Tizzy's health. She could not help it.

They could not find Mark, although they called, and did not meet him until they were almost home, half-way across the last field. He cantered across to them, reining in sharply.

'Is he all right?'

'A bang on the head,' Dick said. 'That's all.'

'God, that's a fool horse of yours, Christina. There was nothing to make him take off like that.'

'I told you he was like that,' Christina said. 'You knew.' She could feel herself shaking with the effort to keep her temper.

'It needs a spot of discipline. I'll give it some schooling tomorrow.'

'You won't,' Christina said.

Mark's face tightened. He said to Dick, 'I'll take Tizzy now. You can go back to the farm.'

Dick stopped and faced Mark. 'I'll put Mrs Russell's horse away for her, and I'll go and fetch Dr Porter, if you'll let me ride the chestnut. Someone will have to fetch him.'

Mark hesitated. Then he swung himself out of the saddle and said, 'Very well, if you can't manage the bay.'

Dick opened his mouth to say something, then shut it firmly, his eyes glinting. Mark took Tizzy from him. Christina watched them, aware of the tension, biting her lip. Mark gave Dick Hannibal's reins, and Dick took the other two horses from Christina and set off towards the stable without saying anything else. Christina followed Mark, still biting her lip to stop herself from saying all the things that raged through her mind.

Seeing to Tizzy distracted her as soon as they got to the house, and Mark said no more to exacerbate her feelings, making for the whisky bottle as soon as he had laid Tizzy on the bed in Will's room, where Christina had been obliged to move Tizzy while Mark was on leave. Tizzy was barely conscious as Christina undressed him, but his thin, wiry body was unmarked, save for the lump on the back of his head. 'Thank God,' Christina thought, unable to contemplate a child's pain. 'He might have killed you, my little hedgehog.' And by 'he' she meant Mark, not Pheasant. Tizzy's eyes opened once and he looked at her and said, 'Ma, I rode him.'

'Yes, you rode him, and see where it got you!' But she was relieved by the fact that he knew her, and his colour was improving.

Dr Porter came, shown up by Mary, and examined Tizzy carefully. Christina stood by the window, looking out into the dusk. Across the park she saw a shadow moving, a fitful, uneasy shadow against the darkness of the trees. She watched it carefully, recognizing her own horse, and Dick riding him. Her eyes widened with surprise, but she felt a warmth, not anger. Dick was not going to let Pheasant get away with his day's work, but he would not break him as Mark would break him; he would defeat him by patience, which Mark knew nothing of. Christina's eyes followed him, forgetting Tizzy. She was very much aware of her own feelings, no longer surprised by them. She just wanted to watch Dick, even the faint, distant shadow of him which merely told her that he was there, no more. She started when Dr Porter spoke to her.

'Concussion,' he said. 'There's nothing else. He must rest. I'll come again in the morning and look at him, but I don't think you've anything to worry about. He'll be as right as rain after a good night's sleep.'

'Thank goodness! I was frightened –'

'You Russells and your horses – you ought to be used to it by now. Young Dick is looking a lot better than when he came, I'm pleased to see.'

'Yes.' Christina was cautious. Had her thoughts been so apparent, that Dr Porter had mentioned Dick? But his old voice bumbled on: 'That child ... I've never seen a boy so like his father. It doesn't seem any time at all since it was Mark's broken nose – the time that roan mare fell with him. And now this little monkey – just the same ...'

Dr Porter had tended three generations of Russells, helped them either to die or be born, and tidied them up after their horses had thrown them: he was entitled to speak with familiarity. Nobody else outside the family had ever mentioned Tizzy's father.

'I'll call in the morning.'

'Thank you.' Christina saw him out; the park was still and silent now, lit by a harvest moon. Christina stood on the doorstep, shivering, filled with these strange emotions. Mary came to shut the door, thinking it had been left open, and grumbled when she saw Christina.

'Keep the warm in now, Miss Christina. Like as not we'll be up tonight with young Tizzy. These evenings are drawing in ... I've lit a fire for Mr Mark.'

'Will you keep an eye on Tizzy for a few minutes?' Christina said. 'I shan't be long.'

'Very well. Oh, and by the way, ma'am, I meant to tell you – a telegram came from Mr Perkins this afternoon, to say he was calling here tomorrow.'

'Mr Perkins? Oh, the solicitor. Very well. Does Mark know?'

'Yes, ma'am.'

If Mr Perkins could resolve their problems he would be a very clever man.

Christina fetched an old coat off its peg, wrapped it round her shoulders and went quietly out of the front door. She walked down to the stables and saw the lantern lit, hanging on its hook, throwing gigantic shadows on the whitewashed brick. A horse's head moved, and a hand soothed it; there was the clink of a feed-bucket and the eager, fluttering noise in Pheasant's nostrils as he waited greedily. Christina was smiling. She stood inside the doorway and watched Dick tip the feed in the horse's manger. He had been rubbing Pheasant down and was in his

shirt-sleeves. His cap hung on the partition, his pale hair gleamed in the lantern-light.

'Dick.'

He turned round, very surprised, and instantly guarded. Christina saw his face; she saw the wariness, but she had seen the expression that it replaced.

'I came to tell you –' But there was only one thing she wanted to tell him, and she stopped pretending that she had come to tell him about Tizzy, or ask him about Pheasant, and went up to him. 'Dick, I –'

He dropped the feed-bucket and put his arms round her, very gently.

'Yes,' she said, 'I came to tell you –' She buried her face in his white shirt and her arms went up round his shoulders.

'I love you,' he said.

'Yes.'

'Ever since I was fifteen. I have loved you since then.'

'Yes, I came – I wanted you. I had to come.'

He said her name, and kissed her. Christina had no misgivings at all, but was filled with a sense of relief, as if she had come to an even keel, as if she had come into daylight out of a deep fog. She did not know whether to laugh or cry. This was not love as she had known it for Will, but, whatever its name, she felt it was based on rock. This feeling of strength in Dick was what she remembered about the first time he had held her in his arms; it had not changed at all. She felt the hardness of his body under his shirt, the smell of horses and earth in their breathing, his pale hair beneath her fingers.

'Dick –'

Pheasant finished his feed and looked for his hay, but there was none there. He turned and nibbled Dick's cap until it fell in the straw, then pushed at Dick's elbow. Christina laughed. They got Pheasant his hay, and Dick led the plough-horse out into the yard. The orange October moon hung low, on its back, washing the familiar yard with a radiant light.

'Tizzy is all right,' Christina remembered. 'Dr Porter said he will be his old self tomorrow.'

'Is that what you came to tell me?'

'I saw you riding Pheasant in the park. I couldn't stop watching you. I had to come.'

Dick grinned. 'God, I wouldn't mind taking him out again! Or ploughing all through the night. I don't feel like going to sleep!'

'You will by the time you've ridden that beast home! You'll never get him to canter again.'

'Oh, I could make him jump a five-barred gate the way I feel. You're all right, Christina – with Mark, I mean? Do you want me to come back with you? He doesn't bully you, does he?'

'Oh, Mark –' Christina shrugged, remembering the things that were unresolved. 'No. I'm all right. I don't hide anything from Mark. He must just make the best of it.'

But Mark didn't have to know, she thought, with a small tremor of apprehension. What had happened tonight did not change anything. It had been happening all the time. She did not have to burst in and say, 'I love Dick.'

Dick kissed her again, standing beside the patient horse. Then he vaulted on, in spite of the fact that the mounting-block was right behind him, and Christina walked with him to the gate out into the field.

'Good night!'

'Did you say this old horse wouldn't gallop?' Dick said softly.

And the Suffolk Punch went off with a grunt and a sharp flick of his docked tail, his great hoofs pounding the track as he raced for the covert, Dick's ardour inspiring him so that he looked for all the world like one of his ancestors at Agincourt, clods flying and blinkers flapping. Christina stood and laughed. She was in a dream. She walked home, not thinking about anything, the old coat trailing from her shoulders.

'Wherever have you been? You must be starving,' Mary said peevishly as she went in at the kitchen door.

Christina realized that she was.

'Why, has Mark eaten? I hope you didn't wait.'

'No. Mr Mark's had his. He's gone up to Tizzy. I'll heat yours up – give me ten minutes.'

'I'll go and get washed.'

She went up to her room. She heard Tizzy laughing, and was annoyed, remembering that he was supposed to be sleeping. She went into Will's room and saw him sitting up in bed, his eyes very bright, while Mark sat beside him, telling him about the day Treasure had run away with her.

' "Stop, stop!" she screamed!'

'Oh, Mark, really! He's supposed to be getting plenty of rest. Leave him alone and let him sleep. You'll get him all worked up.'

Mark looked up carelessly. 'Oh, all right. I was just telling him that it doesn't matter. He'll be riding again tomorrow, won't you, my lad? You'll get the better of that wild animal of Christina's!'

The excitement left Tizzy's face and he looked at Mark with a strange expression on his face. Christina saw a pretence at eagerness and, underneath it, stark fear. He murmured something inaudible.

'You must never let them beat you,' Mark said easily. 'They don't let you get away with it in the Army, you know. They keep you at it, even if you're half dead. That's the way to become a rider, Tizzy. Never give in.'

'No,' said Tizzy. His eyes met Christina's with a mute, trembling plea.

Mark got up. 'We'll have you on him again in the morning. You have a good rest now, and you'll be as right as rain. I've had more knocks like that than I can remember and it's done me no harm.'

Christina, biting back the rage yet again, resisted her passion to speak and tucked in Tizzy's sheets. Mark went to the door and said to her, 'Where've you been?' Christina did not reply. She said softly to Tizzy, 'Go to sleep now, sweetheart. Don't think about horses. Don't worry. I won't let you ride Pheasant again.'

She heard Mark go away down the landing. She kissed Tizzy gently. Tizzy looked at her with anxious eyes.

'He says I must ride him again. I must ride him again!'

'No. Mark isn't right about everything.'

'He *is* right!'

'Pheasant is my horse, whatever Mark says. And I say you must not ride him.'

Tizzy's eyes looked at her doubtfully.

'He *is* right about everything.'

'All right, he is. But Pheasant is mine, and I won't let you ride him.'

The tautness went out of Tizzy's face. 'You're sure you won't let me?'

'Yes.'

'I won't have to?'

'No.'

Tizzy sighed, and shut his eyes. Christina sat by the bed watching him, a hard knot of compassion for him filling in her throat. Being Mark's son was no easy matter, just as being his father's son had been no easy matter for Will. She could see it happening all over again, and remembered clearly how Will had suffered in the very same way, scorned for not being able to negotiate a fearful hedge. Will's life with his father had been acutely unhappy. And Tizzy now was finding that the Russell path was not all roses.

She sat with him until he was sleeping soundly, and then

she went downstairs. She ate her supper in the kitchen with just Mary for company, letting the old woman's flow of comment on the day's work ride over her, listening to the scolding and the dismay and the conjecture, and not thinking about it at all. Thinking about Dick. Mary washed up and tidied the kitchen, and Christina sat on.

'I'll go to bed now, ma'am.'

'Very well. Thank you, Mary.'

'Will you be joining Mr Mark in the sitting-room, ma'am? Then I can put the lamps out.'

'No. I'll put them out.'

Mary gave her a strange look, and sniffed. 'Very well. Good night, ma'am.'

'Good night.'

Christina wanted to be alone. She did not want to talk, or even think, but just sit looking into the fire. She did not know what was going to happen: she just knew that she felt very happy, after what felt like a very long time. And she had no feelings of guilt or compunction about Will; she loved Will no less, nor ever would. He was a part of her, a part of the person Dick loved, a part of everything. It all made perfect sense, just at that moment.

But her reverie was interrupted by Mark. He came into the kitchen to get some water for his whisky, and was startled to see Christina sitting by the range, doing nothing.

'I thought you'd gone to bed,' he said. 'Why the solitude?'

He went into the scullery and topped up his glass. Christina could see that he had drunk a good deal already.

'I'm just going,' she said, getting to her feet. She did not wish to discuss anything with Mark.

'Are you avoiding me? I'm in disgrace, I suppose?'

'Let's not talk about it.'

'Have a drink, Christina. I'll fetch you one. You're such a strait-laced female. Do you never see the funny side of things?'

'Not of putting Tizzy on Pheasant, no. I don't want a drink, thank you.'

'What's wrong with you? What are you hatching, sitting here in the dark?'

'Nothing.'

'Where did you get to just now? When you didn't come down for supper? I thought you were with Tizzy, and Mary said you'd gone out.'

Christina did not reply. She did not want her feelings lacerated by Mark, not tonight. She turned and made for the open door.

'Not so fast!' Mark was across the room in a flash, and took her by the arm. 'You're my guest in this house, Christina. I want to talk to you.'

Exasperated, Christina shook his hand off. 'I'll talk to you when your head's clear. I don't want to discuss what you did today – I've been very careful not to say a word! You must know what I think of the whole business. Or do you want me to tell you?' She changed her mind, stung by his persistence. 'I will if that's what you want – Pheasant is *my* horse, and Tizzy is by law *my* child – not yours, and I told you quite clearly, and so did Fowler, that Pheasant is a dangerous horse for anyone but me to ride, and you could well have killed Tizzy doing what you did this afternoon. And am I supposed to laugh? Where is the funny side to that? You tell me.'

'You haven't answered my question,' said Mark quietly.

'What question?'

'Where were you just now?'

'What has that to do with it?'

'Why won't you tell me?'

'I'm not answerable to you for every minute of the day.'

'I know why you won't tell me. You were with Dick, weren't you?'

'Yes.'

'What is he to you? Just a man you employ?'

Christina hesitated. 'What right have you to ask me that?'

'I've every right in the world. You're my brother's wife, a Russell, and Russells don't stoop to rolling in the hay with farm-labourers.'

Christina's eyes widened abruptly, her calm shattered by Mark's argument, the most preposterous of any he might have thought up. 'What about you and Violet? What's the difference, if that's the way you look at it?' she asked him sharply.

'Oh, don't be stupid, Christina.'

'It was nothing to you, but it was everything in the world to Violet, and you never gave her another thought.'

'You're off the point – we were talking about Dick. What is there between you?' Mark's face was flushed, and his eyes glittered with drink and growing anger.

'I love him, if you want to know.' Christina threw prudence to the winds, incensed by Mark's attitude. 'It's perfectly simple.'

'You're not such a fool!' Mark's anger exploded. 'You must be out of your mind –'

'I've never been saner in my life.'

'Dick is a peasant, you stupid woman! What does he possess, apart from the clothes he stands up in? He's just an opportunist, after your money –'

'Like you, I suppose! You're not my guardian, Mark, to say who I may like and who I may not! And Dick is no more a peasant than –'

'He's dirt, Christina, and you know it. Tomorrow I shall send him packing – I shall kick him out –'

'Then I shall go, too!' Christina's voice shook, pure rage crowding out dismay. 'And your precious place will rot to pieces, and much good it will do you! You've never raised a finger to *work* since the day you were born, but you still expect to have horses and servants and think you're a squire, to tell everyone how they should behave –'

'Yes, I'm still the master in this house, and don't you forget it.' Mark straightened up, his eyes very hard and scornful. 'I'm sorry if I upset your plans by turning up again, just when you –'

'Don't worry! Flambards means very little to me. I shall leave in the morning, and your farm can go back to being a wilderness for all I care –'

'And where will you go to?' Mark taunted her. 'Tell me that.'

'I shall go down to the cottage.'

'To your peasant!'

'No! Dick will have gone – haven't you just said that yourself?' Christina's voice spat with a rage that was scarcely under control. The mockery in Mark's face insensed her, and she no longer cared how wild her plans were in her passion to be rid of him. 'I shall stay there – and pay you rent – until I have found somewhere else to live.'

'Very suitable! You will find out what it's like to live like a peasant, as you're so addicted to the breed.'

'I shall take the children. We shan't burden you by our presence another day longer.' Christina heard her voice quiver dangerously. She turned blindly for the door.

'Good. I shall tell Fowler to drive you over first thing in the morning –'

Christina, hardly knowing what she was doing, collided headlong with Tizzy, who was standing on the threshold in his night-shirt.

'Tizzy!'

'I wan' a drink.'

'Oh, Tizzy, what are you doing here? You're supposed

to be asleep! Come up with me, you little idiot child! I'll get you a drink.'

She picked him up and carried him up the passage and across the hall, still seething against Mark, but wrenched by concern for Tizzy. He was too heavy to carry up the stairs, and she put him down gently and put her arm round him.

'I don't want to go to the farm,' he said. 'I won't go away.'

'Hush, Tizzy. Come on now, back to bed.'

'I'm not going away.'

'No.'

'I'm staying here. I'm not —'

'It doesn't concern you, Tizzy. Come along and get your drink.'

'I'm not going.'

'For heaven's sake, Tizzy!'

Christina felt her patience giving way. Her head was whirling. She tucked Tizzy into bed again and got him a drink. His colour was good and he was not feverish. He seemed perfectly recovered from his fall. 'Thank goodness!' she breathed. There was enough to worry about now, without Tizzy.

'All right now?'

'Yes.'

She kissed him, and went into her own room. Isobel lay with her plump brown arms thrown up on the pillow, fingers curled, dark lashes like ink lines on the perfect skin. Christina looked at her in an agony of indecision, seeing nothing but the awful responsibility she represented. She could hear her own pulses thudding in the stillness of her room, the blood racing with a furious indignation which — even in her lifelong battles with Mark — she had never experienced to the same degree. She felt as shaken, lacerated, as if she had been in physical conflict. She walked about the room, the conversation repeating itself with all its venomous accusations over and over in her head. She stood at the dressing-table and tore the hairpins out of her hair and saw the hot tears of self-pity brimming under her eyelids, cursed herself for a fool, and paced back to the window, cooling her forehead against the glass, seeing nothing of the moon and the windy October night. The draughts rattled through the window-frames, and she shivered and turned away.

'I shall never sleep!' she thought. The day behind her was a great, ravening pattern of worry, fear, ecstasy, and rage: she did not know how she could ever find peace with so much emotion rampaging through her bloodstream. But she undressed and got into bed, and lay looking at the cracks on the ceiling, traced out by the moonlight which came and went through the passing clouds.

'I've had enough,' she thought. 'I cannot think any more.'

The day seemed to have gone on for ever.

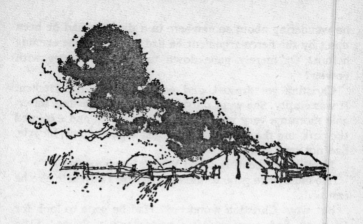

Chapter 12

Christina slept, when sleep came, very heavily. She did not know what woke her, but she felt instantly, as soon as she opened her eyes, that something was wrong. She looked towards the window, saw that it was just going light, and remembered the argument of the night before.

'Oh, God!'

She did not want to leave Flambards, for all she had said. Her head ached miserably.

She lay still, looking at the grey sky, and the feeling of uneasiness came again. She got out of bed, put on her dressing-gown and went across the passage to Tizzy's room. His bed was empty. She stood looking at it blankly, not sure what it meant. Then she noticed that his clothes weren't there.

A feeling of intense irritation, rather than of anxiety, flared up to augment her general misery. Tizzy did not get up as early as this as a rule, even when he was fit. Was he wandering about somewhere in a daze, or had he been upset by the fierce argument he had overheard the evening before? Or merely gone down to feed the horses with Fowler?

Christina got dressed, and went down to the kitchen. It was empty. She went outside, into a grey, tossing, miserable morning, very well suited to her mood, and explored the park and the stables. Fowler, just arrived on his bicycle, had not seen Tizzy.

'Well, now, the little devil! What's he up to, then?'

'He must have gone to the farm. There's nowhere else he can be.'

But why, Christina wondered? Had he gone to look for Dick, to find comfort after yesterday's violence? Even Tizzy must have found by now that Dick was a more reliable oracle than Mark. She knew she would not be able to rest until she knew where he was. But if she went down to the farm now she knew the interpretation that Mark would put on the outing.

'I shall have to tell Mark what's happened,' she thought. 'The whole business is his fault. He can do a bit of the worrying, too.'

And then she realized that Tizzy might be with Mark. She had never thought to look in Mark's room.

She hurried back to the house and up to Mark's room. Mark was still in bed, lying with his hands clasped behind his head.

'Have you seen Tizzy this morning?'

'No.'

'He's disappeared. I've looked everywhere.'

Mark frowned. With his rumpled black hair, Palestinian suntan, and the gold identity disc on a chain round his neck, he looked like a foreigner. 'What are you worried about?' he said. 'He'll just have gone out to look at Pheasant or something.'

'He's not in the stables. I thought he might have gone up to the farm. I want to go and look, but I want you to know what I've gone for. He's in no state to be wandering about on his own. Dr Porter said he must stay in bed.'

Mark grinned. 'Go and look, then. You might even see Dick while you're up there.'

Christina went out of the room, slamming the door, biting down the familiar rage. They still reacted on each other exactly as they had all through their childhood, baiting and nagging, with last night's affair the grand culmination of all their years of practice. Christina was amazed that she still rose to his goading, but she could not help herself. She had no more self-control than an adolescent girl teased by an elder brother.

She did not tell Mary what had happened, not wanting her to fuss. She told her to leave Tizzy and just attend to Isobel. Then she went out to get Pheasant. Soon she was cantering through the damp covert, cross and confused, her thoughts in a tangle. She did not particularly want to see Dick until she had pulled herself together, but she knew finding Tizzy would go a good way to calming her state of mind. It was a bleak morning, a cold drizzle slanting across grey fields.

Half-way through the covert she got her first whiff of wood-smoke, which surprised her. She knew the boys had not started hedging, and there could be no other explanation for the smell. It was strong and heavy, rolling towards her on the wind, far too pungent for a mere tramp's brew-up. Coming out of the ride she collected Pheasant for the gallop down the track, and was amazed to see a pall of smoke hanging over the farm. It writhed in the wind, dark and ominous, its core appearing to be in the farm-house itself.

Christina paused, staring. With all the worries she had

on her mind, this outside, physical evidence of alarm took several seconds to register.

'Whatever –'

She thought she must be dreaming. Pheasant pulled, reaching for the bit, and the reins slithered through her fingers.

'It can't be on fire!'

But, quite obviously, as a fresh billow of thick smoke rolled low over the track, belching from the doorway of the cottage, it was.

She put Pheasant into a sharp canter, completely alert now, all her other worries forgotten. As they raced down the track she had a forlorn hope that there must be an ordinary explanation for all the smoke-clouds – a mere bonfire, or some fantastic cooking mistake, but as she got near she knew that such ideas were mere illusions: her farmhouse was on fire, and burning fast.

She pulled Pheasant to a halt as soon as she felt his uneasiness, feverishly tied up his reins so that he wouldn't tread on them and left him to his own devices. Picking up her skirts, she ran, mud flying.

'Dick! Dick!'

The smoke rolled towards her and then swung round, shredded by the wind into long plumes over the stable-yard. She saw Dick come out of the door of the cottage, ducking low, his hand over his face. He heard her shout and looked up.

'Help me get the horses out,' he said. 'It's got a hold in there. I tried to stop it, but I can't, and with this wind blowing it could easily spread to the stables.'

He had no breath to waste in talking. Christina could see that he was already affected by the smoke, breathing painfully. Even in the midst of this urgency she felt a great rush of concern for him.

'You're all right, Dick? You –'

'Come on!' he said. 'If only the boys were here –'

He was running into the yard, Christina stumbling after him.

'Dick, have you seen Tizzy?'

He glanced at her with streaming, bloodshot eyes, as if she was stupid. 'No, of course not –'

'He's disappeared.'

Dick shook his head, pulling open the sagging stable door. He had no time for Tizzy. 'They'll be nervous. I'll take Dolly first – she's the quietest. Undo all the head-ropes. With luck they'll all come quietly. Go easy – don't upset them.'

Out of the wind and rain the stable was quiet, yet the horses were stamping uneasily, not bothering about their feeds. The smell of smoke was strong.

'If only the wind were the other way!' Dick said. He went up to Dolly and unfastened her halter-rope. 'Come on, my beauty. Show the others what to do, my pretty.' His voice was soft and caressing. He appeared in no hurry now, very easy, letting her move round in her stall at her own ponderous speed.

'Bring Ginger, Christina. He's easy.'

Christina tried to be very calm like Dick, but her movements were all fumbled with worry, and her voice shaky. Ginger barged her against the partition, almost knocking her off her feet. She could feel his tremors of anxiety, see his eyes – unnaturally large – looking past her for the dangers he could scent. But Dolly's example calmed him. He followed hastily, but without panic. Two more went out, and Christina took the fifth, Dusty. Dick went back for the last, Punch, who was whinnying and stamping his feet. Christina stood at the doorway, watching the pall of smoke twisting in the wind, whirling up into the rain-clouds. She could hear the cracking of burning timbers, and sparks were spitting like bright insects against the sky.

The vigour of the fire, fanned by the strong wind, amazed her. The house was built of brick and the roof of slate, yet it was now a shell of fire, enclosed by four walls. Great blasts of heat swept across the low stable roof into her face; the first spark stung her cheek. She saw what Dick meant by the direction of the wind. For the first time she stood and looked at the danger.

'Dick, are you coming?'

She heard Punch whinny again, his hoofs scraping excitedly on the flagged floor. The row of stables was wooden, with bales of hay and straw stacked against the wall nearest to the house. Beyond the stables, and to leeward, stood the rick-yard, with all the season's harvest in neat array, dry as a bone beneath the thatch. Christina, with time to appraise the situation, felt her anxiety harden into real foreboding.

Punch was being difficult, refusing to face up into the direction of the smoke, although that was where the doorway lay. Dick was still easy, his voice quite calm. Christina saw the first flame show above the stable roof as a shower of splitting slates rained down on to the stable tiles. Punch whinnied again.

'Christina!'

She whirled round and saw Mark riding into the yard on Hannibal. Dick came to the doorway at the same moment, swearing softly.

'Have you got a scarf?' he asked Christina. 'The damned animal is going to fry at this rate.' His eyes went past Christina to Mark and he called out, without a moment's hesitation, 'Can you ride that horse past the doorway, sir? Will he do it?'

Christina swung round. Hannibal was remarkably calm, trusting completely in his rider's judgement of the situation. Mark saw immediately what Dick was about and rode forward. Dick went back to Punch. Christina got out

of the way, amazed by this sudden working partnership
between the two sworn enemies. They were back in the
cavalry again, under fire, literally. Christina saw Mark's
concentration, easing the big chestnut into sight of the
panic-stricken horse inside, yet aware that only a hair's
breadth separated his own horse's trust from panic. Hannibal's eyes were white-rimmed, his ears flitching, listening to Mark's voice, soft and endearing for a change. Mark's
hand smoothed his neck.

Punch came out with a rush, almost crushing Dick in
the doorway. Hannibal reared up with excitement and
swung round, Mark sitting easily, one hand still on the
horse's neck. The animal went off with a bound, but
Mark was able to control him and bring him back. He
sat in the middle of the yard, watching the fire. Punch had
made off, Dick letting him go.

'What started this?' Mark shouted to Dick.

'An armful of straw underneath my bed, with a match thrown in it – while I was out feeding the horses,' Dick shouted back.

Christina gasped, unable to believe her ears. But Mark, aware that discussing the academic question of how the fire started was not the most important job in hand, did not wait to discuss the matter any further. He slipped off Hannibal, threw the reins to Christina and stood watching the fire beside Dick.

'It's starting on the stable now,' Christina heard him say. 'The question is – how to stop it getting the rick-yard?'

'I think, sir, it's a matter of demolishing –'

'The old harness shed? And making a gap?'

'Yes, sir, if we can do it in time. It's pretty rickety.'

'We shall want some help.' Mark turned to Christina. 'Get on that horse and go and round up everyone you can find! As quickly as possible! Else you're going to lose the whole of your harvest.'

He gave her a leg up astride the big chestnut. Christina was away almost before he had finished talking, feeling the blast of heat in her face change to the sting of rain as she hurtled past the disintegrating cottage. She was terrified of the fire's power, writhing and spitting into the gusts of wind, one moment a flattened fan of roaring flame, the next a flaring tower reaching for the sky. It loved the wind, swelling and increasing with every fresh gust. The thin rain did not daunt it.

Her errand was scarcely necessary, for already the village people, having seen the conflagration against the grey morning, were streaming across the fields, anxious not to miss any of the excitement. Stanley was in the vanguard, standing on the pedals of his decrepit bicycle, crashing through the potholes. Everyone was running, even women and children. Christina, having sent a boy on a pony for the fire-brigade (some fifteen miles distant and not really a very

178

optimistic proposition), turned round and galloped back to the farm, and left Hannibal tied to a gate with a piece of baling string, out of the way.

Stanley skidded through the mud behind her, eyes shining.

'Cor, miss, what's Dick been doing?'

'Go and help!' Christina snapped at him. 'Don't just stand and gape.'

The cottage roof had fallen in and the flames had moved over the stable end. Tar ran in bubbling streams down the weather-board. It was now very hot in the stable-yard, even up against the far buildings. Christina watched, appalled, as the flames roared into the haystore. Burning, filigree hay spun up into the sky, lifted by the conflagration. The sweat ran down Christina's face.

Mark and Dick had fetched a load of tools from the store barn and Mark went out through the gate bawling for volunteers to come and help demolish the sagging end of the stable block. He gave out sledge-hammers, dispatching one party round the back to attack the tottering walls from the rear.

'Drag all the timber well clear! And hurry!'

The strongest helpers he sent to help Dick, where the heat was already making the work uncomfortable. Little boys were sent for ladders and buckets, and another party for tarpaulins.

'Drag them through the pond – get them soaked through – then go and drape them over the nearest stacks! You boys watch for sparks on the stacks. Go out round the back – hurry! It's the most important job of the lot. Take the ladders, and some sacks to beat with. Wet them first! You go, and Harry, and you over there! Christina, you organize a bucket chain from the pond. The women can do that.'

But the crux of the operation lay in making a gap wide

enough to stop the fire from continuing along the block of old sheds that stood at right-angles to the stables, backs to the rick-yard. If that caught, it would be impossible to stop the fire from sweeping across the whole of the rick-yard. Dick had seen the possibilities of the harness shed, the weakest part of the building, but whether it was possible to demolish it before the fire drove them away from the work was doubtful. The least courageous of the volunteers were already making excuses to get away from the heat, but a dogged knot of enthusiasts was flailing away to good effect, knocking out the buttresses that had been put in to support the end wall. With the supports gone, and Dick and Mark using a battering-ram from the inside, the wall started to collapse. Half the roof fell in, raining tiles, and the workers scattered momentarily, then converged once more to attack the sagging rafters and timbers. From the field outside, a working party was dragging the timber clear as soon as it was wrenched loose, and rescuing the heaps of harness that Dick was slinging out through the opening. Sparks rained down on them from the conflagration, lacy confections of burning hay still swarming through the sky, twisting in the wind. Christina had a glimpse of Mark knocking out the side wall with a sledge-hammer, his face running with sweat and blood from a gash where a tile had hit him. Dick and another man were starting on the roof timbers, apparently regardless of danger in the race against the encroaching flames. Another shower of tiles rained down into the yard and a ragged cheer went up as one of the main timbers, after a warning shout from Dick, crashed down on top of the back wall, which collapsed with mortal, splintering shrieks audible even above the din of the flames.

'They're winning!' somebody said.

But the heat was intense. The men clawing away the timber came less readily, ducking and cursing. The fire, having consumed the hay and straw, had shrunk slightly, but its grip was fierce and sure, edging with its greedy roaring and crackling down the whole length of the rotten outside boards of the shed, consuming the wooden partitions and hayracks and roof rafters that stood in its path. Showers of falling tiles would muffle and quench it for mere seconds, then a fresh gust of wind would sweep through its entrails, flicking embers and ash and burning splinters in showers through the yard and over the heads of the frantic workers. The end of the bucket chain could not get within throwing distance of the conflagration. Christina felt the sweat running in rivers down her body, yet she was considerably farther from the flames than the men who worked in its path. She was desperately anxious for Dick, aware that he had forgotten prudence completely, and even concerned to a certain extent for Mark, who had always taken risks readily. They were still closest to the fire, taking out the last section of wall, working close together over one stubborn support that held a whole section from moving. Mark shouted for someone to fetch a chain, and together they fastened it round the top of the baulk and took the end over to their last persevering helpers. A bevy of people, seeing what was needed, crowded in for one desperate effort, and the baulk of timber toppled, freeing a last long section of weatherboarding. But no one would go in to take the timber out; it was too hot. Mark and Dick made a few forays, but were beaten back. Christina saw Dick's face as he turned away, and realized that he was finished, reeling on his feet. A man went up to him and took his arm, supporting him. Christina turned to go after him, but at that moment someone thrust a bucket at her and she realized that Mark had now turned his attention to getting the water moving, and the chain started work, Mark on its end, dousing the fire's path and the dusty floor of what had once been the harness shed.

For the next half-hour there was no thought but for the stomach-wrenching buckets, slopping water, clanking and thudding, across the mire of the yard. The fire was checked, but hung on, flaring up in dangerous gusts as if determined to jump the gap. Mark stationed himself on the corner of the end block, dousing the flames as they darted across, ordering men to beat off every stray brand and ember. So far none of the ricks had been touched, the army of little boys vying with each other to beat out every sailing firebrand that came across. Christina could not see Dick anywhere. She was desperate to know if he was all right, the dreadful ghouls of all the stories of consumption that she had ever heard crowding into her spinning head, all the undoubtedly true facts that she had happily ignored since he had seemed to be getting better fanning into life again like the flames before the wind. And Tizzy! 'Oh, God, Tizzy!' she moaned, grasping yet another slopping bucket in blistered hands. Like everyone else in the yard she was drenched and grimed with smoke, sweat, rain, and mud soaking her clothes, black streaks smearing her cheeks, eyes half closed with smuts and pain.

A shout went up from outside the yard.

'They're coming!'

An unfamiliar noise came on a gust of wind from the direction of the village, a bell jangling with great urgency, neither church nor muffins.

'The fire-brigade!'

'Oh, thank God!'

The little boys started to run with whoops of excitement. Christina dropped her bucket and went across to Mark.

'It will be all right?'

'We've got it beaten, I think. At least they will finish it off for us – I think I've had enough!'

'What's happened to Dick?'

'God knows.' Mark wiped his hand across his face, making a great track through the soot and the blood.

'Oh, Mark, your head!'

'It's thick enough – I never felt it. Let's go and see the captain of this famous fire-brigade. Then I reckon I'm ready for breakfast.'

They went out of the yard to where the magnificent contraption had pulled up beside the pond, the four horses covered in lather. The general excitement was even greater than the day the Gotha crashed, the firemen swearing at the little boys that darted under their feet as they started unwinding the hose. Mark saw the man in charge, who glanced at the fire and the wind and the ricks and assured him that they would quickly have it under complete control.

'We can leave it to you, then?' Mark said.

'Certainly, sir. I take it you're the owner of this property?'

'I am. If you want me when you're through, I shall be up at the house.'

'Very well, sir.'

Mark turned and smiled at Christina. 'Breakfast, eh? What did you do with the horses?'

Christina hesitated. Urgently as she wanted to know about Dick, she saw that this was not the moment to turn away from Mark, who had done a magnificent morning's work. As if sensing where her thoughts lay, he said, less pleasantly, 'Come on, Christina. We'll go home. There's the little mystery of Tizzy to solve, if you remember.'

Christina shrugged and followed him across the ruts and puddles. The drizzle came cold and fresh across the first lines of plough. She slithered and stumbled, hardly knowing what she was doing.

'I let Pheasant loose. Can you see him?'

Hannibal had snapped his tether, but was grazing calmly

on the verge. Mark caught him and led him up the track, holding Christina's arm, until they came across Pheasant eating the hawthorn hedge. Mark gave Christina a leg up, and then mounted Hannibal, and they rode up the track towards the covert side by side. Christina found that her legs felt shaky. After the wretched night she had spent, her thoughts were in a complete tangle. The only thing that occurred to her, and which made her smile involuntarily, was that she could scarcely keep her bold promise of going to live in the farm-house. But the bitterness of the night before had died. She did not know where she stood. She felt incapable of saying anything remotely sensible.

'Had Tizzy been down to the farm, by the way?' Mark said. 'Before all the excitement?'

'Dick hadn't seen him.'

'We'll probably find him safe at home.'

'I expect so.'

A small, terrifying idea stirred in Christina's mind. It had come earlier, in the stable-yard, and been trampled in the ensuing events. She looked sideways at Mark.

'What do you think about the fire – how it started, I mean?'

'I think Dick was probably careless filling a lamp or something, and started it himself.'

Christina said nothing.

'He put up a damned good show getting it out, though,' Mark added.

'He said it had been started deliberately –'

'Oh, that's nonsense. As if anyone would! It was just a tale to cover up his own stupidity.'

Christina said nothing. She lifted her burning face to the damp, raw rain and prayed for the tangles in her life to get unknotted.

'It was a good fire,' Mark said. 'I saw the smoke from the windows when I got up. That's why I rode over. It was only rubbish that went, when all's said and done – although Dick was lucky to get the horses out. He's a good man in a tight corner, I'll say that for him; the sort of man I like to have in my platoon.'

'How extraordinary!' Christina thought. Everything she could think of was extraordinary. Mark had the expression on his face that she could remember seeing on it after a particularly good day's hunting: the satisfaction of a job well done, the pleasant, physical enjoyment of feeling tired for a good reason. He had enjoyed the fire.

As if he had sensed her thoughts he said, 'I've had enough of this leave. I'd like to get posted – with luck I shall go to France again.'

Christina shook her head, unable to say anything.

When they got back to the house Christina slipped upstairs, going in by the front door so as to avoid Mary. She went quietly into Tizzy's room. He lay in bed, his cheeks glowing with health. His eyes were shut, but opened abruptly when Christina stood over him. He looked at her, and she looked at his rain-damp hair, and the smut on his cheek. She saw the look of instinctive guilt flit across his face, to be blotted out by an enormous pretend yawn.

'Slept well, Tizzy?' she asked sweetly.

'Yes, oh yes. All night,' he said, gazing at her with innocent Russell eyes.

Tizzy, she thought, hadn't wanted to go and live in the farm-house. Tizzy, a man of action like his father, had arranged things very well. He never thought to inquire after her own grotesque appearance, busy with his big pretend yawns, and rubbing his unsleepy eyes. Christina picked up his clothes, flung in a heap on the floor. They were damp, and smelt strongly of burnt straw.

'I think,' she said quietly, 'when Dr Porter has seen you, you had better go and have a little talk with your father.'

He frowned.

'With who? Uncle Dick or Mark?'

'Mark.'

'What about?'

'I think you can guess.'

Tizzy sighed. 'I don' feel very well,' he said.

Christina, in spite of everything, laughed.

She went downstairs to fetch some hot water to get washed. As she crossed the hall the doorbell rang. She went and opened the door. A small elderly man in a black suit and a bowler hat, very neat and trim, looked at her, his mouth falling open as he took in her appearance.

'Mrs Russell?' he faltered.

Christina's eyes fell on his brief-case.

'Mr Perkins? Oh, please come in. We were expecting you.' She stood aside to let him pass into the hall, smiling sweetly through the soot. Inside she was saying to herself, 'Oh, heavens, whatever next?'

Chapter 13

An hour later, when Mark and Christina had washed and changed and breakfasted, they joined Mr Perkins in the dining-room, taking their places solemnly at the big mahogany table. Christina, glancing across at Mark, was amused by the businesslike face he was able to assume, in spite of swollen red eyes and a large sticking-plaster on his temple. His hands were gashed and blistered, fidgeting with the balance sheet Mr Perkins had passed him for study. He scratched his head, swore and pushed his chair back, making for the decanter on the sideboard.

'I shall understand it better with a drop of lubricant,' he said plainly. 'A drink for you, sir?'

'Not when I'm working, thank you,' Mr Perkins said, frowning.

Christina could smell the woodsmoke in her hair. She thought of Tizzy, and remembered the days when she had sat at this table for dinner after hunting days, with Will and Mark and Uncle Russell. Mark poured himself a large whisky, and looked at the paper again.

'All these red figures,' he said. 'I take it they're debts?'

'That's right, Mr Russell. I'm afraid it's not a very cheerful picture. Your father had raised a large mortgage on the house, and left a considerable number of debts, mainly to wine-merchants, horse-dealers, grain-merchants and that sort of thing – not very large ones individually, but, added together – er –' Mr Perkins looked out over his half-moon glasses – 'considerable.'

'You mean there's very little for me?'

'We have managed to settle most of the debts. Your biggest asset is the land and the farm-buildings, which you own. This house, I'm afraid, is in the hands of a financial company.'

Mark looked gloomily at the figures.

'That leaves me with just fields, then?'

'And the farm-buildings, as I said.'

'Well, we've just burned them down,' Mark said.

'Most unfortunate,' Mr Perkins said formally. He paused, then said to Mark, 'I have been wondering if you are considering working the land? It seems to me that it is your only chance of making any money out of your property. I am talking of when the war is finished, of course, and you are released from your obligations in the military field.'

'The more I look at these figures, the more my obligations in the military field appeal to me,' Mark said gloomily.

'You think you might make the Army your career?'

'I'm not going to be a bloody farmer, if that's what you're suggesting.'

Mr Perkins frowned again. Christina suppressed a smile.

'I'm afraid I must be plain, Mr Russell,' the solicitor said. 'If you do not intend to earn any money by working, I cannot see any alternative other than putting the place up for sale.'

Mark glowered into his whisky glass.

'The old man left things in a fine pickle, I must say! I knew it was pretty bad, but –' He shrugged, shifting the papers about irritably. 'It's not as if I want very much: just a roof over my head and a hunter or two –'

'But you've no capital to live on, Mr Russell,' Perkins insisted. 'If you were prepared to work –'

'What the hell can I do? I don't know the first thing about farming, or about anything else for that matter. The only thing I know how to do is hunt foxes and mount an attack on an enemy position. Both extraordinarily useless when it comes to making money. You had better put the place up for sale, then. And I'll go back to France and see if I can get myself killed.'

'Don't be so ridiculous!' Christina hissed at him across the table. 'You knew perfectly well how things stood! At least, if you sold the place, you'd be able to keep a hunter at livery somewhere and enjoy yourself, wouldn't you?' His maudlin streak of self-pity annoyed her. Old Russell had cut Will out of his effects entirely, yet Will had worked sixteen hours a day seven days a week to earn the money to do what he wanted.

'Who would buy the old ruin, I'd like to know?' Mark shot back at her. 'At a time like this?'

'I would,' Christina said.

'Oh, you cunning b——!'

'Mr Russell, please –' The solicitor's colour had risen and he looked uncomfortable, thinking privately that he had never come across a client who took more after his father than Mark Russell took after old Russell. Conferences at Flambards invariably ended in hard words; once old Russell had thrown a book at him. He looked at Christina, perfectly composed across the table.

'Are you serious, Mrs Russell?'

'Of course she is. It's what she been scheming for all along,' Mark said.

Christina, who had spoken the words the instant the possibility had entered her head, said coldly, 'You know perfectly well that the question has never been raised before. I wouldn't marry you in order to own Flambards, but I'm perfectly willing to buy it off you for its fair market value.'

Only the presence of Mr Perkins stopped her from expressing her feelings about Mark's accusation more strongly. She felt slightly giddy by the turn the conference had taken, wondering if such a perfect solution to her future was indeed possible. In spite of Mark's suspicions, this particular solution had never entered her head before.

Mr Perkins said cautiously, 'Your capital would, of course, easily contain the value of this estate, Mrs Russell, if you think it would be a wise move from your own point of view – with regard to the future, I mean, and discounting sentiment – although, of course, it would be very satisfactory to keep the home within the family, I understand that ...'

Mark pushed back his chair abruptly and said, 'Well, if that's the way of it, I don't see that my further presence is necessary. I take it I can trust you, Mr Perkins, not to let this avaricious – sorry, Mrs Russell, swindle me? I'll stroll over and see if the fire that her employee started is now under control –'

'Mark.' Christina stood up (and Mr Perkins put his head down, covering his eyes with his hand, with a little groan).

'Before you go, Mark, go upstairs and ask Tizzy about the fire. I think you'll find he knows how it started.'

'Tizzy?'

'Yes, Tizzy. *Your* son.'

Mark sent her a piercing glance. He picked up his empty glass and went over to the whisky bottle on the sideboard. 'Oh, my God,' he said. 'What a morning!'

Christina sat on, discussing her own financial affairs with Mr Perkins, but conscious that her thoughts were elsewhere, concerned with Dick's health and Tizzy's fate upstairs as well as with the fantastic notion of herself being the owner of Flambards again. When Mr Perkins seemed to have exhausted his figures she got up and suggested that she should go and make him a cup of tea, anxious to bring the session to an end. Once in the kitchen she had Mary's excitement over the fire to contend with. Fowler was sitting at the table with a mug of tea, all the latest details of the mopping-up operations at his finger-tips.

'Will you take a cup of tea in to Mr Perkins, Mary?' Christina said sharply. 'Use the best china, and the silver tray. Has Dr Porter been to see Tizzy yet?'

'No, ma'am. He's up in the village – you know Dick's been taken queer? It's the fire done it, of course –'

'Where is Dick? Where did they take him? What's wrong with him?' Christina turned on Mary, her voice shaking suddenly.

'They took him to Fowler's cottage, ma'am, and Mrs Fowler took him in. They say he's been bringing up blood something awful, ma'am –' Mary's eyes shone with the glory of breaking bad news. Christina turned away, finding it impossible to say anything. Her strange and beautiful optimism, fired by Mr Perkins, crumbled away, just as the stable walls had turned to ash against the clouds. She could not stand being stared at by Fowler and Mary, and went blindly out of the kitchen. She found she was shivering with *anger*. 'Not again! Not Dick!' She stood in the hall, her arms raised up, grasping the banisters, her face buried in the crook of her elbows. She heard Mr Perkins cough in the dining-room, and turned and ran up the stairs. 'No, no – it's not true! The stupid, gloating, idiot old woman – it can't be . . . !' She hardly knew what she was doing, and stumbled over the frayed carpet.

'Ma!'

A pitiful small voice echoed down the landing. 'Ma, I want you!'

Tizzy stood at the door of his bedroom, all tousled and sobbing, his hands behind him, clutching his bottom.

'I hate him!' he sobbed. 'I hate him!'

'Tizzy!'

Christina went over and put her arms round the furious child, leading him back into the bedroom.

'Sit down! Don't be so silly!'

'I can't, I can't sit down –'

'Tizzy, stop it! You're a naughty boy, and you deserved it!'

'I didn't wan' to go away, Ma, an' I'm glad I did it, but I only meant to burn a li'l bit. Not all of it.' He hiccuped with tears. 'He beat me jus' like that man –'

'What man?'

'That man at – at – my dad did – like my dad beat me –'

Tizzy was evoking the memory of yet another father, Christina concluded, his father in Rotherhithe. She looked at the indignant eyes, the big tears rolling out in furious profusion, the lips trembling with mutiny.

'Oh, Tizzy, Tizzy!' He was hurt less by Mark's belt across his buttocks than by Mark's sudden reversal from soldier-hero to common, angry parent. Christina felt an unexpected pang of sympathy for Mark, who had received so many similar beatings from his own brutal old father that he had not paused to think of the relationship he was demolishing in his own first essay into violence.

'I'm sorry for you, Tizzy, but you deserved it, and Mark was bound to be angry. There, don't cry!'

She was torn between being stern and just and loving him desperately at that moment, because she wanted love and sympathy, too, in her own bleak situation, just as Tizzy wanted it. She pulled him on to her lap and he flung his arms round her, all damp and smoky.

'Oh, Ma, I don' wan' to go away ever –'

It was all her fault, perhaps, for giving him this sense of insecurity, of uprooting him in the first place. She remembered him standing on the stable roof when Dick had first come, and defying him with the same words. 'Oh, Dick,' she thought, clutching Tizzy –

'Dr Porter's here, ma'am,' said Mary's voice at the door.

Horrified at the feeble, sentimental attitude she had been discovered in, Christina leapt to her feet, depositing Tizzy abruptly on to the floor. Dr Porter came in, looking slightly surprised.

'Hullo, young man.'

Tizzy glowered.

Christina tried to explain. 'He's upset because he was very naughty and Mark's just given him a thrashing.'

'I wouldn't have thought he was in a fit state at the moment to receive corporal punishment,' Dr Porter said stiffly.

Remembering that Tizzy had, in his unfit state, travelled out to the farm, set it on fire and travelled back again, Christina could hardly agree with the doctor's opinion, but she hadn't the energy to explain.

'He seems perfectly recovered from his fall.'

'Sit down, young fellow, let's have a look at you.'

While Dr Porter examined Tizzy again, Christina found herself standing at the window where she had stood the evening before and watched Dick riding Pheasant in the dusk. It seemed days ago, not hours. She ached for Dick. She stood picking at a hole in the curtains. The park was bleak and empty, the drizzle still falling.

'No, there's certainly nothing to worry about there,' Dr Porter said. 'He may as well get dressed.'

Christina turned round. Dr Porter said, 'That was a bit of excitement up at the farm this morning! I thought –'

'Dr Porter, how's Dick?'

'Dick?' The doctor was surprised by the urgency in Christina's voice.

'Mary said they'd taken him to Fowler's place and you'd seen him and he – he – she said he was – was vomiting blood –' Her voice dropped almost to a whisper.

Dr Porter laughed. 'A spot, yes. Nothing to worry about, my dear. You know these village women – one drop of blood is three pints by the time the story's got around!'

Christina stared at him.

'You mean he's all right?'

'Yes, of course. I looked in, knowing his history, but there's no harm done. He'll have to rest for a few days, that's all.'

'Oh!' Christina felt as if the room was going round in circles. 'I –' She sat down on the bed. 'I thought I – oh dear!' If the doctor hadn't been there, she thought, she could easily have had hysterics. She wanted to laugh and cry at once. Dr Porter looked at her closely. Then he came and sat down on the bed beside her.

'Dick has got a natural constitution like an ox, my dear, else he'd have died several times over by now. Having come so far, I think he's more likely to die of old age than anything else.'

Christina nodded. 'I love him,' she said.

'I see, my dear.'

They sat in sympathetic silence on the bed, and the

model aeroplanes that hung from the ceiling on threads of white cotton revolved slowly in the draughts that whistled through the window-frame.

Tizzy, having hastily dressed, opened the door. 'I wan' my breakfas',' he said, and disappeared.

Chapter 14

'There,' Christina said, 'wasn't I right? Isn't he just the beast for you?'

Tizzy pulled the little Welsh pony to a halt by the gate and looked at her, pretending that he wasn't very impressed.

'For a little pony he's all right, I suppose.' But Christina could see the excitement in his face. He had cantered the pony all the way round the park, and the pony had gone eagerly, but without getting out of hand. Tizzy had been able to stop him without any trouble. Christina could see that he was proud and pleased, but did not want to show it. She laughed, stroking the pony's pinkish-grey neck.

'You're a good fellow, aren't you, Worm?'

'I'll ride him every day. I can take the beer out on him, can't I?'

'That's a good idea.'

'And you can ride that ol' Pheasan'. I don't like him very much.'

'He's nowhere near as well-mannered as Worm,' Christina agreed.

Away down the drive they heard the scrunch of hoofs on the gravel. Christina said to Tizzy, 'Mark is coming back. Don't dismount for a moment – wait and show him how well Worm goes for you.'

Mark had been away all day, having been summoned to London by the War Office. The telegram had come for him two days after Mr Perkins's visit, and his eyes had lit up when he read it. He had whistled round the house, and stood over Christina while she pressed his uniform, and ridden Hannibal round the old point-to-point course out of sheer high spirits. On his way to London he had ridden Hannibal to the station and left him in the stable of the Station Hotel, rather than be driven over by Fowler. Now, seeing him approach on the powerful chestnut, in uniform and looking every inch the cavalry officer, Christina felt her insides wince at the thought of his going back to the front. Their love-hate relationship had continued for so many years now, and their understanding of each other was so close, that it was no good pretending that she did not care what happened to him. She cared very much that he should be happy, which was why her own happiness in possessing Flambards and loving Dick was slightly clouded, impeded by a sense of guilt in gaining her desires at Mark's expense. Thinking this, she was frowning slightly as he reined up by the gate.

'Well, Christina, I've got my posting. I'm going to France on Friday.'

His voice was soft and excited.

'Oh, Mark! Is that what you wanted?' She tried to look pleased, not very successfully.

'Of course! It's splendid! My God, I was praying for it all the way up in the train. And another pip. What more could I ask?'

'Uncle Mark – Dad – I've galloped on Worm,' Tizzy called out. 'D'you want to see me?'

'I'll race you!' Mark called out, grinning. He swung Hannibal round and rode him into the park. Tizzy, his face alight with excitement, thumped Worm with his heels and shot away up the field. Christina, anxious and laughing at the same time, saw Mark, very careful not to let Hannibal overtake, pound away behind him, making loud hunting calls. At the same time, another noise, completely unexpected, caused her to swing round in surprise. A smart car was pulling up on the gravel.

'Whoever –' It was too late for visiting, the tang of evening frost already sharp on the dusk. Mark had lit the lamps, and the glow of firelight and lamplight through the long windows of the sitting-room, framed in ivy and the deserted swallows' nests, shone out across the drive. Christina, full of curiosity, went to greet the figure who was climbing out of the driving-seat. The figure turned round, pushing back scarves and veils.

Christina stopped dead, her hands flying up to her mouth.

'Dorothy!'

'Christina!'

They stood laughing, embracing, and laughing again, Dorothy clutching her hat, making excuses. 'I had to call in, although I've no time at all – you said Mark was here, and then I realized I hadn't seen you since – oh, for three years, surely? And I had your letter –'

'But you can stay? For tonight at least? You must!'

'Oh, yes, tonight I can, but tomorrow I –'

'Oh, Dorothy, I can't believe it!'

Christina heard the thud of hoofs coming towards them across the turf and Tizzy's laugh, a shriek of excitement. Worm pulled up, bobbing his head, and Hannibal skidded through the gate right behind him, spraying gravel, his breath making clouds as he snorted and curvetted, Mark pulling him in.

'Look who's here!' Christina called out. 'Mark, it's Dorothy!'

She saw Mark's head jerk round with astonishment, and Hannibal stood instantly, sensing Mark's change of mood. Dorothy went up to the big horse, reaching out to put a hand on his neck, but not laughing as she had laughed with Christina. Christina watched Mark's eyes run over her, full of pleasure and admiration. Dorothy had always been extremely attractive to men, but now, three years older and more experienced than when Christina had seen her last, she had a maturity which made her arresting. She was strikingly well dressed, even for driving, in a plum-coloured coat and an extravagant hat – the contrast in colour with her gorgeous auburn hair gave a slight shock: it was both surprising and absolutely right, with the considered attention to detail that had always made Dorothy a conspicuous figure. Christina, watching her, was conscious of her own untidy skirt and jacket, and the heavy coil of her hair pinned up with more regard for practicality than beauty.

The horses were put away, Tizzy introduced (Mark having the grace to flush slightly, and Christina talking to Tizzy about Worm so that he would not hear the necessary explanations) and they went into the house. Mary laid another place, excited by the presence of 'a proper lady', as she confided to Christina. Mark fetched out the best port and the crystal glasses. Dorothy played with Isobel, enchanted by the baby, and Tizzy rushed round as if he was still on Worm, until dispatched with water bottles to put in the spare bed. When the children were in bed, the three of them ate in the dining-room, and afterwards repaired to the sitting-room to talk. There was so much to tell, and Dorothy had to go in the morning – 'Early, I'm afraid. This is the end of my leave – I'm going back to France on Friday.'

Christina glanced at Mark, and saw him smiling to himself.

'Where are you nursing?' he asked.

'At Etaples.'

'Obviously there are compensations for the wounded,' he murmured. 'As it happens, I'm going to France on Friday, too.'

Christina excused herself early, conscious that time was precious to Mark and Dorothy. Her thoughts were confused, with memories awakened by Dorothy mixed up with anxieties for Mark's future. But she slept soundly, in fact she overslept, and when she was at last awoken by Isobel's indignant cries she found that Dorothy had already gone, leaving a note of apology. Mark had gone with her.

'He said he'll be back tonight, ma'am,' Mary told her. 'Well, he'll have to be, to collect all his things, ready to go off. What a lovely young lady she is, ma'am, to be sure, a real town lady, not like the farmers' wives we get round here! I'm not surprised Mr Mark wanted –'

'Yes, Mary. They were very good friends, you know, before the war started.' She did not want Mary to think that Mark could be infatuated quite so suddenly.

She was not sorry to be on her own. A sweet sense of freedom stole over her, like being a child again when dissenting elders were out of the way. After seeing to the children and tidying up and ordering lunch, and agreeing with Mary that they should try once more to find a girl to help in the house, Christina escaped outside. She did not want to do anything, only feel and think and look at things, aware that she had not done merely this for too long. 'I don't want to worry any more,' she thought. The morning was still and misty, the chestnut-trees a glory of wet gold leaves, the conkers fresh and shining in their split cases. Even the gravel smelt of earth, as if the earth beneath it was too strong to be muffled; the thick clay shone with moisture, the grass was still green, and the ivy on the house dripped and ran with the dew. Christina had time to take it all in, walking slowly away down the drive, kicking the stones.

She went to see Dick, walking, not in any hurry, for she felt that now the world was their own again. Mrs Fowler, a little busy, fussing gnome, overwhelmed by Christina's appearance, never left her elbow from the moment she put her foot over the doorstep, so that communication with Dick was completely impossible. He sat in a chair on one side of the fire-place, and she sat on the other, and Mrs Fowler talked. Christina sat looking at Dick, and he smiled at her, not embarrassed at all. Christina, strangely, found no reason to be put out, for she felt as close to Dick, under cover of Mrs Fowler's voice, as if she were in his arms; in fact, it fitted in, the two of them restful and silent together, with her feelings of not having to worry. She did not have to ask him how he was, or where he was going to live, or if his chest hurt him, or whether he lost all his clothes in the fire; she had only to sit and look at him and think, 'I love him' – a great self-indulgence, a perfect luxury. He knew nothing of the upheavals at Flambards during the last two days, nothing of her quarrels with Mark, nothing of who was the owner of Flambards; she was unable to tell him, because of Mrs Fowler, and found that it was quite unnecessary, and forgot it.

When it was time to go she thanked Mrs Fowler, and got up. Dick got up, too, and Christina said the platitudinous things to him, about getting better quickly and not to be in a hurry to start work. She said them without thinking, and then looked at Dick, all her real thoughts in her eyes. She was very close to him, for the cottage was tiny and the chairs close together, and they put their arms round each other and kissed. Mrs Fowler, for the first time, stopped talking. She never said another word, accompanying Christina to the door, her mouth wide open.

Christina ran home, leaping and bounding, as if she were a twelve-year-old. She thought of Mrs Fowler, in bed with Fowler, telling him what she had seen, and laughed.

Mark did not get home until very late. Fowler went down to the station with the dog-cart, but Christina was already in her bedroom when she heard it return. She had not undressed, and was brushing out her hair. She heard Mark come upstairs. His footsteps came down the passage, and paused outside her door.

'Christina?'

She opened the door. He stood there, damp, slightly breathless, almost laughing. He came in and shut the door behind him.

'Christina, before I go – it's all right. I wanted to tell you.' He leaned on the door, his hands behind him on the knob.

'What's all right?'

'Everything. First, you having Flambards. That's all right. I'm not bothered now. I shall tell Perkins to go ahead and see that everything is put into your name.'

'Oh.'

Christina was more concerned for Mark than – at that moment – pleased about Flambards.

'You're – you're still going to France tomorrow?'

'Yes, of course!'

This, the reason for her sadness, was – amazingly – the prime ingredient of his happiness. He smiled at her, putting his hands on her shoulders.

'Listen, silly, everything has turned out marvellously – for me as well as for you. You don't have to look so worried. Dorothy and I are going to get married.'

'Oh!'

'And you will think me very cynical when I point out that Dorothy is very rich.'

Christina smiled suddenly. 'Richer than me?'

'Yes.'

'But you say you're still going to let me have Flambards? Surely if you –'

'No, we shan't live here. Not only is Dorothy rich, but she owns a house – a hotel – in Northamptonshire. She told me that when the war is finished she wants to make a living out of it – it's a seventeenth-century inn on Watling Street. Her father bought it as an investment. But – more to the point, Christina – it's in the most superb hunting country! The Pytchley and the Grafton – both on the door-step –'

'Mark, did you know this when you proposed to her?' Christina's voice was stern.

'No, cross my heart, Christina! I got carried away. It seemed so stupid to dither about – there we are, both going to France together – and she made it pretty clear what she thought about me. She's obviously a more discerning girl than you, Christina. We'd had a marvellous day and – I must admit – I'd had quite a bit to drink, so I proposed to her. She *is* rather splendid, Christina, you must admit. And then, after we'd decided on getting married, it all came out about the hotel in her life. It's got six loose-boxes at the back –'

'Mark!' Christina was outraged, yet found she was laughing. 'Oh, Mark, she's my friend! You do love her – it's not just – just –'

'You are so earnest, Christina! Of course I love her. We'll get on famously!'

Christina, who knew the strength of Dorothy's will-power, as well as her temper, realized that in Dorothy Mark might well have met his match. They would love and quarrel passionately: they were both handsome, impetuous, arrogant, and self-willed.

'It could be a very good match,' she said, smiling. 'I'm very pleased!'

She was, too, which half surprised her. She had always felt slightly possessive of Mark when he had been interested in other girls, for no reason that she had ever been able to discover. But the thought of Dorothy as a sister-in-law was extremely satisfactory.

'Yes,' she said. 'You're very clever, Mark!'

He stopped looking excited suddenly, and said quietly, 'Not as clever as I might have been.'

'What do you mean by that?'

'Not as clever as either Will or Dick.'

Christina frowned, but Mark went on, 'I would rather marry you than anyone, Christina, even now. I shall never say this again, and I shall grow out of it, I suppose, but you might as well know the truth before I go.'

'We do nothing but quarrel, Mark. Always. We don't think the same way or want the same things. We never have.'

'I know.'

'Marriage would be terrible – you and me –'

'Yes, I know.'

'Well, then –' Gently. 'Just think about all the quarrels, nothing else. Everything is very well, the way it is. Don't spoil it.'

'No, I'm not going to. I just wanted you to know, that's all. It's the way you ride, Christina. I've never seen a woman who rides like you do. That's why I love you.'

Christina could not hide her utter astonishment. 'How extraordinary!' she thought. 'How like Mark! How utterly irrelevant!' It was the sort of remark she could start arguing with immediately. She laughed.

'Dorothy can ride. We went riding, once.'

'Well, she'll have to. Give me a kiss, Christina. Everything is different now. It won't be the same when we meet again. And don't worry about Dorothy – I'll make her a wonderful husband.'

They kissed good-bye. Christina was amused, but when she came to say something else, her voice was quavery. She opened the door for Mark.

'Just one thing,' she said. She cleared her throat. 'It's – it's Tizzy. You won't –'

'No. Tizzy is yours. I'll be an uncle to him in future. We've got two Russells between us, him and Isobel – Flambards' strain. You make Tizzy your heir, Christina, and I won't feel I've relinquished Flambards entirely. Dick can be his father.' He looked at Christina, a hint of the old mockery in his face.

But she was not to be baited now. 'Yes.'

'Good luck with your peasant!'

'Thank you. And good luck for you, too – in everything.'

When he had gone Christina undressed very slowly and got into bed. She did not feel like sleeping, but stared up at the cracks on the ceiling, thinking to herself: 'How extraordinary!' Life was extraordinary, throwing up surprises all the way. She reflected on all the things that had happened, her eyes tracing the cracks in the moonlight, and the things that were going to happen; she heard Isobel stir in her cot, and the barn-owl shrieking in the covert. She felt the house solid around her, unperturbed through eighty years of tiny human crises: births, deaths, and passions; she smelt the October frost on the window-pane. She remembered Will, and thought of Dick. Marigold padded past her door along the landing on her way from Tizzy's encircling arm to the puppies that waited for her in the kitchen. As she lolloped down the stairs the grandfather clock in the hall struck eleven.

Christina was very much aware that nothing was really resolved, life's surprises were by no means finished.

'But the omens are good,' she said, and smiled at the ceiling. She was content.

The first two books in the trilogy are *Flambards* and *The Edge of the Cloud*, both available in Penguins. The trilogy is followed by *Flambards Divided*.